よく出る！

保育士試験

〈過去問〉一問一答 2025

中央法規保育士受験対策研究会 編集

中央法規

Contents

本書の使い方

本書は各科目の頻出テーマごとに問題が分類されています。
繰り返し解いて、合格のための得点力をつけましょう！

• •

穴埋め問題
. . . .
国家試験では選択肢の中から正しい語句を選ぶ問題がよく出題されます。

○×問題
. . . .
国家試験では正しい「○×の組み合わせ」を問われることが多いです。

チェックボックス
. . . .
解いた回数や間違えた問題をチェックするなど、有効活用してください。

テーマ 2	保育の意義及び目的等 （保育所保育指針第1章）

025
保育所は、子どもの人権に十分配慮するとともに、（ ① ）を尊重して保育を行わなければならない。

026
保育所は、（ ① ）との交流や連携を図り、保護者や（ ① ）に、当該保育所が行う保育の（ ② ）を適切に説明するよう努めなければならない。

027
保育所は、（ ① ）の個人情報を適切に取り扱うとともに、（ ② ）の苦情などに対し、その解決を図るよう努めなければならない。

028
保育における養護とは、子どもの生命の保持と情緒の安定を図るために主として看護師が行う治療や処置である。

029
保育における養護とは、そのための一定の時間を設けて、そこで行う援助や関わりである。

030
保育における養護とは、子どもの生命の保持と情緒の安定を図るために保護者に対する指導を行うことである。

031
保育所では、保育全体を通じて、養護に関するねらいや内容を踏まえた保育が展開されなければならない。

032
十分に（ ① ）の行き届いた環境の下に、くつろいだ雰囲気の中で子どもの様々な欲求を満たし、生命の保持及び情緒の安定を図ることが、保育の目標である。

033
（ ① ）、（ ② ）など生活に必要な基本的な習慣や態度を養い、心身の（ ③ ）の基礎を培うことが、保育の目標である。

14

- 本書は『できる！受かる！保育士試験合格問題集』の問題・解説をもとに編集しています。
- 本書の記載内容は、2024（令和6）年7月現在の法令等に基づいています。

図表まとめ

各章には、知識を整理できる「図表まとめ」を掲載しています。

図表まとめ▶ エリクソンの発達課題

乳児期	0～1歳頃	信頼 対 不信
幼児期前期	1～3歳頃	自律性 対 恥・疑惑
幼児期後期	3～6歳頃	積極性（自主性、主体性）対 罪悪感
児童期	6～12歳	勤勉性 対 劣等感
青年期	12～20歳	同一性（アイデンティティ、自我同一性）の確立 対 同一性の拡散（役割の混乱）
成人初期（成人期）	20～30歳頃	親密性（連帯、親密）対 孤立
成人期（中年期、壮年期、成人後期）	30～65歳	世代性（生殖性）対 停滞（自己陶酔、自己吸収）
老年期（成熟期）	65歳頃～	統合性 対 絶望（嫌悪）

図表まとめ▶ 虐待の種類

①身体的虐待	殴る や蹴る、または外傷が残る殴打、あるいは生命に危険のある暴行を加えること。
②性的虐待	児童にわいせつな行為をすること、わいせつつな行為の強要させること、あるいは児童にわいせつな行為やつけ教唆させること。
③心理的虐待	児童に対する著しい心理的外傷を与える言動を行い、著しい心理的外傷を与えること、配偶者に対する暴力（DV）など児童を脅かすこと、極端な心理的外傷を与えると思われるもの全般。
④ネグレクト	衣食住や不潔な状態にて、健康状態を損なう放置をすること。

---

025 →	①子ども一人一人の人格。保育所保育指針第1章「総則」の1の（5）「保育所の社会的責任」のアに記載されている。
026 →	①地域社会、②内容。保育所保育指針第1章「総則」の1の（5）「保育所の社会的責任」のイに記載されている。
027 →	①入所する子ども等、②保護者。保育所保育指針第1章「総則」の1の（5）「保育所の社会的責任」のウに記載されている。
028 ×	「主として看護師が行う治療や処置」ではなく、「保育士等が行う援助や関わり」である（保育所保育指針第1章「総則」の2の（1）「養護の理念」）。
029 ×	「そのための一定の時間を設けて」ではなく、保育所における保育全体を通じて行われる（保育所保育指針第1章「総則」の2の（1）「養護の理念」）。
030 ×	「保護者に対する指導」ではなく、子どもに対して「保育士等が行う援助や関わり」である（保育所保育指針第1章「総則」の2の（1）「養護の理念」）。
031 ○	保育所保育指針第1章「総則」の2の（1）「養護の理念」に記載されている。
032 →	①養護。保育所保育指針第1章「総則」の1の（2）「保育の目標」のアの（ア）に記載されている。
033 →	①健康、②安全。保育所保育指針第1章「総則」の1の（2）「保育の目標」のアの（イ）に記載されている。

穴埋め問題の答え

重要語句

関連する重要語句を赤字で示しています。

赤シート

付録の赤シートを活用して、効率的に学習を進めましょう。

15

スキマ時間を活用しよう！

保育士合格アプリ2025
一問一答＋穴埋め
のご案内

2025
保育士
合格アプリ
中央法規

効率よく学習を進めるには、スキマ時間にサクサク解くことができるアプリの活用がおすすめです。まずは「無料問題」をお試しください。

1 アプリのダウンロード

ご利用のスマートフォンに合わせて、右のQRコードからアプリをダウンロードしてください。アプリのダウンロードは無料です。

iPhone　　Android

2 トップ画面のダウンロードボタンを選択

トップ画面のダウンロードボタンを押して、ダウンロード画面を表示してください。

---

3 【一問一答】無料問題の「ダウンロード」ボタンを選択

ダウンロード画面のいちばん下の【一問一答】無料問題の「ダウンロード」ボタンを選択すると、無料問題30問が表示され、学習を開始できます。

※「合格アプリ2025」は、2024年10月下旬リリース予定です。

第1章

保育原理

「保育所保育指針」を
しっかり読み込んでお
けば、6～7割は確実
に得点することができ
るよ。

001
☑☑☑

保育所保育指針の第1章「総則」には、「幼児期の終わりまでに育ってほしい姿」が記載されている。

002
☑☑☑

保育所保育指針の第2章「保育の内容」には、就学前の子どもの発達過程が8区分で記載されている。

003
☑☑☑

保育所保育指針の第3章「健康及び安全」には、「食育の推進」が記載されている。

004
☑☑☑

1965(昭和40)年の保育所保育指針では、保育の内容の区分において「6か月未満児」が設けられた。

005
☑☑☑

1965(昭和40)年に保育所保育指針が出された後、1990(平成2)年に最初の改訂がなされた。

006
☑☑☑

1990(平成2)年の保育所保育指針の改訂において、初めて、子育て支援に関連する章が設けられた。

007
☑☑☑

2008(平成20)年の保育所保育指針の改定において、初めて、厚生労働大臣の告示となった。

008
☑☑☑

2017(平成29)年の保育所保育指針の改定において、職員の資質向上について、初めて、「キャリアパス」の言葉が用いられた。

009
☑☑☑

保育所保育指針では、乳児期から、月齢・年齢の標準的な子どもの姿をもとに集団的な一斉保育を大切にする。

001 ○
第1章「総則」の4「幼児教育を行う施設として共有すべき事項」に、「幼児期の終わりまでに育ってほしい姿」として10の姿が記載されている。

002 ×
保育所保育指針は、乳児、1歳以上3歳未満児、3歳以上児に3区分されている。

003 ○
第3章「健康及び安全」には、1「子どもの健康支援」、2「食育の推進」、3「環境及び衛生管理並びに安全管理」、4「災害への備え」が記載されている。

004 ×
「6か月未満児」が設けられたのは、1990（平成2）年の改訂時である。乳児保育の推進が進められ、保育所保育指針にも「6か月未満児」が記載された。

005 ○
1965（昭和40）年に発行されて以降、1990（平成2）年の改訂まで25年間改訂はされていなかった。

006 ×
保育所における子育て支援が保育所保育指針に加わったのは、1999（平成11）年の改訂時である。

007 ○
1965（昭和40）年、保育所保育のガイドラインとして発行された保育所保育指針は、2008（平成20）年、厚生労働大臣の告示（法的拘束力をもつ）となった。

008 ○
第5章「職員の資質向上」に、キャリアパスを見据えた研修機会の充実などが記載された。

009 ×
乳児期の保育は、一人一人に応じた個別対応が原則である。

010
☑☑☑
保育所保育指針では、保育の環境として、保育士や子どもなどの人的環境よりも、施設や遊具などの物的環境がより重要であるとする。

011
☑☑☑
保育所保育指針では、保育の方法として、子どもが自発的・意欲的に関われるような環境を構成して、子どもの主体的な活動を大切にする。

012
☑☑☑
保育所保育指針では、子どもの状況や発達過程を踏まえ、保育所における環境を通して、養護及び教育を一体的に行うことを特性としている。

013
☑☑☑
保育所保育指針第1章「総則」に、「保育の計画及び評価」の項目が設けられ、そこに「全体的な計画の作成」について努力義務が記載されている。

014
☑☑☑
保育所保育指針第1章「総則」に、「養護に関する基本的事項」の項目が設けられ、そこに「養護に関わるねらい及び内容」が記載されている。

015
☑☑☑
保育所保育指針第2章「保育の内容」に、「夜間保育」の項目が設けられ、そこに「夜間保育の留意点」が記載されている。

016
☑☑☑
1948（昭和23）年、文部省は「保育要領」を刊行したが、これは、幼稚園のみならず保育所や家庭にも共通する手引きとして作成された。

017
☑☑☑
1991（平成3）年、「幼稚園と保育所との関係について」という通知が文部省、厚生省の局長の連名で出された。その中で、保育所のもつ機能のうち、教育に関するものは、幼稚園教育要領に準ずることが望ましいことなどが示された。

010 ✕	「物的環境がより重要」ではなく、「人、物、場などの環境が相互に関連し合い、子どもの生活が豊かなものとなるよう…」(第1章「総則」の1「保育所保育に関する基本原則」の(4)「保育の環境」)との記載がある。
011 ◯	第1章「総則」の1「保育に関する基本原則」の(3)「保育の方法」のオに記載されている。「自発的」「意欲的」「主体的」はキーワードである。
012 ◯	「保育所における環境を通して、養護及び教育を一体的に行うことを特性としている」は、必ず覚えておきたい。
013 ✕	「全体的な計画の作成」は努力義務ではなく、「義務」である。
014 ◯	第1章「総則」の2「養護に関する基本的事項」に、(1)「養護の理念」及び(2)「養護に関わるねらい及び内容」が示されている。
015 ✕	保育所保育指針に「夜間保育」についての記載はない。
016 ◯	「保育要領」は、日本で最初の保育内容の基準書である。
017 ✕	この通知は1963(昭和38)年に文部省、厚生省の局長の連名で出され、「保育所のもつ機能のうち、教育に関するものは、幼稚園教育要領に準ずることが望ましい」と示され、保育内容の統一化が図られた。

018
☑☑☑
現在も保育所は託児を行い、幼稚園は教育を行うなどその保育内容の基本はまったく違うものとなっている。

019
☑☑☑
幼保連携型認定こども園は、国、地方公共団体、学校法人、社会福祉法人及び株式会社のみが設置することができる。

020
☑☑☑
現行の保育所保育指針は、厚生労働大臣告示として定められたものであり、規範性を有する基準としての性格をもつ。

021
☑☑☑
保育所保育指針は、1955（昭和30）年に策定され、1990（平成2）年、1999（平成11）年と2回の改訂を経た後、2018（平成30）年の改定に際して告示化された。

022
☑☑☑
各保育所は、保育所保育指針に規定されている事項を踏まえ、それぞれの実情に応じて創意工夫を図り、保育を行うとともに、保育所の機能及び質の向上に努めなければならない。

023
☑☑☑
各保育所では、保育所保育指針を日常の保育に活用し、社会的責任を果たしていくとともに、保育の内容の充実や職員の資質・専門性の向上を図ることが求められる。

024
☑☑☑
保育所にとどまらず、小規模保育や家庭的保育等の地域型保育事業及び認可外保育施設においても、保育所保育指針の内容に準じて保育を行うこととされている。

2017（平成29）年告示の保育所保育指針、幼稚園教育要領、幼保連携型認定こども園教育・保育要領によりこれらの施設は共通して「幼児教育」を行う施設とされた。

「就学前の子どもに関する教育、保育等の総合的な提供の推進に関する法律（認定こども園法）」第12条において、設置者は、国、地方公共団体、学校法人、社会福祉法人のみとされており、株式会社は含まれない。

現行の保育所保育指針は、2008（平成20）年、厚生労働大臣により告示として定められ、2017（平成29）年に改定された。保育の質の最低基準が明確化された。

保育所保育指針は、1965（昭和40）年に策定され、1990（平成2）年、1999（平成11）年、2008（平成20）年、2017（平成29）年に合計4回改定されている。告示化されたのは、2008（平成20）年である。

保育所保育指針第1章「総則」の前文に「各保育所は、この指針において規定される保育の内容に係る基本原則に関する事項等を踏まえ、各保育所の実情に応じて創意工夫を図り、保育所の機能及び質の向上に努めなければならない」と記載されている。

保育所保育指針解説序章の2「保育所保育指針の基本的考え方」に記載されている。

保育所保育指針解説序章の1「保育所保育指針とは何か」に記載されている。

025
☑☑☑
保育所は、子どもの人権に十分配慮するとともに、
（　①　）を尊重して保育を行わなければならない。

026
☑☑☑
保育所は、（　①　）との交流や連携を図り、保護者や
（　①　）に、当該保育所が行う保育の（　②　）を適切
に説明するよう努めなければならない。

027
☑☑☑
保育所は、（　①　）の個人情報を適切に取り扱うととも
に、（　②　）の苦情などに対し、その解決を図るよう努
めなければならない。

028
☑☑☑
保育における養護とは、子どもの生命の保持と情緒の安
定を図るために主として看護師が行う治療や処置であ
る。

029
☑☑☑
保育における養護とは、そのための一定の時間を設け
て、そこで行う援助や関わりである。

030
☑☑☑
保育における養護とは、子どもの生命の保持と情緒の安
定を図るために保護者に対する指導を行うことである。

031
☑☑☑
保育所では、保育全体を通じて、養護に関するねらいや
内容を踏まえた保育が展開されなければならない。

032
☑☑☑
十分に（　①　）の行き届いた環境の下に、くつろいだ
雰囲気の中で子どもの様々な欲求を満たし、生命の保持
及び情緒の安定を図ることが、保育の目標である。

033
☑☑☑
（　①　）、（　②　）など生活に必要な基本的な習慣や態
度を養い、心身の（　①　）の基礎を培うことが、保育
の目標である。

①子ども一人一人の人格。保育所保育指針第1章「総則」の1の（5）「保育所の社会的責任」のアに記載されている。

 ①地域社会、②内容。保育所保育指針第1章「総則」の1の（5）「保育所の社会的責任」のイに記載されている。

 ①入所する子ども等、②保護者。保育所保育指針第1章「総則」の1の（5）「保育所の社会的責任」のウに記載されている。

 「主として看護師が行う治療や処置」ではなく、「保育士等が行う援助や関わり」である（保育所保育指針第1章「総則」の2の（1）「養護の理念」）。

 「そのための一定の時間を設けて」ではなく、「保育所における保育全体を通じて」行われる（保育所保育指針第1章「総則」の2の（1）「養護の理念」）。

 「保護者に対する指導」ではなく、子どもに対して「保育士等が行う援助や関わり」である（保育所保育指針第1章「総則」の2の（1）「養護の理念」）。

保育所保育指針第1章「総則」の2の（1）「養護の理念」に記載されている。

 ①養護。保育所保育指針第1章「総則」の1の（2）「保育の目標」のアの（ア）に記載されている。

①健康、②安全。保育所保育指針第1章「総則」の1の（2）「保育の目標」のアの（イ）に記載されている。

034 ☑☑☑
生命、自然及び（　①　）の事象についての興味や関心を育て、それらに対する豊かな（　②　）や思考力の芽生えを培うことが、保育の目標である。

035 ☑☑☑
保育所は、保育を必要とする子どもの保育を通して、子どもの身体の発達を図ることを目標とした児童自立支援施設である。

036 ☑☑☑
保育所は、入所する子どもの保護者に対する支援や地域の子育て家庭に対する支援を行う役割を担っている。

037 ☑☑☑
保育所の保育士は、子どもの保育を行うとともに、子どもの保護者に対する保育に関する指導を行う役割がある。

038 ☑☑☑
保育所保育指針第1章「総則」の2「養護に関する基本的事項」では、「一人一人の子どもの置かれている状態や（　①　）などを的確に把握し、子どもの（　②　）を適切に満たしながら、（　③　）な触れ合いや言葉がけを行う」とされている。

039 ☑☑☑
保育所保育指針第1章「総則」の2「養護に関する基本的事項」では、「保育士等との信頼関係を基盤に、一人一人の子どもが主体的に活動し、自発性や（　①　）などを高めるとともに、自分への（　②　）をもつことができるよう成長の過程を見守り、適切に働きかける」とされている。

040 ☑☑☑
保育所保育指針第1章「総則」の3「保育の計画及び評価」の（2）「指導計画の作成」に照らして、複数の保育士等が一日の流れを把握した上で、保育のねらいや内容等について理解し共有して取り組む。

034 →

①社会、②心情。保育所保育指針第1章「総則」の1の(2)「保育の目標」のアの(エ)に記載されている。

035 ✕

保育所保育指針第1章「総則」の1「保育所保育に関する基本原則」の(1)「保育所の役割」のアに、児童福祉法第39条に基づく「保育を必要とする子どもの保育を行い、その健全な心身の発達を図ることを目的とする児童福祉施設」と記載されている。

036 ○

保育所保育指針第1章「総則」の1「保育所保育に関する基本原則」の(1)「保育所の役割」のウに記載されている。

037 ○

保育所保育指針第1章「総則」の1「保育所保育に関する基本原則」の(1)「保育所の役割」のエに記載されている。

038 →

①発達過程、②欲求、③応答的。養護については、第1章「総則」の2「養護に関する基本的事項」のア「生命の保持」とイ「情緒の安定」の2つの側面があり、そして各々、ねらい、内容が記載されている。

039 →

①探索意欲、②自信。養護については、第1章「総則」の2「養護に関する基本的事項」のア「生命の保持」とイ「情緒の安定」の2つの側面があり、そして各々、ねらい、内容が記載されている。設問はイ「情緒の安定」の(イ)「内容」の③から出題されている。

040 ○

第1章「総則」の3「保育の計画及び評価」の(2)「指導計画の作成」には、指導計画作成の際の配慮事項がア〜キまで記載されている。

041 ☑☑☑ 保育所保育指針第1章「総則」の3「保育の計画及び評価」の（2）「指導計画の作成」に照らして、長時間の保育において子どもが不安にならないように、保育士と保護者の連携を密にしながら十分に配慮して子どもに関わる。

042 ☑☑☑ 保育所保育指針第1章「総則」の3「保育の計画及び評価」の（2）「指導計画の作成」に照らして、子どもに心身の負担が生じることがないように、家庭的でゆったりとくつろぐことができる環境を整える。

043 ☑☑☑ 保育所保育指針第1章「総則」の3「保育の計画及び評価」の（2）「指導計画の作成」に照らして、一日の中で保育士が引き継ぎを行う際には、職員間で情報の伝達を適切に行う。

044 ☑☑☑ 保育所保育指針第1章「総則」の3「保育の計画及び評価」の（2）「指導計画の作成」に照らして、迎えの際には少しでも早く家に帰ってもらうようにするため、その日の子どもの生活の様子や育ちの姿を伝えることは省略する。

045 ☑☑☑ 保育所保育指針第1章「総則」の4の（2）「幼児期の終わりまでに育ってほしい姿」のアは健康な（ ① ）である。

046 ☑☑☑ 保育所保育指針第1章「総則」の4の（2）「幼児期の終わりまでに育ってほしい姿」のイは（ ① ）心である。

047 ☑☑☑ 保育所保育指針第1章「総則」の4の（2）「幼児期の終わりまでに育ってほしい姿」のウは（ ① ）性である。

保育所保育指針には、「不安」という文言はないが、その根底にある考え方は、保育所保育指針解説に記載されている。

保育所保育指針には、「家庭的でゆったりとくつろぐことのできる環境」という文言はないが、保育所保育指針解説にその文言がある。

保育所保育指針には、「伝達」という文言はない。原文から読み取ることもできるが、保育所保育指針解説にその文言がある。

省略してはいけない。保育所保育指針には、「家族との連携」という文言のみだが、保育所保育指針解説には家庭との連携、保護者との情報交換の必要性が記載されている。

①心と体。保育所の生活の中で充実感をもって自分のやりたいことに向かって心と体を十分に働かせ、自ら健康で安全な生活を作り出すようになること等とされている。

①自立。しなければならないことを自覚し、自分の力で行うために考えたり、工夫したりしながら、諦めずにやり遂げるようになること等とされている。

①協同。友達と関わる中で、互いの思いや考えなどを共有し、共通の目的の実現に向けて、考えたり、工夫したり、協力したりし、充実感をもってやり遂げるようになるとされている。

048 ☑☑☑
保育所保育指針第1章「総則」の4の（2）「幼児期の終わりまでに育ってほしい姿」のエは（　①　）・規範意識の芽生えである。

049 ☑☑☑
保育所保育指針第1章「総則」の4の（2）「幼児期の終わりまでに育ってほしい姿」のオは（　①　）との関わりである。

050 ☑☑☑
保育所保育指針第1章「総則」の4の（2）「幼児期の終わりまでに育ってほしい姿」のカは（　①　）の芽生えである。

051 ☑☑☑
保育所保育指針第1章「総則」の4の（2）「幼児期の終わりまでに育ってほしい姿」のキは（　①　）との関わり・生命尊重である。

052 ☑☑☑
保育所保育指針第1章「総則」の4の（2）「幼児期の終わりまでに育ってほしい姿」のクは（　①　）や図形、標識や文字などへの関心・感覚である。

053 ☑☑☑
保育所保育指針第1章「総則」の4の（2）「幼児期の終わりまでに育ってほしい姿」のケは（　①　）による伝え合いである。

054 ☑☑☑
保育所保育指針第1章「総則」の4の（2）「幼児期の終わりまでに育ってほしい姿」のコは豊かな（　①　）である。

048 →
①道徳性。友達と様々な体験を重ねる中で、してよいことや悪いことがわかり、相手の立場になって行動するようになること、また、きまりを守ったりするようになること等とされている。

049 →
①社会生活。地域の身近な人と触れ合う中で、人との様々な関わり方に気付き、自分が役に立つ喜びを感じ、地域に親しみをもつようになること等とされている。

050 →
①思考力。身近な事象に積極的に関わる中で、物の性質や仕組みなどを感じ取ったり、気付いたりし、予想したりするなど、多様な関わりを楽しむようになること等とされている。

051 →
①自然。自然に触れて感動する体験を通して、自然の変化などを感じ取り、身近な事象への関心が高まるとともに、自然への愛情や畏敬の念をもつようになること等とされている。

052 →
①数量。遊びや生活の中で、数量や図形などに親しむ体験を重ねたり、自らの必要感に基づきこれらを活用し、興味や関心、感覚をもつようになること等とされている。

053 →
①言葉。保育士等や友達と心を通わせる中で、絵本や物語などに親しみながら、豊かな言葉や表現を身に付け、経験したことや考えたことなど言葉による伝え合いを楽しむようになること等とされている。

054 →
①感性と表現。感じたことや考えたことを自分で表現したり、友達同士で表現する過程を楽しんだりし、表現する喜びを味わい、意欲をもつようになること等とされている。

055
☑☑☑
保育所保育指針第1章「総則」の（5）「保育所の社会的責任」において、「子どもの人権に十分配慮するとともに、子ども一人一人の人格を尊重して保育を行うこと」とされている。

056
☑☑☑
保育所保育指針第1章「総則」の（5）「保育所の社会的責任」において、「保護者や地域社会に保育所が行う保育の内容を適切に説明するよう努めること」とされている。

057
☑☑☑
保育所保育指針第1章「総則」の（5）「保育所の社会的責任」において、「入所する子ども等の個人情報を適切に取り扱うとともに、保護者の苦情などに対し、その解決を図るよう努めること」とされている。

058
☑☑☑
保育所保育指針第1章「総則」の（5）「保育所の社会的責任」において、「幼児期の終わりまでに育ってほしい姿について、地域の小学校と合同の研修を行うよう努めること」とされている。

059
☑☑☑
保育所保育指針第1章「総則」には「保育所は、入所する子どもを（ ① ）するとともに、家庭や地域の様々な（ ② ）との連携を図りながら、入所する子どもの保護者に対する（ ③ ）及び地域の（ ④ ）に対する（ ③ ）等を行う役割を担うものである」と記載されている。

060
☑☑☑
保育所保育指針第1章「総則」の1「保育所保育に関する基本原則」の（5）「保育所の社会的責任」には、「子どもの人権に十分配慮するとともに、子ども一人一人の人格を尊重して保育を行う」と記載されている。

055
○

(5)「保育所の社会的責任」のアに記載されている。

056
○

(5)「保育所の社会的責任」のイに記載されている。

057
○

(5)「保育所の社会的責任」のウに記載されている。

058
×

設問の内容は、第2章「保育の内容」の4「保育の実施に関して留意すべき事項」の（2）「小学校との連携」のイに記載されている。

059
→

①保育、②社会資源、③支援、④子育て家庭。保育所保育指針第1章「総則」の1「保育所保育に関する基本原則」の（1）「保育所の役割」のウに記載されている。

060
○

保育所保育指針第1章「総則」の1「保育所保育に関する基本原則」の（5）「保育所の社会的責任」のアに記載されている。

061

☑☑☑

保育所保育指針第1章「総則」の1「保育所保育に関する基本原則」の（5）「保育所の社会的責任」には、「入所する子ども等の個人情報を適切に取り扱うとともに、保護者の苦情などに対し、その解決を図るよう努める」と記載されている。

062

☑☑☑

保育所保育指針第1章「総則」の1「保育所保育に関する基本原則」の（5）「保育所の社会的責任」には、「子どもの生活リズムを大切にし、健康、安全で情緒の安定した生活ができる環境や、自己を十分に発揮できる環境を整える」と記載されている。

063

☑☑☑

保育所保育指針第1章「総則」の1「保育所保育に関する基本原則」の（5）「保育所の社会的責任」には、「地域社会との交流や連携を図り、保護者や地域社会に、保育の内容を適切に説明する」と記載されている。

保育所保育指針第1章「総則」の1「保育所保育に関する基本原則」の（5）「保育所の社会的責任」のウに記載されている。

保育所保育指針第1章「総則」の1「保育所保育に関する基本原則」の（5）「保育所の社会的責任」ではなく、（3）「保育の方法」のイに記載されている。

063
○

保育所保育指針第1章「総則」の1「保育所保育に関する基本原則」の（5）「保育所の社会的責任」のイに記載されている。

図表まとめ▶ 保育所の社会的責任（保育所保育指針第1章の1の（5））

ア　保育所は、子どもの人権に十分配慮するとともに、子ども一人一人の人格を尊重して保育を行わなければならない。
イ　保育所は、地域社会との交流や連携を図り、保護者や地域社会に、当該保育所が行う保育の内容を適切に説明するよう努めなければならない。
ウ　保育所は、入所する子ども等の個人情報を適切に取り扱うとともに、保護者の苦情などに対し、その解決を図るよう努めなければならない。

064 ☑☑☑ 保育の環境として、子ども自らが環境に関わり、（　①　）的に活動し、様々な経験を積んでいくことができるよう配慮することに留意する。

065 ☑☑☑ 保育の環境として、子どもの活動が豊かに展開されるよう、保育所の設備や環境を整え、保育所の（　①　）的環境や安全の確保などに努めることに留意する。

066 ☑☑☑ 保育の環境として、保育室は、温かな親しみとくつろぎの場となるとともに、（　①　）活動できる場となるよう に配慮することに留意する。

067 ☑☑☑ 保育の環境として、子どもが（　①　）と関わる力を育てていくため、子ども自らが（　②　）の子どもや大人と関わっていくことができる環境を整えることに留意する。

068 ☑☑☑ 保育所は、保育の目標を達成するために、各保育所の保育の方針や目標に基づき、子どもの発達過程を踏まえて、保育の内容が組織的・計画的に構成され、保育所の（　①　）を通して、（　②　）に展開されるよう、（　③　）を作成しなければならない。

069 ☑☑☑ （　①　）は、保育所保育の全体像を包括的に示すものとし、これに基づく（　②　）、保健計画、食育計画等を通じて、各保育所が（　③　）して保育できるよう、作成されなければならない。

070 ☑☑☑ 保育の過程の記録は、子どもの生活や遊びの姿に視点をあてた記録ではなく、保育士等の行った保育に視点をあてて、ねらいや内容が適切であったか否かを記録することが重要である。

071 ☑☑☑ 保育士等は計画通りに保育を展開することが重要なので、そのための保育技術を身につけなければならない。

①自発。保育所保育指針第1章の1「保育所保育に関する基本原則」の（4）「保育の環境」のアに記載されている。

①保健。保育所保育指針第1章の1「保育所保育に関する基本原則」の（4）「保育の環境」のイに記載されている。

①生き生きと。保育所保育指針第1章の1「保育所保育に関する基本原則」の（4）「保育の環境」のウに記載されている。

①人、②周囲。保育所保育指針第1章の1「保育所保育に関する基本原則」の（4）「保育の環境」のエに記載されている。

①生活の全体、②総合的、③全体的な計画。保育所保育指針第1章の3「保育の計画及び評価」の（1）「全体的な計画の作成」のアに記載されている。

①全体的な計画、②指導計画、③創意工夫。保育所保育指針第1章の3「保育の計画及び評価」の（1）「全体的な計画の作成」のウに記載されている。

「子どもの生活や遊びの姿」にも視点をあてなければならない。

「計画通りに保育を展開することが重要」なのではない。計画はあくまでも計画なので、子どもの姿、様子を見ながらその計画内容を変更することも大切である。

072
☑☑☑
保育所における保育全体を通じて、養護に関するねらい及び内容を踏まえた保育が展開されなければならない。

073
☑☑☑
保育における養護とは、子どもの生命の保持及び情緒の安定を図るために保育士等が保護者と行う援助である。

074
☑☑☑
保育における教育とは、子どもが健やかに成長し、集団的活動がより豊かに展開されるための発達の指導である。

075
☑☑☑
保育所保育指針第2章「保育の内容」では、主に教育に関わる側面からの視点が示されているが、実際の保育においては、養護と教育が一体となって展開されることに留意する必要がある。

076
☑☑☑
保育所保育指針第1章「総則」の3の（1）「全体的な計画の作成」には、「全体的な計画は、子どもや家庭の状況、地域の実態、（ ① ）時間などを考慮し、子どもの育ちに関する（ ② ）的見通しをもって適切に作成されなければならない」と記載されている。

077
☑☑☑
保育所保育指針第1章「総則」の3の（1）「全体的な計画の作成」には、「全体的な計画は、保育所保育の（ ① ）像を包括的に示すものとし、これに基づく（ ② ）計画、保健計画、食育計画等を通じて、各保育所が創意工夫して保育できるよう、作成されなければならない」と記載されている。

078
☑☑☑
保育所の全体的な計画は、長期・短期の指導計画や保健計画・食育計画といった計画に基づいて作成されるべきものである。

072 ○
保育所保育指針第1章「総則」の2「養護に関する基本的事項」の（1）「養護の理念」に記載されている。

073 ✕
「保育士等が保護者と行う援助」ではなく、「保育士等が行う援助や関わり」である。

074 ✕
「集団的活動がより豊かに展開されるための発達の指導」ではなく、「その活動がより豊かに展開されるための発達の援助」である。保育所保育指針第2章「保育の内容」の前文に記載されている。

075 ○
保育所保育指針の第1章「総則」の2「養護に関する基本的事項」の（1）「養護の理念」に「保育所における保育は、養護及び教育を一体的に行うことをその特性とするものである」と記載されている。

076 →
①保育、②長期。保育所保育指針第1章「総則」の3「保育の計画及び評価」の（1）「全体的な計画の作成」に記載されている。

077 →
①全体、②指導。保育所保育指針第1章「総則」の3「保育の計画及び評価」の（1）「全体的な計画の作成」に記載されている。

078 ✕
全体的な計画に基づいて、長期・短期の指導計画や保健計画・食育計画が作成される。保育所保育指針第1章「総則」の3「保育の計画及び評価」の（1）「全体的な計画の作成」のウに記載されている。

079
☑☑☑
全体的な計画は、子どもや家庭の状況、地域の実態、保育時間などを考慮し、子どもの育ちに関する長期的見通しをもって作成される必要がある。

080
☑☑☑
異年齢で構成される組やグループでの保育においては、一人一人の子どもの生活に配慮できない状況が多くみられるため、集団で一律に食事や午睡ができるよう指導計画を作成する必要がある。

081
☑☑☑
3歳未満児については、一人一人の子どもの生育歴、心身の発達、活動の実態等に即して、個別的な計画を作成することが求められる。

079
○

保育所保育指針第1章「総則」の3「保育の計画及び評価」の（1）「全体的な計画の作成」のイに記載されている。

080
✕

異年齢で構成される組やグループでの保育においては、一人一人の子どもの生活や経験、発達過程などを把握し、適切な援助や環境構成ができるよう配慮することが保育所保育指針第1章「総則」の3「保育の計画及び評価」の（2）「指導計画の作成」のイの（ウ）に記載されている。

081
○

保育所保育指針第1章「総則」の3「保育の計画及び評価」の（2）「指導計画の作成」のイの（ア）に記載されている。

日々の保育は「保育所保育指針」をもとに営まれているから、保育所保育指針の理解が大切だよ。

082 「養護」とは、子どもの身体の健康を図るために保育士等が行う援助や関わりである。

083 「教育」とは、子どもが健やかに成長し、その活動がより豊かに展開されるための発達の援助である。

084 「ねらい」は、保育の目標をより具体化したものである。

085 「内容」は、「ねらい」を達成するために、保育士等が計画に沿って子どもを指導する事項を示したものである。

086 保育所保育指針に、「1歳以上3歳未満児の保育に関わるねらい」として「自分の体を十分に動かし、進んで運動しようとする」と記載されている。

087 保育所保育指針に、「1歳以上3歳未満児の保育に関わるねらい」として「保育所の生活を楽しみ、自分の力で行動することの充実感を味わう」と記載されている。

088 保育所保育指針に、「1歳以上3歳未満児の保育に関わるねらい」として「様々なものに関わる中で、発見を楽しんだり、考えたりしようとする」と記載されている。

089 保育所保育指針に、「1歳以上3歳未満児の保育に関わるねらい」として「人の言葉や話などを聞き、自分でも思ったことを伝えようとする」と記載されている。

保育所保育指針第2章「保育の内容」の前文に「『養護』とは、子どもの生命の保持及び情緒の安定を図るために保育士等が行う援助や関わり」との記載がある。

保育所保育指針第2章「保育の内容」の前文に記載されている。

保育所保育指針第2章「保育の内容」の前文に記載されている。

保育所保育指針第2章「保育の内容」の前文に「『内容』は、『ねらい』を達成するために、子どもの生活やその状況に応じて保育士等が適切に行う事項と、保育士等が援助して子どもが環境に関わって経験する事項を示したものである」と記載されている。

3歳以上児の(2)「ねらい及び内容」の5領域のうちのア「健康」の(ア)「ねらい」の②の内容である。1歳以上3歳未満は「自分の体を十分に動かし、様々な動きをしようとする」と記載されている。

3歳以上児の(2)「ねらい及び内容」の5領域のうちのイ「人間関係」の(ア)「ねらい」の①の内容である。1歳以上3歳未満児は「保育所の生活を楽しみ、身近な人と関わる心地よさを感じる」と記載されている。

1歳以上3歳未満児の(2)「ねらい及び内容」の5領域のうちのウ「環境」の(ア)「ねらい」の②に記載されている。

1歳以上3歳未満児の(2)「ねらい及び内容」の5領域のうちのエ「言葉」の(ア)「ねらい」の②に記載されている。

090
☑☑☑
保育所保育指針に、「1歳以上3歳未満児の保育に関わるねらい」として「いろいろなものの美しさなどに対する豊かな感性をもつ」と記載されている。

091
☑☑☑
「健康、安全な生活に必要な習慣や態度を身に付け、見通しをもって行動する」は、保育所保育指針第2章の2「1歳以上3歳未満児の保育に関わるねらい及び内容」の一部である。

092
☑☑☑
「健康、安全な生活に必要な習慣に気付き、自分でしてみようとする気持ちが育つ」は、保育所保育指針第2章の2「1歳以上3歳未満児の保育に関わるねらい及び内容」の一部である。

093
☑☑☑
「身近な環境に親しみ、自然と触れ合う中で様々な事象に興味や関心をもつ」は、保育所保育指針第2章の2「1歳以上3歳未満児の保育に関わるねらい及び内容」の一部である。

094
☑☑☑
「保育所の生活の仕方に慣れ、きまりの大切さに気付く」は、保育所保育指針第2章の2「1歳以上3歳未満児の保育に関わるねらい及び内容」の一部である。

095
☑☑☑
「身近な人と親しみ、関わりを深め、工夫したり、協力したりして一緒に活動する楽しさを味わい、愛情や信頼感をもつ」は、保育所保育指針第2章の2「1歳以上3歳未満児の保育に関わるねらい及び内容」の一部である。

096
☑☑☑
保育所保育指針では、「保育所保育において育まれた（　①　）を踏まえ、（　②　）が円滑に行われるよう、小学校教師との意見交換や合同の（　③　）の機会などを設け、（中略）『幼児期の終わりまでに育って欲しい姿』を共有するなど連携を図り、保育所保育と（　②　）との円滑な（　④　）を図るよう努めること」と記載されている。

090 ×
保育所保育指針第2章の3「3歳以上児の保育に関するねらい及び内容」の（2）「ねらい及び内容」の5領域のうちのオ「表現」の（ア）「ねらい」の①の内容である。

091 ×
保育所保育指針第2章の3「3歳以上児の保育に関するねらい及び内容」の（2）「ねらい及び内容」の5領域のうちのア「健康」の（ア）「ねらい」の③に記載されている。

092 ○
保育所保育指針第2章の2の（2）「ねらい及び内容」の5領域のうちのア「健康」の（ア）「ねらい」の③に記載されている。

093 ×
保育所保育指針第2章の3「3歳以上児の保育に関するねらい及び内容」の（2）「ねらい及び内容」の5領域のうちのウ「環境」の（ア）「ねらい」の①に記載されている。

094 ○
保育所保育指針第2章の2の（2）「ねらい及び内容」の5領域のうちのイ「人間関係」の（イ）「内容」の⑤に記載されている。

095 ×
保育所保育指針第2章の3「3歳以上児の保育に関するねらい及び内容」の（2）「ねらい及び内容」の5領域のうちのイ「人間関係」の（ア）「ねらい」の②に記載されている。

096 →
①資質・能力、②小学校教育、③研究、④接続。保育所保育指針第2章「保育の内容」の4「保育の実施に関して留意すべき事項」の（2）「小学校との連携」のイに記載されている。

097 保育所保育指針第3章「健康及び安全」の4「災害への備え」は、「施設・設備等の安全確保」「災害発生時の対応体制及び避難への備え」「地域の関係機関等との連携」の全3項目で構成されている。

098 災害の発生時に、保護者等への連絡及び子どもの引渡しを円滑に行うため、日頃から保護者との密接な連携に努め、連絡体制や引渡し方法等について確認をしておく。

099 防火設備、避難経路等の安全性が確保されるよう、定期的にこれらの安全点検を行う。

100 災害への備えとして、市町村の支援の下に、地域の関係機関との日常的な連携を図り、必要な協力が得られるよう努める。

101 避難訓練は、少なくとも半年に1回定期的に実施するなど、必要な対応を図る。

102 避難訓練については、地域の関係機関や保護者との連携の下に行うなど工夫する。

103 保育所における食育は、（ ① ）の基本としての「食を営む力」の育成に向け、その（ ② ）を培うことを目標とする。

104 乳幼児期にふさわしい食生活が展開され、適切な援助が行われるよう、食事の提供を含む（ ① ）を全体的な計画に基づいて作成し、その評価及び（ ② ）に努める。（ ③ ）が配置されている場合は、専門性を生かした対応を図る。

097 ◯

設問のとおり。「災害への備え」は東日本大震災をきっかけに新設された項目である。災害発生時の備えとして、緊急時対応のマニュアルの作成、定期的な避難訓練や災害発生時の保護者等との連携・連絡体制の整備等について求められている。

098 ◯

保育所保育指針第3章「健康及び安全」の4「災害への備え」の（2）のウに記載されている。

099 ◯

保育所保育指針第3章「健康及び安全」の4「災害への備え」の（1）のアに記載されている。

100 ◯

保育所保育指針第3章「健康及び安全」の4「災害への備え」の（3）のアに記載されている。

101 ✕

保育所保育指針第3章「健康及び安全」の4「災害への備え」の（2）のイに、「定期的に避難訓練を実施するなど、必要な対応を図ること」と記載されているが、回数についての記載はない。

102 ◯

保育所保育指針第3章「健康及び安全」の4「災害への備え」の（3）のイに記載されている。

103 →

①健康な生活、②基礎。保育所保育指針第3章「健康及び安全」の2「食育の推進」の（1）「保育所の特性を生かした食育」のアに記載されている。

104 →

①食育計画、②改善、③栄養士。保育所保育指針第3章「健康及び安全」の2「食育の推進」の（1）「保育所の特性を生かした食育」のウに記載されている。

105
☑☑☑

保育の（ ① ）に対する保護者の積極的な参加は、保護者の（ ② ）を自ら実践する力の向上に寄与することから、これを促す。

106
☑☑☑

保護者の就労と子育ての両立等を支援するため、保護者の多様化した保育の需要に応じ、（ ① ）事業など多様な事業を実施する場合には、保護者の状況に配慮するとともに、子どもの（ ② ）が尊重されるよう努め、子どもの（ ③ ）を考慮する。

107
☑☑☑

保育所保育指針第4章「子育て支援」では、「保護者の話から不適切と思われる行動が行われているとわかれば、はっきりと非難の意思を示し禁止するように指示する」ことが示されている。

108
☑☑☑

保育所保育指針第4章「子育て支援」では、「保護者とのコミュニケーションは、日常の送迎時における対話や連絡帳、電話、面接など様々な機会をとらえて行う」ことが示されている。

109
☑☑☑

保育所保育指針第4章「子育て支援」では、「保護者の保育参観や保育体験への参加の機会は、他の子どもの家庭の状況がわかることから子育ての支援としては行わない」ことが示されている。

110
☑☑☑

保育所保育指針第4章「子育て支援」の1「保育所における子育て支援に関する基本的事項」には、「保護者に対する子育て支援を行う際には、各地域や家庭の実態等を踏まえるとともに、保護者の（ ① ）を受け止め、相互の（ ② ）を基本に、保護者の自己決定を尊重すること」と記載されている。

105 →
①活動、②子育て。保育所保育指針第4章「子育て支援」の2「保育所を利用している保護者に対する子育て支援」の（1）「保護者との相互理解」のイに記載されている。

106 →
①病児保育、②福祉、③生活の連続性。保育所保育指針第4章「子育て支援」の2「保育所を利用している保護者に対する子育て支援」の（2）「保護者の状況に配慮した個別の支援」のアに記載されている。

107 ✕
第4章の2の（3）「不適切な養育等が疑われる家庭への支援」にイ「保護者に不適切な養育等が疑われる場合には、市町村や関係機関と連携し、要保護児童対策地域協議会で検討するなど適切な対応を図ること。また、虐待が疑われる場合には、速やかに市町村又は児童相談所に通告し、適切な対応を図ること」と記載されている。

108 ◯
保育所保育指針には、設問の文言はないが、保育所保育指針解説の第4章の1の（1）のアに記載されている。

109 ✕
保育者の保育参観や保育体験への参加は、保護者の養育力の向上につながる取組みである。

110 →
①気持ち、②信頼関係。保育所保育指針の第4章「子育て支援」の1の（1）のアに記載されている。

111
☑☑☑

保育所保育指針第4章「子育て支援」の1「保育所における子育て支援に関する基本的事項」には、「保育及び子育てに関する知識や技術など、保育士等の（ ① ）や、子どもが常に存在する環境など、保育所の特性を生かし、保護者が子どもの成長に気付き子育ての（ ② ）を感じられるように努めること」と記載されている。

112
☑☑☑

保護者に育児不安等が見られる場合には、保護者の希望に応じて個別の支援を行うよう努める。

113
☑☑☑

保護者に不適切な養育等が疑われる場合には、市町村や関係機関と連携し、要保護児童対策地域協議会で検討するなど適切な対応を図る。

114
☑☑☑

虐待が疑われる場合には、速やかに警察に相談し、適切な対応を図る。

115
☑☑☑

虐待に対しては秘密保持の観点からできるだけ少人数の保育士が関わり、虐待に関する事実関係の記録も最小限にとどめる。

111
→

①専門性、②喜び。保育所保育指針の第4章「子育て支援」の1の（1）のイに記載されている。

112
○

保育所保育指針第4章「子育て支援」の2「保育所を利用している保護者に対する子育て支援」の（3）「不適切な養育等が疑われる家庭への支援」のアに記載されている。

113
○

保育所保育指針第4章「子育て支援」の2「保育所を利用している保護者に対する子育て支援」の（3）「不適切な養育等が疑われる家庭への支援」のイに記載されている。

114
✕

保育所保育指針第4章「子育て支援」の2「保育所を利用している保護者に対する子育て支援」の（3）「不適切な養育等が疑われる家庭への支援」のイに、警察に相談するのではなく、市町村又は児童相談所に通告すると記載されている。

115
✕

「子ども虐待対応の手引き（平成25年8月改正版）」に保育所が組織的対応を図ること、虐待に関する事実関係はできるだけ細かく具体的に記録しておくこと等が記載されている。

116
☑☑☑
子どもの最善の利益を考慮し、（ ① ）に配慮した保育を行うためには、職員一人一人の（ ② ）、人間性並びに保育所職員としての職務及び責任の理解と自覚が基盤となる。

117
☑☑☑
各職員は、（ ① ）に基づく課題等を踏まえ、保育所内外の（ ② ）等を通じて、保育士・看護師・調理員・栄養士等、それぞれの職務内容に応じた専門性を高めるため、必要な知識及び（ ③ ）の修得、維持及び向上に努めなければならない。

118
☑☑☑
保育所においては、保育の内容等に関する（ ① ）等を通じて把握した、保育の質の向上に向けた課題に（ ② ）対応するため、（ ③ ）の改善や保育士等の役割分担の見直し等に取り組むとともに、それぞれの（ ④ ）や職務内容等に応じて、各職員が必要な知識及び（ ⑤ ）を身につけられるよう努めなければならない。

119
☑☑☑
職員が日々の保育（ ① ）を通じて、必要な知識及び（ ② ）の修得、維持及び向上を図るとともに、保育の課題等への（ ③ ）や協働性を高め、保育所全体としての保育の質の向上を図っていくためには、日常的に職員同士が（ ④ ）に学び合う姿勢と（ ⑤ ）が重要であり、職場内での研修の充実が図られなければならない。

120
☑☑☑
保育所保育指針第5章「職員の資質向上」では、「施設長は、保育所の保育課程や、各職員の職位等を踏まえて、体系的・計画的な研修機会を確保するとともに、職員の勤務体制の工夫等により、職員が計画的に外部研修に参加し、その専門性の向上が図られるよう努めなければならない」とされている。

116 →

①人権、②倫理観。保育所保育指針第5章「職員の資質向上」の1「職員の資質向上に関する基本的事項」の(1)「保育所職員に求められる専門性」の前半に記載されている。

117 →

①自己評価、②研修、③技術。保育所保育指針第5章「職員の資質向上」の1「職員の資質向上に関する基本的事項」の(1)「保育所職員に求められる専門性」の後半に記載されている。

118 →

①自己評価、②組織的に、③保育内容、④職位、⑤技能。保育所保育指針第5章「職員の資質向上」の1「職員の資質向上に関する基本的事項」の(2)「保育の質の向上に向けた組織的な取組」に記載されている。

119 →

①実践、②技術、③共通理解、④主体的、⑤環境。保育所保育指針第5章「職員の資質向上」の3「職員の研修等」の(1)「職場における研修」に記載されている。

120 ✕

保育所保育指針第5章の2「施設長の責務」の(2)「職員の研修機会の確保等」に、「施設長は、保育所の全体的な計画や、各職員の研修の必要性等を踏まえて、体系的・計画的な研修機会を確保するとともに、職員の勤務体制の工夫等により、職員が計画的に研修等に参加し、その専門性の向上が図られるよう努めなければならない」と記載されている。

121

☑☑☑

保育所保育指針第5章「職員の資質向上」の4「研修の実施体制等」の（2）「組織内での研修成果の活用」では、「外部研修に参加する職員は、自らの（　①　）の向上を図るとともに、保育所における保育の（　②　）を理解し、その解決を実践できる力を身に付けることが重要である。また、研修で得た（　③　）及び技能を他の職員と（　④　）することにより、保育所全体としての保育実践の（　⑤　）及び専門性の向上につなげていくことが求められる」とされている。

122

☑☑☑

保育所保育指針第5章「職員の資質向上」では、「保育所においては、当該保育所における保育の課題や各職員のキャリアパス等も見据えて、初任者から管理職員までの職位や職務内容等を踏まえた体系的な研修計画を作成しなければならない」とされている。

123

☑☑☑

研修を修了した職員については、その職務内容等において、当該研修の成果等が適切に勘案されることが望ましい。

124

☑☑☑

保育所保育指針第5章「職員の資質向上」では、「職員が日々の保育実践を通じて、必要な知識及び技術の修得、維持及び向上を図るとともに、保育の課題等への共通理解や（　①　）を高め、保育所全体としての保育の（　②　）を図っていくためには、日常的に職員同士が主体的に学び合う姿勢と環境が重要であり、職場内での研修の充実が図られなければならない」とされている。

121 →
①専門性、②課題、③知識、④共有、⑤質。職員研修は、園内研修と外部研修がある。施設長は、体系的・計画的な研修機会を確保できるよう研修計画を立てる。そして、外部研修に参加した職員は、そこで得た知識及び技能を園に帰って他の職員と共有し、園全体の力をパワーアップしていくことが求められている。

122 ○
保育所保育指針第5章の4「研修の実施体制等」の（1）「体系的な研修計画の作成」に記載されている。

123 ○
保育所保育指針第5章の4「研修の実施体制等」の（3）「研修の実施に関する留意事項」に記載されている。

124 →
①協働性、②質の向上。保育所保育指針第5章「職員の資質向上」の3「職員の研修等」の（1）「職場における研修」に記載されている。

125

☑☑☑

1963（昭和38）年に、（　①　）と厚生省の共同通知として「幼稚園と保育所との関係について」が発出された。この通知では、それぞれの機能の独自性を明示するとともに、「保育所のもつ機能のうち、教育に関するものは（　②　）に準ずることが望ましい」と示し、保育内容の統一化が図られた。そこで、（　②　）の改訂・告示を受けて、厚生省は、（　③　）年に保育所保育指針を公表した。ここでは、保育所保育の基本的性格について「（　④　）と教育が一体となって」と示されるとともに、子どもの発達上の特性、年齢別の保育内容、指導上の留意事項等の具体的な記載がなされ、最初の保育所保育指針として大きな役割を果たした。

126

☑☑☑

大正時代は、子どもの個性や自発性を尊重する考え方が広まった時代である。例えば、（　①　）の律動遊戯や（　②　）の自由画運動などが幼児の表現活動に新風を吹き込んだ。芸術家たちによる児童文化の創造も活発な展開をみせた。童話と童謡の月刊雑誌『赤い鳥』が（　③　）によって創刊され、『おとぎの世界』『コドモノクニ』などがこれに続いた。『赤い鳥』の創刊に参加した（　④　）は、『あめふり』『からたちの花』などの童謡を作詞した。こうした活動は、保育の世界に豊かな文化財をもたらしただけでなく、純真無垢な子どもという子ども像を広範に広めることとなった。

127

☑☑☑

東京女子師範学校附属幼稚園で、豊田芙雄が日本初の保姆となり、松野クララとともにフレーベル主義の保育を展開した。

128

☑☑☑

家なき幼稚園とは、橋詰良一が露天保育を提唱し、自然の中で子どもたちを自由に遊ばせるために、自動車で郊外に連れ出して保育を行った幼児教育事業である。

125
→

①文部省、②幼稚園教育要領、③1965（昭和40）、④養護。戦後の保育の歴史において、1963（昭和38）年の通知「幼稚園と保育所との関係について」は大切である。この通知では、この時期すでに「保育所の教育に関するものは、幼稚園教育要領に準ずることが望ましい」と示され、保育内容の統一化が図られた。

126
→

①土川五郎、②山本鼎、③鈴木三重吉、④北原白秋。土川五郎は、幼児期にふさわしい遊戯（律動遊戯）の創作を目指した。山本鼎は、自由画運動を展開した。当時、お手本の模写が主流であった図画教育を、自分の目で見て感じたものを描くことが、児童の発達に大切だと説いた。鈴木三重吉は、赤い鳥童謡運動を展開した。日本の児童文化運動の父と呼ばれている。まとまった文章を書かせることによって、物の見方、考え方、感じ方などを指導した。北原白秋は、鈴木三重吉とともに赤い鳥童謡運動を展開した。

127
〇

東京女子師範学校附属幼稚園は、日本で初めての公立幼稚園であり、フレーベル主義の保育を展開した。初代監事（園長）は関信三、主席保姆（主任）は松野クララ、保姆は豊田芙雄である。

128
〇

家なき幼稚園は、橋詰良一が創始した幼児教育運動である。その名のとおり園舎をもたず、豊かな自然の中で保育を行った。

129
☑☑☑
野口幽香は、高等女学校在学中に二葉幼稚園を知り卒業後保姆となり「二葉の大黒柱」と呼ばれた。二葉保育園と改称された同園の分園を設立し、保育にとどまらず社会事業に尽力した。特に「母の家」はわが国初の母子寮として知られる。

130
☑☑☑
幼稚園保育及設備規程は、1899（明治32）年、文部省令として公布され、幼稚園の保育目的、編制、保育内容などに関して国として最初の基準を定めた。

131
☑☑☑
幼稚園令は、1926（大正15）年、日本の幼稚園に関する最初の単独の勅令として公布された。

132
☑☑☑
保育要領は、1948（昭和23）年に文部省から出された幼児教育の手引書で、幼稚園のみならず保育所や子どもを育てる母親を対象とする幅広い手引書となった。

133
☑☑☑
児童憲章は、1951（昭和26）年5月5日、日本国憲法の精神にしたがい、すべての児童の権利を保障し、幸福を図るために制定された。

134
☑☑☑
1999（平成11）年、文部省と厚生省の幼児教育に関わる担当局長の連名による通知においてはじめて、「保育所のもつ機能のうち、教育に関するものは、幼稚園教育要領に準ずることが望ましいこと」とされた。

135
☑☑☑
2008（平成20）年、保育所保育指針は大臣告示として改定され、規範性を有する基準としての性格が明確になった。

129 ✕

野口幽香ではなく、徳永恕である。徳永恕は、二葉幼稚園（のちに二葉保育園と改称）の保姆、園長、理事長として幼児教育・社会福祉に貢献した。日本初の母子寮「母の家」を開設した。

130 ○

幼稚園保育及設備規程は、幼稚園についての最初の国家的基準である。

131 ○

幼稚園令は、小学校令から独立した初めての幼稚園固有の法律である。1947（昭和22）年学校教育法が制定され、幼稚園は学校として位置づけられ、幼稚園令は廃止された。

132 ○

保育要領は、幼稚園の保育内容・方法を示すものであるが、保育所や家庭で子育てする母親にも役立つように配慮されている。現在の幼稚園教育要領、保育所保育指針のもとになっている。

133 ○

児童憲章は、前文と12項目から成っている。

134 ✕

1963（昭和38）年の通知「幼稚園と保育所との関係について」の内容である。

135 ○

設問のとおり。

136 2017（平成29）年の保育所保育指針改定で、教育に関わる側面のねらい及び内容に関して、幼稚園教育要領、幼保連携型認定こども園教育・保育要領との整合性を図った。

137 2012（平成24）年の子ども・子育て支援新制度により、保育所が幼児教育を行う施設として位置づけられた。

138 野口幽香は、華族女学校附属幼稚園に勤めていたが、貧しい子どもたちを対象とする幼児教育の必要性を感じ、森島峰とともに二葉幼稚園を設立した。

139 土川五郎は、リズミカルな歌曲に動作を振り付けた「律動遊戯」と童謡などに動作を振り付けた「律動的表情遊戯」を創作した。

140 松野クララは、東京女子師範学校附属幼稚園の創設時の主任保姆として保姆たちの指導にあたり、日本の幼稚園教育の基礎を築いた。

141 東基吉は、恩物中心主義の保育を批判し、著書『幼稚園保育法』（明治37年）において、幼児の自己活動を重視するとともに遊戯の価値を論じた。

142 保育所は保育を必要とする乳児・幼児を日々保護者の下から通わせて保育を行うことを目的とする施設で、利用定員が（ ① ）人以上である。

143 保育所における保育時間は、1日につき8時間が原則となっているが、フルタイムで働く保護者を想定した利用可能な保育標準時間は最長（ ① ）時間である。

136
○

設問のとおり。

137
✕

2015（平成27）年である。

138
○

野口幽香は、森島峰（美根）とともに貧しい子どもたちの教育のために二葉幼稚園を設立し、東京女子師範学校附属幼稚園や華族女学校附属幼稚園同様に、フレーベルの教育を行った。

139
○

土川五郎は、幼児期にふさわしい遊戯の創作をした。大正期にリズミカルな歌曲に振り付けをして幼児音楽に影響をもたらした。

140
○

松野クララは、ドイツ人で、東京女子師範学校附属幼稚園創設時の主任保姆である。フレーベルが創設した「幼児教育指導者講習科」という指導者養成校で学び、日本の近代幼児教育の基盤整備に取り組み、フレーベルの恩物やピアノを用いた教育を行った。

141
○

東基吉は、形骸化した恩物中心主義の保育を批判した。幼児の自発的な遊びの重要性を主張し『幼稚園保育法』を著した。

142
→

①20。児童福祉法第39条に規定されている。

143
→

①11。子ども・子育て支援新制度では、保育を必要とする事由や保護者の状況に応じ、保育標準時間（最長11時間）と保育短時間（最長8時間）に区分される。

144 ☑☑☑
貧しい家庭の子どもたちのための幼稚園が明治期につくられ始めたが、その一つ、二葉幼稚園は赤沢鍾美が慈善により開設したものである。

145 ☑☑☑
日本において最も早く設立された公立の幼稚園は、東京女子師範学校附属幼稚園であり、そこでは設立当初から、子どもの自由で自主的な活動が保育の中心であった。

146 ☑☑☑
1948（昭和23）年に文部省から刊行された「保育要領」は、幼稚園のみならず保育所及び家庭における幼児期の教育や世話の仕方などを詳細に解説したものである。

147 ☑☑☑
2019（令和元）年10月1日から実施された「幼児教育・保育の無償化」について、「幼児教育・保育の無償化」の対象となる施設は、幼稚園、保育所、認定こども園のみである。

148 ☑☑☑
2019（令和元）年10月1日から実施された「幼児教育・保育の無償化」について、「幼児教育・保育の無償化」の対象となる子どもは、3歳から5歳児クラスの子どもであり、原則、満3歳になった後の4月1日から小学校入学前までの3年間である。

149 ☑☑☑
2019（令和元）年10月1日から実施された「幼児教育・保育の無償化」について、無償になるのは、保育所等の利用料であり、通園送迎費、食材料費、行事費等は保護者負担になる。ただし、食材料費については、保護者の年収等によって副食（おかず・おやつ等）の費用が免除される。

144
×

貧しい家庭の子どもたちのためにつくられ始めたのは、保育所である。二葉幼稚園は野口幽香、森島峰（美根）により開設された。赤沢鍾美・仲子夫妻が開設したのは、新潟静修学校附設託児所である。

145
×

日本で初めて設立された公立の幼稚園は、東京女子師範学校附属幼稚園である。その保育内容はフレーベル主義に基づき、恩物を使用しての集団保育と呼ばれるものである。

146
○

「保育要領」は、日本で最初の保育内容の基準書である。保育所や家庭での子育てにも役立つように配慮されており、現在の幼稚園教育要領、保育所保育指針の礎になるものである。

147
×

幼稚園、保育所、認定こども園のほかにも、認可外保育施設や一時預かり事業、障害児を対象とした児童発達支援センターなどの利用料も、無償化の対象となる。

148
○

「無償化の期間は、満3歳になった後の4月1日から小学校入学前までの3年間」とされている。

149
○

「通園送迎費、食材料費、行事費などは、これまでどおり保護者の負担」「ただし、年収360万円未満相当世帯の子供たちと全ての世帯の第3子以降の子供たちについては、副食（おかず・おやつ等）の費用が免除」とされている。

150
☑☑☑
2019（令和元）年10月1日から実施された「幼児教育・保育の無償化」について、就学前の障害児の発達支援を利用する3歳から5歳までの子ども（満3歳になった後の4月1日から小学校入学前までの3年間）の利用料が無料となる。

151
☑☑☑
1876（明治9）年、幼稚園が創設されると同時に保姆資格が法律で規定された。

152
☑☑☑
1890（明治23）年に赤沢鍾美が創設した新潟静修学校では、子守をしながら通う生徒のために次第に乳幼児を別室で預かるようになり、これがのちの保育事業へと発展した。

153
☑☑☑
1900（明治33）年、経済的に恵まれない家庭の子どもたちのために野口幽香と森島峰の二人が二葉幼稚園を創設した。

154
☑☑☑
1947（昭和22）年、幼児教育への期待が高まり、幼稚園に関する最初の独立した法律である「幼稚園令」が制定された。

150
○

「就学前の障害児の発達支援を利用する3歳から5歳までの子供たちの利用料が無料」とされている。

151
✕

1876（明治9）年、日本で初めての公立幼稚園東京女子師範学校附属幼稚園が創設されたときには、資格について、法律による規定はされなかった。現在の幼稚園教諭にあたる保姆の資格が初めて法令に規定されたのは、1926（大正15）年に制定された「幼稚園令」においてである。

152
○

設問のとおり。現在の保育所の始まりの一つである。

153
○

「貧しい子どもたちにも富裕層の子どもと同じ教育を」との思いから、フレーベル主義に基づき、恩物を用いた教育を行った。

154
✕

「幼稚園令」が制定されたのは1926（大正15）年である。

155 ☑☑☑ コメニウス（Comenius, J. A.）は、現在のチェコの中央部、モラヴィアの生まれで、大学で学んだのち、ボヘミア同胞教団の牧師となった。

156 ☑☑☑ コメニウスはルソー（Rousseau, J.-J.）の思想に共鳴し、『隠者の夕暮』（1780年）、『リーンハルトとゲルトルート』（1787年）などを著した。

157 ☑☑☑ コメニウスの主著である『大教授学』（1657年）では、あらゆる人が学べる学校として統一学校構想が述べられ、6歳くらいまでの乳幼児を対象とする学校は「母親学校」として構想された。

158 ☑☑☑ コメニウスの『世界図絵』（1658年）は世界初の絵入り教科書といわれ、その後の絵本や教科書に影響を与えた。

159 ☑☑☑ ルソーは『人間不平等起源論』（1755年）や『社会契約論』（1762年）を著した。

160 ☑☑☑ ルソーの『エミール』（1762年）では、人間は、自然、事物、人間という3種類の先生によって教育されるとし、これら3者のうちで人間の力ではどうすることもできないのは「自然の教育」であるため、優れた教育のためには「人間の教育」と「事物の教育」を「自然の教育」に合わせなければならないと主張した。

161 ☑☑☑ ルソーの『エミール』（1762年）では、人間の心は、その誕生の段階において、いかなる観念や原理も書き込まれていないまっさらな白紙の状態にあるとし、そのため教育が与える影響が大きいと主張した。

155 ○ 設問のとおり。コメニウスはチェコの教育思想家である。

156 ✕ コメニウスではなく、ペスタロッチ（Pestalozzi, J. H.）についての記述である。

157 ○ 主著の『大教授学』では、書物を一部の人々しか読むことのできないラテン語から、それぞれの母国語で書くことを勧め、あらゆる人が学べるようにと説いた。コメニウスは「近代教育学の父」と呼ばれた。

158 ○ 『世界図絵』は、世界で初めての絵図入りの教科書である。コメニウスは実際に見ることが大切と考えた（直観教育）。

159 ○ ルソーは、『人間不平等起源論』『社会契約論』において、すべての人は生まれながらに「善」であり、平等であると説いた。

160 ○ 『エミール』では、「自然主義教育（消極教育）」を説いている。エミールという主人公が成人期に至るまでの理想的教育の過程を描いた物語である。

161 ✕ 設問の「白紙説」を説いたのはロック（Rocke, J.）である。

162
☑☑☑
ルソーの『エミール』（1762年）の中で示された、「美徳や真理を教えることではなく、心を不徳から、精神を誤謬からまもる」教育の考え方は「消極教育」と呼ばれ、子どもの内発的な力を重視する教育の源流となった考え方である。

163
☑☑☑
ピアジェ（Piaget, J.）はスイスの心理学者で、子どもと大人の思考構造の違いを研究し、子どもの思考の特徴として、自己中心性に基づく見方や考え方をあげた。

164
☑☑☑
デューイ（Dewey, J.）はアメリカの哲学者、教育思想家で、主著『学校と社会』（1899年）において、子どもを中心とする教育への変革の必要性をコペルニクスにたとえて主張した。

165
☑☑☑
ヒル（Hill, P. S.）はアメリカの婦人宣教師で、神戸の頌栄幼稚園、頌栄保姆伝習所の創立者となり、フレーベル保育理論の普及に力を注いだ。

166
☑☑☑
ハウはアメリカの進歩主義的保育を代表する指導者で、形式化したフレーベル主義を批判し、のちに自身の名前がつけられる大型積み木を考案した。

167
☑☑☑
フランスの都市レッジョ・エミリアの保育・教育実践は、その学校建築設計の特徴として、食育ができる「食堂」と、表現活動の拠点となる「アトリエ」があげられる。

162
○

「消極教育」とは、大人が子どもに対して必要以上に教育的な介入をせず、体験させることによって理解に導くという考え方である。

163
○

ピアジェは認知発達理論を唱えた。ピアジェによると、幼児期は「すべての物に生命がある」という考えをもつことがあり、それをアニミズムと呼ぶ。

164
○

デューイはアメリカの哲学者、教育思想家でシカゴ大学に「実験学校」をつくった。

165
✕

設問は、ハウ（Howe, A. L.）についての記述である。ハウはアメリカ人宣教師で、日本における幼稚園教育の先駆者の一人である。神戸に1889（明治22）年、頌栄幼稚園を設立した。キリスト教精神とフレーベルの教育思想に基づいた保育を行った。

166
✕

設問は、ヒルについての記述である。ヒルはアメリカの女性教育家である。教育玩具としての積み木は1838年、フレーベルの考案した恩物が始まりである。その後、モンテッソーリ（Montessori, M.）の教具があり、ヒルが大型積み木を考案した。

167
✕

レッジョ・エミリア市はイタリア北部にある都市である。また、「食堂」ではなく「広場」である。

168 「アトリエリスタ（芸術教師）」が配置されていることは、レッジョ・エミリアの保育・教育実践の特徴の１つである。

169 「ドキュメンテーション（子どもの日々の活動や学びの記録）」は、レッジョ・エミリアの保育・教育実践の特徴の１つである。

170 レッジョ・エミリアの保育・教育実践の考え方を支えてきたのは、教師であり思想家であるルドルフ・シュタイナー（Steiner, R.）である。

171 「ラーニング・ストーリー」は、子どもたちの育ちや経験を観察し、写真や文章などの記録を通して理解しようとする方法であり、自らも保育者であったマーガレット・カー（Carr, M.）を中心にニュージーランドで開発された。

172 1965年に、スウェーデンで開始された「ヘッド・スタート計画」は、主に福祉的な視点から、貧困家庭の子どもたちに適切な教育を与えて小学校入学後の学習効果を高めることを意図した包括的プログラムである。

173 イタリアのレッジョ・エミリア市では、第二次世界大戦後、ローリス・マラグッツィのリーダーシップのもと、独創的な保育の取り組みが進められてきた。

174 コダーイ（Kodály, Z.）は、ハンガリーの作曲家で、民俗音楽による音楽教育法はのちに「コダーイ・システム」などにまとめられ、幼児教育にも活用された。

168 ○ レッジョ・エミリア保育では、アトリエリスタ（芸術専門家）と呼ばれる芸術教師の存在が特徴である。アトリエリスタは、美術や音楽の専門家として子どもたちの創作活動に携わる。

169 ○ ドキュメンテーションは、日々実践している保育を映像や動画、音声などで記録するものである。

170 ✕ レッジョ・エミリアの教育実践を支えてきたのは、ローリス・マラグッツィ（Malaguzzi, L.）である。

171 ○ ラーニング・ストーリーは、子どものできないことやマイナス面に着目するのではなく、興味関心のあるもの等に着目して子どもの可能性を伸ばしていくその観察と記録である。

172 ✕ 「ヘッド・スタート計画」は1965年、貧困撲滅政策の一環としてアメリカで開始された。

173 ○ レッジョ・エミリアの保育は、ローリス・マラグッツィが中心となり行われた幼児教育実践法である。個々の意思を大切にしながら、子どもの表現力やコミュニケーション能力、探究心、考える力などを養うことを目的としている。

174 ○ コダーイは、ハンガリーの作曲家、民族音楽学者である。「音楽教育は音楽的母語であるわらべ歌や民謡からはじまる」という思想で、その音楽メソッドは世界中の幼児教育・学校教育の場で採用されている。

175 エレン・ケイ（Key, E.）は、フランスにおいて、放任されていた子どもたちのための教育を始めた人物で、このうちの幼児学校（幼児保護所）では、子どもの保護のみならず、楽しく遊ぶことや教育も実施された。

176 フレーベル（Fröbel, F.W.）は、ドイツの教育者で、世界で最初の幼稚園を創設した。彼の哲学的な人間教育に根ざした幼稚園教育は他の多くの国の幼児教育に大きな影響を与えた。

177 モンテッソーリは、スウェーデンの社会運動家であり教職に就く傍ら多くの著作を世に出した。代表作に『児童の世紀』がある。

178 コメニウス（Comenius, J. A.）は、『大教授学』や『世界図絵』等を著した。『世界図絵』は最初の絵入り教科書といわれ、その後の絵本や教科書に影響を与えた。

179 フレーベルは、教育の目的実現の基盤は乳幼児の健康であると考え、1908年、5歳以下の幼児を対象とする診療所を開設した。

180 デューイは、1907年「子どもの家」の指導の任に就き、独自に開発した障害児の教育方法を幼児に適用した。

181 オーエン（Owen, R .）は、経営する工場の労働者とその家族のために教育施設を開設し、そこに「幼児学校」をおいた。

182 マクミラン（McMillan, M.）は、最も恵まれない子どもを豊かに育む方法こそ、すべての子どもにとって最良の方法であるとする考えに基づき、「保育学校」を創設し、医療機関との連携を図って保育を進めた。

175 ✗ エレン・ケイは、スウェーデンの社会思想家、教育者である。その著書『児童の世紀』は、女性解放運動や労働問題、宗教批判など19世紀末の社会問題について論じ、その中で子どもについても言及している。

176 ◯ フレーベルは、「幼児教育の父」と呼ばれ、世界で初めて幼稚園キンダーガルテンを創設した。恩物を用いての教育は、遊びの大切さを説いている。

177 ✗ 設問は、エレン・ケイについての記述である。モンテッソーリは、イタリアの精神科医であり、教育者である。ローマのスラム街に貧しい子どもたちのために「子どもの家」を作り、モンテッソーリメソッドに基づく教育を行った。

178 ◯ 『大教授学』では、あらゆる人が学べるように、書物をそれぞれの母国語で書くことをすすめた。

179 ✗ フレーベルが開設したのは、診療所ではなく世界初の幼稚園（キンダーガルテン）である。

180 ✗ デューイではなく、モンテッソーリに関する記述である。

181 ◯ オーエンは、イギリスで自分の経営する工場の労働者とその家族のために教育施設「性格形成学院」を開設し、そこに子どものための「幼児学校」をおいた。

182 ◯ マクミランは、ロンドンの恵まれない地区で幼児の健康を改善するための改革に熱心に取り組み、「保育学校」（今日の保育園の先駆）を創設した。

183
☑☑☑

児童福祉施設の設備及び運営に関する基準（昭和23年厚生省令第63号）第9条では、「児童福祉施設においては、入所している者の（ ① ）、信条、社会的身分又は入所に要する費用を負担するか否かによって、（ ② ）取扱いをしてはならない」とされており、この方針は、子どもの人権の配慮とともに、保育所保育指針の第1章「総則」において、保育所の（ ③ ）の1つとして明記されている。

184
☑☑☑

児童福祉施設の設備及び運営に関する基準第34条では、「保育所における保育時間は、一日につき8時間を原則とし、その地方における乳幼児の保護者の労働時間その他家庭の状況等を考慮して、自治体の長がこれを定める」とされている。

185
☑☑☑

児童福祉施設の設備及び運営に関する基準第34条によれば、保育所における保育時間は、一日につき（ ① ）時間を原則とするとされている。

186
☑☑☑

児童福祉施設の設備及び運営に関する基準第35条では、「保育所における保育は、保護者支援及び教育を一体的に行うことをその特性とし、その内容については、内閣総理大臣が定める指針に従う」とされている。

187
☑☑☑

児童福祉施設の設備及び運営に関する基準第36条では、保育所の長は、常に入所している乳幼児の保護者と密接な連絡をとり、（ ① ）等につき、その保護者の理解及び協力を得るよう努めなければならないとされている。

188
☑☑☑

児童福祉施設の設備及び運営に関する基準第36条の2第2項では、「保育所は、定期的に外部の者による評価を受けて、それらの結果を公表し、常にその改善を図るよう努めなければならない」とされている。

①国籍、②差別的、③社会的責任。基準第9条に即して、保育所保育指針第1章「総則」の1の（5）「保育所の社会的責任」の1つとして、ア「保育所は、子どもの人権に十分配慮するとともに、子ども一人一人の人格を尊重して保育を行わなければならない」と示されている。

基準第34条では、「保育所における保育時間は、一日につき8時間を原則とし、その地方における乳幼児の保護者の労働時間その他家庭の状況等を考慮して、保育所の長がこれを定める」と規定されている。

①8。基準第34条では、「保育所における保育時間は、一日につき8時間を原則とし、その地方における乳幼児の保護者の労働時間その他家庭の状況等を考慮して、保育所の長がこれを定める」と規定されている。

基準第35条では、「保育所における保育は、養護及び教育を一体的に行うことをその特性とし、その内容については、内閣総理大臣が定める指針に従う」と規定されている。

①保育の内容。基準第36条では、「保育所の長は、常に入所している乳幼児の保護者と密接な連絡をとり、保育の内容等につき、その保護者の理解及び協力を得るよう努めなければならない」と規定されている。

設問のとおり。基準第36条の2は、業務の質の評価等についての規定である。その第1項では、「保育所は、自らその行う法第39条に規定する業務の質の評価を行い、常にその改善を図らなければならない」と規定している。

189

児童の権利に関するジュネーブ宣言は1924年に採択された。

190

世界人権宣言は1948年に採択された。

191

児童権利宣言は1959年に採択された。

192

児童の権利に関する条約は1989年に採択された。

193

日本国憲法では、「すべて国民は、健康で文化的な最低限度の生活を営む権利を有する」とされている。

194

母子保健法では、「乳児及び幼児は、心身ともに健全な人として成長してゆくために、その健康が保持され、かつ、増進されなければならない」とされている。

195

児童福祉法では、「保育士は、保育士の信用を傷つけるような行為をしてはならない」とされている。

189 ○
第一次世界大戦で多くの子どもが命を失ったことへの反省として、国際連盟が子どもの適切な保護を宣言、採択した。

190 ○
世界人権宣言は、すべての人とすべての国が達成すべき基本的人権についての宣言である。

191 ○
児童権利宣言は、1924年に国際連盟に採択された児童の権利に関するジュネーブ宣言を拡張し、1959年に国際連合に採択された子どもの権利を促進する国際文書である。

192 ○
児童の権利に関する条約は、全54条からなる子どもの権利を守るための条約である。国際連合は、1979年を国際児童年とし、条約をつくった。1989（平成元）年に国際連合で採択され、日本は1994（平成6）年に批准した。

193 ○
日本国憲法第25条の内容である。

194 ○
母子保健法第3条の内容である。

195 ○
児童福祉法第18条の21の内容である。

196
☑☑☑

児童福祉施設の設備及び運営に関する基準第33条によれば、保育所における保育士の数は、満1歳以上満3歳未満の幼児おおむね（ ① ）人につき1人以上とされている。

197
☑☑☑

児童福祉施設の設備及び運営に関する基準第6条では、児童福祉施設において、非常災害に対する具体的計画を立てるとともに、避難及び消火に対する訓練は、少なくとも毎月（ ① ）回は行わなければならないとされている。

198
☑☑☑

調理員は、児童福祉施設の設備及び運営に関する基準において、保育所の職員として、位置づけられている。

199
☑☑☑

嘱託医は、児童福祉施設の設備及び運営に関する基準において、保育所の職員として、位置づけられている。

196

①6。基準第33条第2項では、「保育士の数は、乳児おおむね3人につき1人以上、満1歳以上満3歳に満たない幼児おおむね6人につき1人以上、満3歳以上満4歳に満たない幼児おおむね15人につき1人以上、満4歳以上の幼児おおむね25人につき1人以上とする。ただし、保育所1につき2人を下ることはできない」と規定されている。

197

①1。基準第6条第1項では、「児童福祉施設においては、軽便消火器等の消火用具、非常口その他非常災害に必要な設備を設けるとともに、非常災害に対する具体的計画を立て、これに対する不断の注意と訓練をするように努めなければならない。」と、第2項では、「前項の訓練のうち、避難及び消火に対する訓練は、少なくとも毎月1回は、これを行わなければならない。」と規定されている。

198

基準第33条により、保育所の職員として保育士、嘱託医、調理員が位置づけられている。

199

基準第33条により、保育所の職員として保育士、嘱託医、調理員が位置づけられている。

図表まとめ▶ 児童福祉施設の設備及び運営に関する基準（抜粋）

（職員）
第33条 保育所には、保育士、嘱託医及び調理員を置かなければならない。ただし、調理業務の全部を委託する施設にあっては、調理員を置かないことができる。
2 保育士の数は、乳児おおむね３人につき１人以上、満１歳以上満３歳に満たない幼児おおむね６人につき１人以上、満３歳以上満４歳に満たない幼児おおむね15人につき１人以上、満４歳以上の幼児おおむね25人につき１人以上とする。ただし、保育所１につき２人を下ることはできない。
（保育時間）
第34条 保育所における保育時間は、１日につき８時間を原則とし、その地方における乳幼児の保護者の労働時間その他家庭の状況等を考慮して、保育所の長がこれを定める。
（保育の内容）
第35条 保育所における保育は、養護及び教育を一体的に行うことをその特性とし、その内容については、内閣総理大臣が定める指針に従う。
（保護者との連絡）
第36条 保育所の長は、常に入所している乳幼児の保護者と密接な連絡をとり、保育の内容等につき、その保護者の理解及び協力を得るよう努めなければならない。

図表まとめ▶ ５領域の大項目

ア	心身の健康に関する領域「健康」
イ	人との関わりに関する領域「人間関係」
ウ	身近な環境との関わりに関する領域「環境」
エ	言葉の獲得に関する領域「言葉」
オ	感性と表現に関する領域「表現」

第 2 章

教育原理

教育基本法、学校教育
法、幼稚園教育要領、
中央教育審議会の答申
などからの出題が多い
よ。

001 ☑☑☑

教育基本法では、「幼児期の教育は、生涯にわたる（ ① ）の基礎を培う重要なものであることにかんがみ、国及び地方公共団体は、幼児の（ ② ）に資する良好な環境の整備その他適当な方法によって、その振興に努めなければならない」と定めている。

002 ☑☑☑

教育基本法第10条では、「父母その他の保護者は、子の教育について第一義的責任を有するものであって、生活のために必要な（ ① ）を身に付けさせるとともに、（ ② ）を育成し、心身の調和のとれた発達を図るよう努めるものとする」と定めている。

003 ☑☑☑

学校教育法では、「幼稚園においては、第（ ① ）条に規定する目的を実現するための教育を行うほか、幼児期の教育に関する各般の問題につき、保護者及び地域住民その他の関係者からの相談に応じ、必要な（ ② ）及び助言を行うなど、家庭及び地域における幼児期の教育の支援に努めるものとする」と定めている。

004 ☑☑☑

学校教育法第22条では、「幼稚園は、義務教育及びその後の教育の基礎を培うものとして、幼児を保育し、幼児の健やかな成長のために適当な（ ① ）を与えて、その心身の発達を（ ② ）することを目的とする」とされている。

005 ☑☑☑

学校教育法第23条では、「生活を明るく豊かにする音楽、美術、文芸その他の芸術について基礎的な理解と技能を養うこと」と定めている。

006 ☑☑☑

学校教育法第23条では、「日常の会話や、絵本、童話等に親しむことを通じて、言葉の使い方を正しく導くとともに、相手の話を理解しようとする態度を養うこと」と定めている。

①人格形成、②健やかな成長。教育基本法第11条の規定である。同法では「人格の完成」を教育の根幹として捉え、幼児期はその土台づくりに該当する期間で、資質・能力・発達・発育の基盤を構成していく段階とされる。

①習慣、②自立心。教育基本法第10条は家庭教育について規定されている。この条文は、教育基本法が2006（平成18）年に改正された際に加えられたもので、保護者が子の教育について「第一義的責任」を有することが明記されている。

①22、②情報の提供。学校教育法第24条の規定である。設問中にある第22条では、「幼稚園は、義務教育及びその後の教育の基礎を培うものとして、幼児を保育し、幼児の健やかな成長のために適当な環境を与えて、その心身の発達を助長することを目的とする」と定めている。

①環境、②助長。学校教育法第23条の趣旨を見れば、例えば教材のみを与えて済む段階ではない。また、援助するには主体的な思慮・活動が必須であるが、まだその年齢段階とはいえない。

義務教育の普通教育の目標に関する、学校教育法第21条第9号の条文である。

幼稚園教育の目標を掲げた、学校教育法第23条第4号の条文である。

007
☑☑☑
学校教育法第23条では、「身近な社会生活、生命及び自然に対する興味を養い、それらに対する正しい理解と態度及び思考力の芽生えを養うこと」と定めている。

008
☑☑☑
学校教育法第23条では、「健康、安全で幸福な生活のために必要な習慣を養うとともに、運動を通じて体力を養い、心身の調和的発達を図ること」と定めている。

009
☑☑☑
学校教育法第29条では、「小学校は、心身の発達に応じて、義務教育として行われる普通教育のうち基礎的なものを（　①　）ことを目的とする」とされている。

010
☑☑☑
教育基本法第3条では、「国民一人一人が、自己の人格を磨き、豊かな人生を送ることができるよう、（　①　）にわたって、あらゆる機会に、（　②　）において学習することができ、その成果を適切に生かすことのできる社会の実現が図られなければならない」と定めている。

011
☑☑☑
教育基本法第4条では、「すべて国民は、ひとしく、その能力に応じた教育を受ける機会を与えられなければならず、人種、（　①　）、性別、社会的身分、（　②　）的地位又は門地によって、教育上差別されない」と定められている。

012
☑☑☑
教育基本法第4条では、「国及び地方公共団体は、（　①　）のある者が、その（　①　）の状態に応じ、十分な教育を受けられるよう、教育上必要な支援を講じなければならない」と定められている。

007 ○
幼稚園教育の目標を掲げた、学校教育法第23条第3号の条文である。

008 ✕
義務教育の普通教育の目標に関する、学校教育法第21条第8号の条文である。

009 →
①施す。例えば、「教授する」などの言葉は一定の学問・技能を授ける意であり、初等教育の域を脱する。

010 →
①その生涯、②あらゆる場所。教育基本法第3条には「生涯学習の理念」という副題がついているが、「生涯学習」とは、人々が生涯に行うあらゆる学習、様々な場や機会において行う学習を意味するものである。

011 →
①信条、②経済。教育基本法第4条には「教育の機会均等」という副題がつけられている。個人的な条件によって教育を受ける権利が差別されてはならないという理念を提示したものである。

012 →
①障害。教育基本法第4条には「教育の機会均等」という副題がつけられており、国や地方公共団体などが対応すべき教育的配慮の原則についても規定している。

013
☑☑☑

学校教育法では、「（ ① ）、小学校、中学校、義務教育学校、高等学校及び中等教育学校においては、次項各号のいずれかに該当する幼児、児童及び生徒その他教育上特別の支援を必要とする幼児、児童及び生徒に対し、文部科学大臣の定めるところにより、障害による学習上又は生活上の（ ② ）を克服するための教育を行うものとする」と定められている。

014
☑☑☑

「教育基本法」は学校教育に関する法律であり、家庭教育や社会教育に関しては記述がない。

015
☑☑☑

1947（昭和22）年に制定された「教育基本法」は、2006（平成18）年に改正されるまでの約60年間、一度も改正されることがなかった。

016
☑☑☑

2006（平成18）年に改正された「教育基本法」では、第11条「幼児期の教育」の記載が加えられた。

013
→

①幼稚園、②困難。学校教育法第81条では、幼稚園、小学校、中学校、義務教育学校、高等学校及び中等教育学校には、知的障害者、肢体不自由者、身体虚弱者、弱視者、難聴者、その他障害のある者で、特別支援学級において教育を行うことが適当な児童及び生徒のために、特別支援学級を置くことができると定められている。

第2章 教育原理

014
×

教育基本法は学校教育だけでなく、家庭教育や社会教育を含めた日本の教育に関する法律である。第10条は家庭教育、第12条は社会教育に関して規定している。

015
○

教育基本法は、戦後1947（昭和22）年に制定され、2006（平成18）年に全面的に改正されるまで、一度も改正されることはなかった。

016
○

2006（平成18）年の改正では、第10条（家庭教育）、第11条（幼児期の教育）などが加えられた。

017
☑☑☑
幼稚園教育要領において、「幼稚園教育において育みたい資質・能力」として、「豊かな体験を通じて、感じたり、気付いたり、分かったり、できるようになったりする「（　①　）の基礎」」があげられている。

018
☑☑☑
幼稚園教育要領において、「幼稚園教育において育みたい資質・能力」として、「気付いたことや、できるようになったことなどを使い、考えたり、試したり、工夫したり、表現したりする「（　①　）等の基礎」」があげられている。

019
☑☑☑
幼稚園教育要領において、「幼稚園教育において育みたい資質・能力」として、「心情、意欲、態度が育つ中で、よりよい生活を営もうとする「（　①　）等」」があげられている。

020
☑☑☑
幼稚園教育要領において、「これからの幼稚園には、（　①　）の始まりとして、こうした教育の目的及び目標の達成を目指しつつ、一人一人の幼児が、将来、自分の（　②　）を認識するとともに、あらゆる他者を価値のある存在として尊重し、多様な人々と協働しながら様々な社会的変化を乗り越え、豊かな人生を切り拓き、（　③　）の創り手となることができるようにするための基礎を培うことが求められる」とされている。

021
☑☑☑
幼稚園教育要領において、「教師は、幼児との（　①　）を十分に築き、幼児が身近な環境に（　②　）に関わり、環境との関わり方や意味に気付き、これらを取り込もうとして、試行錯誤したり、考えたりするようになる幼児期の教育における見方・考え方を生かし、（　③　）よりよい教育環境を創造するように努めるものとする」とされている。

017
→

①知識及び技能。幼稚園教育要領第1章「総則」の第2「幼稚園教育において育みたい資質・能力及び『幼児期の終わりまでに育ってほしい姿』」に記載されている。

018
→

①思考力、判断力、表現力。幼稚園教育要領第1章「総則」の第2「幼稚園教育において育みたい資質・能力及び『幼児期の終わりまでに育ってほしい姿』」に記載されている。

019
→

①学びに向かう力、人間性。幼稚園教育要領第1章「総則」の第2「幼稚園教育において育みたい資質・能力及び『幼児期の終わりまでに育ってほしい姿』」に記載されている。

020
→

①学校教育、②よさや可能性、③持続可能な社会。幼稚園教育要領の前文の一部である。幼児期の教育は「人格形成の基礎を培う」段階であり、将来の成長への可能性や自己肯定感をもたせることが大切な年齢段階でもある。

021
→

①信頼関係、②主体的、③幼児と共に。条文を読めばわかるように、教師が主導権をもって幼児たちを制御・操作するのではなく、主体性を引き出しつつ、幼児自身による試行錯誤や思考を重視している。「健康、人間関係、環境、言葉、表現」の5領域へとつながる活動の場づくりが求められる。幼稚園教育要領第1章「総則」の第1「幼稚園教育の基本」に記載されている。

022 ☑☑☑

幼稚園教育要領において、「（　①　）は、生涯にわたる人格形成の基礎を培う重要なものであり、（　②　）は、（　③　）に規定する目的及び目標を達成するため、幼児期の特性を踏まえ、環境を通して行うものであることを基本とする」とされている。

023 ☑☑☑

幼保連携型認定こども園教育・保育要領において、「『幼児期の終わりまでに育ってほしい姿』を踏まえ教育及び保育の内容並びに子育ての支援等に関する全体的な計画を作成すること」と記載されている。

024 ☑☑☑

幼保連携型認定こども園教育・保育要領において、「満3歳以上の園児の教育課程に係る教育週数は、特別の事情のある場合を除き、51週を下ってはならない」と記載されている。

025 ☑☑☑

幼保連携型認定こども園教育・保育要領において、「1日の教育課程に係る教育時間は、8時間を標準とする。ただし、園児の心身の発達の程度や季節などに適切に配慮するものとする」と記載されている。

026 ☑☑☑

幼保連携型認定こども園教育・保育要領において、「園長の方針の下に、園務分掌に基づき保育教諭等職員が適切に役割を分担しつつ、相互に連携しながら、教育及び保育の内容並びに子育ての支援等に関する全体的な計画や指導の改善を図るものとする」と記載されている。

027 ☑☑☑

幼保連携型認定こども園教育・保育要領において、「教育及び保育の内容並びに子育ての支援等に関する全体的な計画に基づき組織的かつ計画的に各幼保連携型認定こども園の教育及び保育活動の質の向上を図っていくこと（以下「カリキュラム・マネジメント」という。）に努めるものとする」と記載されている。

①幼児期の教育、②幼稚園教育、③学校教育法。幼稚園教育要領の第1章「総則」の第1「幼稚園教育の基本」に記載されている。

「幼児期の終わりまでに育ってほしい姿」については、幼稚園教育要領や保育所保育指針と同様に記載されている。

51週ではなく39週が正しい。満3歳以上の園児に関する教育週数に関することであるため、幼稚園教育と同様の教育週数である。

8時間ではなく4時間が正しい。「教育課程」、つまり満3歳以上の園児に関する教育課程に関することであるため、幼稚園教育と同様の教育時間である。

幼保連携型認定こども園教育・保育要領第1章「総則」の第2「教育及び保育の内容並びに子育ての支援等に関する全体的な計画等」の1の（4）「教育及び保育の内容並びに子育ての支援等に関する全体的な計画の実施上の留意事項」に記載されている。

組織的かつ計画的に教育・保育活動の質の向上を図っていくことを「カリキュラム・マネジメント」という。

028 ピアジェ（Piaget, J.）は、恩物によって子どもの活動を引き出すことを提唱した。

029 ロック（Locke, J.）は、子どもには生得的な観念があるとして、白紙説を否定した。

030 エレン・ケイ（Key, E.）は、世界で最初の幼稚園を創設した。

031 カイヨワ（Caillois, R.）は、遊びを4つの項目（競争、偶然、模擬、眩暈（めまい））に区分した。

032 オーエン（Owen, R.）は、シュタンツで孤児のための学校を経営した。

033 伊藤仁斎は、自宅の書斎の鈴の屋で、古典研究を行い、日本人らしさの探求をした。

034 吉田松陰は、松下村塾を開き、儒学・史学・兵学を総合した人間教育を行った。

035 中江藤樹は、子育てについて具体的なたとえ話をまじえながら、庶民にもわかりやすく説いた。また、「知行合一説」を唱え、陽明学の普及に努めた。

028 ✕

設問はフレーベル（Fröbel, F. W.）に関する記述である。ピアジェはスイスの児童心理学者である。ルソー研究所で子どもの言語や判断あるいは道徳観ほか、認知の発達段階の研究にいそしみ、国際会議にも深くかかわって教育改革の分野で活躍した。

029 ✕

ロックは生得観念説に反対し、観念は後天的に得られると考えた。

030 ✕

世界初の幼稚園（Kindergarten）はフレーベルにより設立された。エレン・ケイはスウェーデンの女性思想家・教育学者で、女性と子どもの生活を研究し、結婚や教育に関する造詣を深めた。

031 ◯

カイヨワは、遊びを競争・偶然・模擬・眩暈の4要素に分けた。

032 ✕

ペスタロッチ（Pestalozzi, J. H.）の著作に『シュタンツだより』がある。オーエンはイギリスの社会主義者で、工場の支配人として労働者たちの生活改善に取り組み、協同組合の先駆けといえる組織をつくった。

033 ✕

鈴の屋は本居宣長の書斎の名で、現在の三重県松阪市にあった。伊藤仁斎は古義学派の儒学者で、京都堀川に古義堂を開いた。

034 ◯

松下村塾は吉田松陰の私塾で、現在の山口県萩市にあった。

035 ◯

中江藤樹は、江戸前期の儒学者で陽明学の祖である。「近江聖人」とも呼ばれ、「知行合一」を説いた。

036

大原幽学は、「人の性は本善」であるという性善説の立場であった。「和俗童子訓」を著した。

037

（　①　）はドイツの哲学者、教育学者。カントの後任としてケーニヒスベルク大学で哲学などの講座を受け持つ。教育の課題とは道徳的品性の陶冶であるとし、多方面への興味を喚起することが必要だと考え「教育（訓育）的教授」という概念を提示した。また、教授の過程は興味の概念に対応しており、「形式的段階」と呼ばれるようになった。この「形式的段階」概念は弟子たちに引き継がれ、「予備・提示・比較・総合・応用」の5段階へと改変された。

038

空海は、一般の庶民にも開かれた教育機関である綜芸種智院を設立し、総合的な人間教育をめざした。

039

石田梅岩は、町人社会における実践哲学である石門心学を創始し、子どもの教育の可能性、子どもの善性を説く大人の役割についても言及した。

040

スキナー（Skinner, B.F.）は、学習とは行動の変容であると考える立場に立って、行動の変容をいかにして効率化できるかを考えた。

設問は、江戸中期の儒学者、貝原益軒についての記述である。貝原益軒は「和俗童子訓」で子どもへの教育法を説いた。大原幽学は江戸後期に千葉香取で農業協同組合の基礎を築き、子どもへの教育を実践した。

①ヘルバルト。ヘルバルト（Herbart, J. F.）は「明瞭・連合・系統・方法」の4段階を提唱していた。なお、「予備・提示・比較・総合・応用」を提唱したのはライン（Rein, W.）である。彼はヘルバルト派の代表的な人物であり、その考え方は明治の中頃に日本にも伝わってきて、教育界に大きな影響を与えた。

038
○

空海は、真言宗の祖である。弘法大師とも呼ばれる。土木や建築にも長けていた。

039
○

石田梅岩は、中国の儒学者である王陽明の学説に根拠を置き、神道・仏教や道教などの思想を合した石門心学の創始者である。著書に『都鄙問答（とひもんどう）』がある。

040
○

アメリカの心理学者スキナーは、学習を「行動が変容すること」ととらえ、その効率的な実現を考察し、ティーチング・マシーンの開発を通してプログラム学習を提唱した。

041
☑☑☑
「児童虐待の防止等のための学校、教育委員会等の的確な対応について」（平成22年）では、「児童虐待の疑いがあるが、確証がない時には、まずは学校として確証を得た上で通告しなければならない」とされている。

042
☑☑☑
児童の権利に関する条約では、「児童は、特別の保護を受け、また、健全、かつ、正常な方法及び自由と尊厳の状態の下で身体的、知的、道徳的、精神的及び社会的に成長することができるための機会及び便益を、法律その他の手段によつて与えられなければならない。この目的のために法律を制定するに当つては、児童の最善の利益について、最高の考慮が払われなければならない」とされている。

043
☑☑☑
世界人権宣言では、「すべて人は、人種、皮膚の色、性、言語、宗教、政治上その他の意見、国民的若しくは社会的出身、財産、門地その他の地位又はこれに類するいかなる事由による差別をも受けることなく、この宣言に掲げるすべての権利と自由とを享有することができる」とされている。

044
☑☑☑
児童憲章は子どもたちに関する国際的な保護の指針をまとめた条約である。

045
☑☑☑
世界人権宣言では西洋諸国の反対で奴隷売買を禁止するに至らなかった。

046
☑☑☑
児童憲章では、「すべての児童は、家庭で、正しい（ ① ）と知識と技術をもつて育てられ、家庭に恵まれない児童には、これにかわる（ ② ）が与えられる」とされている。

確証がなくても通告することが求められる。

児童の権利に関する条約でなく、児童権利宣言である。同宣言は国際連合第14回総会で1959年11月20日に採択された。1924年の国際連盟の「児童の権利に関するジュネーブ宣言」、1948年の「世界人権宣言」の精神を踏まえて、さらに発展させていくことを意図している。

「人種、皮膚の色」と「権利と自由」の語句から国際的な人権宣言であることがわかる。

児童憲章は日本国憲法に基づいて児童への観念を示す国内憲章である。

世界人権宣言では奴隷制度及び奴隷売買はいかなる形であれ、第4条で禁止されている。

①愛情、②環境。「児童憲章」は、児童の基本的人権を尊重し、その幸福をはかるために大人の守るべき事項を制定した道徳的規範である。1951（昭和26）年5月5日に制定された。

047
☑☑☑
中央教育審議会答申「道徳に係る教育課程の改善等について」（平成26年）では、道徳の時間を要として学校の教育活動全体を通じて行うという道徳教育の基本的な考え方は、今後も引き継ぐべきであると考えられている。

048
☑☑☑
中央教育審議会答申「道徳に係る教育課程の改善等について」（平成26年）では、道徳の授業については、特に小学校高学年や中学校において課題の改善のため、児童生徒の発達の段階を踏まえ、内容や指導方法等を適切に見直すことが必要であるとされている。

049
☑☑☑
中央教育審議会答申「道徳に係る教育課程の改善等について」（平成26年）では、道徳の時間については、道徳教育の要となって人格全体にかかわる道徳性の育成を目指すものであることから、各教科と同様に数値による評価を行うことが望ましいとされている。

050
☑☑☑
中央教育審議会答申「道徳に係る教育課程の改善等について」（平成26年）では、様々な道徳的価値について、自分とのかかわりも含めて理解し、それに基づいて内省し、多角的に考え、判断することが必要と考えられている。

051
☑☑☑
中央教育審議会答申「道徳に係る教育課程の改善等について」（平成26年）では、学校における道徳教育は、学校のあらゆる教育活動を通じて行われるべきものであるとされている。

052
☑☑☑
1945（昭和20）年、日本国憲法と教育基本法が施行された。

053
☑☑☑
2006（平成18）年、教育基本法が改正され、義務教育は「9年の普通教育」から「12年の普通教育」へと変更になった。

047 ⭕ 道徳の時間を学校の道徳教育の要とする考え方が基本となっている。

048 ⭕ 柔軟な見直しを怠れば、取り残される児童生徒が発生する。

049 ❌ 道徳については数値による評価は行わないことが決定している。

050 ⭕ 道徳の理解では自己の問題として捉える思考が不可欠である。

051 ⭕ 道徳の時間に限定せず、すべての学校活動を通して道徳を教育すべきであるとされている。

052 ❌ 日本国憲法は1946（昭和21）年公布、1947（昭和22）年施行である。教育基本法は1947（昭和22）年公布・施行である。

053 ❌ 義務教育の修業年限は変更されていない。

054
☑☑☑

学校教育法では、学校を「幼稚園、保育所、小学校、中学校、義務教育学校、高等学校、中等教育学校、特別支援学校、大学及び高等専門学校」と定めている。

055
☑☑☑

中央教育審議会答申「チームとしての学校の在り方と今後の改善方策について」（平成27年12月）では、教育活動や組織運営など、学校全体の在り方の改善において核となる教育課程の編成、実施、評価及び改善という「（　①　）」の確立が必要であることが示されている。

056
☑☑☑

明治維新後、近代教育制度が確立されていった。1871（明治4）年に文部省が創設され、1872（明治5）年には学区制度と単線型の学校制度を構想した（　①　）が公布された。その後、初代文部大臣となった（　②　）は、国民教育制度の確立に力を注ぎ、特に初等教育の普及と教員養成の充実を図った。

057
☑☑☑

幼保連携型認定こども園教育・保育要領には、「園児の一日の生活の連続性及びリズムの多様性に配慮するとともに、保護者の生活形態を反映した園児の在園時間の長短、入園時期や登園日数の違いを踏まえ、園児一人一人の状況に応じ、教育及び保育の内容やその展開について工夫をすること」と記載されている。

058
☑☑☑

幼保連携型認定こども園教育・保育要領には、「満3歳未満の園児については睡眠時間等の個人差に配慮するとともに、満3歳以上の園児については集中して遊ぶ場と家庭的な雰囲気の中でくつろぐ場との適切な調和等の工夫をすること」と記載されている。

059
☑☑☑

幼保連携型認定こども園教育・保育要領には、「満3歳以上の園児については、特に長期的な休業中、園児が過ごす家庭や園などの生活の場が異なることを踏まえ、それぞれの多様な生活経験が長期的な休業などの終了後等の園生活に生かされるよう工夫をすること」と記載されている。

保育所は学校として定められていない。保育所は児童福祉法第39条に定められた児童福祉施設である。

①カリキュラム・マネジメント。「チームとしての学校」は教職員のチーム化そのものが目的ではなく、組織マネジメント機能の強化及び個々の人的能力の最大化を意図して組織を構成する「人々」を捉える考え方である。

①学制、②森有礼。学制は我が国初の近代的な学校制度に関する法律で、全国の学区を大学区・中学区・小学区に分け、中央政府の管理権限を重くしていた。しかし社会の実情に合わないとの声により、1879（明治12）年の教育令の公布によって廃止された。初代文部大臣は森有礼である。

幼保連携型認定こども園教育・保育要領第1章の第3の2に記載されている。「園児一人一人の状況に応じ」など、子どもを一括りに扱わない配慮が求められている。

幼保連携型認定こども園教育・保育要領第1章の第3の3の（2）に記載されている。「個人差に配慮する」など、子どもを一括りに扱わない配慮が求められている。

幼保連携型認定こども園教育・保育要領第1章の第3の3の（4）に記載されている。「それぞれの多様な生活経験」など、子どもを一括りに扱わない配慮が求められている。

060
☑☑☑

「小学校学習指導要領」（平成29年告示）に示された「教育課程の編成」には、「低学年における教育全体において、例えば（　①　）において育成する自立し生活を豊かにしていくための資質・能力が、他教科等の学習においても生かされるようにするなど、教科等間の関連を積極的に図り、（　②　）及び中学年以降の教育との円滑な接続が図られるよう工夫すること。特に、小学校入学当初においては、幼児期において自発的な活動としての（　③　）を通して育まれてきたことが、各教科等における学習に円滑に接続されるよう、（　①　）を中心に、合科的・関連的な指導や弾力的な時間割の設定など、指導の工夫や指導計画の作成を行うこと」と記載されている。

061
☑☑☑

学校教育には、一人一人の児童生徒が、自分のよさや可能性を認識するとともに、あらゆる他者を価値のある存在として尊重し、多様な人々と協働しながら様々な社会的変化を乗り越え、豊かな人生を切り拓き、持続可能な社会の創り手となることができるよう、その資質・能力を育成することが求められている。

062
☑☑☑

次代を切り拓く子供たちに求められる資質・能力として、文章の意味を正確に理解する読解力、教科等固有の見方・考え方を働かせて自分の頭で考えて表現する力、対話や協働を通じて知識やアイディアを共有し新しい解や納得解を生み出す力などが挙げられている。

063
☑☑☑

「予測困難な時代」の中、目の前の事象から解決すべき課題を見いだし、主体的に考え、多様な立場の者が協働的に議論し、納得解を生み出すなどの資質・能力が求められている。

060

①生活科、②幼児期の教育、③遊び。「小学校学習指導要領」（平成29年告示）第1章「総則」の第2「教育課程の編成」の4「学校段階等間の接続」の（1）からの出題である。「生きる力」の実践的活動への落とし込みが意識され、かつ、学校種間・教科間の垣根を越えた接続・連携を考慮した取り組み姿勢が打ち出された。

061
○

中央教育審議会答申「『令和の日本型学校教育』の構築を目指して〜全ての子供たちの可能性を引き出す、個別最適な学びと、協働的な学びの実現〜」（令和3年1月）に関する記述である。「多様な人々と協働しながら」「持続可能な社会の創り手」がキーワードである。

062
○

中央教育審議会答申「『令和の日本型学校教育』の構築を目指して〜全ての子供たちの可能性を引き出す、個別最適な学びと、協働的な学びの実現〜」（令和3年1月）に関する記述である。「読解力」「表現する力」「対話や協働」がキーワードである。

063
○

中央教育審議会答申「『令和の日本型学校教育』の構築を目指して〜全ての子供たちの可能性を引き出す、個別最適な学びと、協働的な学びの実現〜」（令和3年1月）に関する記述である。「予測困難な時代」「主体的に考え、多様な立場の者が協働的に議論し」がキーワードである。

064
☑☑☑

国際連合は、2005年から2014年までを「国連持続可能な開発のための教育の10年（UNDESD）」とし、ユネスコ主導のもと ESD の重要性を提唱した。

065
☑☑☑

持続可能な社会では、一人一人が社会の一員として、人間・社会・環境・経済の共生を目指し、生産・消費や創造・活用のバランス感覚をもつことが求められる。

066
☑☑☑

持続可能な社会を構築するためには、生産活動と消費活動を優先することが重要であり、「生産消費型」社会の形成を目指している。

067
☑☑☑

SDGs とは、2015年9月に国連で採択された「持続可能な開発のための2030アジェンダ」に掲げられている「持続可能な開発目標」のことである。

068
☑☑☑

障害を理由とする差別の解消の推進に関する法律（障害者差別解消法）に則り、言葉だけでの指示だと、内容を十分に理解できないで混乱してしまうことがある子どもに、小学校へ入学してから苦労しないように、言葉だけで指示を聞けるよう指導を続けた。

069
☑☑☑

障害者差別解消法に則り、咀嚼することが苦手であり、通常の給食では喉に詰まらせてしまう可能性がある子どもに対し、大きな食材については、小さく切ったりミキサーで細かくしたりして、食べやすいサイズに加工することとした。

064
○

ESDとは、Education for Sustainable Development（持続可能な開発のための教育）の略称である。2013年の第37回ユネスコ総会において「国連ESDの10年」（2005～2014年）の後継プログラムとして「ESDに関するグローバル・アクション・プログラム（GAP）」が採択され、2014年の第69回国際連合総会で承認された。

065
○

ESDの目標として、「すべての人が質の高い教育の恩恵を享受すること」「持続可能な開発のために求められる原則、価値観及び行動が、あらゆる教育や学びの場に取り込まれること」「環境、経済、社会の面において持続可能な将来が実現できるような価値観と行動の変革をもたらすこと」が求められている。

066
✕

「生産消費型」社会は循環を考えておらず、ESDはその反省を含んでいる。

067
○

SDGsは「持続可能な開発目標」と訳され、MDGsの後継として2015年の国連サミットで採択された「持続可能な開発のための2030アジェンダ」にて記載された2030年までに持続可能でよりよい世界を目指す国際目標である。

068
✕

指導以前のこととして、コミュニケーションには言語以外の要素も大きく影響を与えるため、言葉だけではなく、ボディランゲージなどの非言語的要素も相互理解を左右する要因といえる。

069
○

咀嚼が苦手な子どもの場合、窒息などの重大な事故を引き起こす可能性もあり、個々の配慮が求められる。

070 ☑☑☑

障害者差別解消法に則り、触覚に過敏さがあり、給食で使うステンレスの食器が使用できず、手づかみで食べようとする子どもに対し、根気強くステンレスの食器を使用することで慣れさせることとした。

071 ☑☑☑

障害者差別解消法に則り、多くの人が集まる場が苦手で、集会活動や儀式的行事に参加することが難しい子どもに対し、集団から少し離れた場所で本人に負担がないような場所に席を用意したり、聴覚に過敏があるのであれば、イヤーマフなどを用いることとした。

072 ☑☑☑

障害者差別解消法に則り、聴覚に過敏さがあり、パニックを起こしてしまうかもしれない子どもに対し、運動会の徒競走のスタートで、少し離れたところからピストルによるスタートの合図をすることとした。

073 ☑☑☑

「特別支援教育の推進について（通知）」（平成19年）では、「特別支援教育は、これまでの特殊教育の対象の障害だけでなく、知的な遅れのない発達障害も含めて、特別な支援を必要とする幼児児童生徒が在籍する全ての学校において実施されるものである」としている。

074 ☑☑☑

「特別支援教育の推進について（通知）」（平成19年）では、「特別支援教育は、障害のある幼児児童生徒への教育にとどまらず、障害の有無やその他の個々の違いを認識しつつ様々な人々が生き生きと活躍できる共生社会の形成の基礎となるものであり、我が国の現在及び将来の社会にとって重要な意味を持っている」としている。

075 ☑☑☑

「特別支援教育の推進について（通知）」（平成19年）では、「特別な支援が必要と考えられる幼児児童生徒については、担任一人が責任をもって保護者の理解を得ることができるよう慎重に説明を行い、学校や家庭で必要な支援や配慮について、保護者と連携して検討を進めること」としている。

070 一歩間違えば虐待ともなる対応で、食への恐怖心を植えつけかねない。

071 多くの人が集まる場を苦手とする子どもの場合、敏感に精神的な圧迫感や恐怖心を覚えることがあり、個々の配慮が求められる。

072 ピストル音そのものに恐怖を覚えている可能性が高く、ほぼ意味のない対策と考えられる。対象物そのものを忌避することが望ましいといえる。

073 「特別支援教育の推進について（通知）」の「1．特別支援教育の理念」において明記されている。

074 「特別支援教育の推進について（通知）」の「1．特別支援教育の理念」において明記されている。

075 「特別支援教育の推進について（通知）」の「3．特別支援教育を行うための体制の整備及び必要な取組」の「(2) 実態把握」において、「特別支援教育コーディネーター等と検討を行った上で」と明記されており、「担任一人が責任をもって」とはされていない。

076
☑☑☑

いじめ防止対策推進法第3条では、「いじめの防止等のための対策は、いじめが全ての児童等に関係する問題であることに鑑み、児童等が安心して学習その他の活動に取り組むことができるよう、学校内ではいじめが行われなくなるようにすることを旨として行われなければならない」とされている。

077
☑☑☑

いじめ防止対策推進法第3条では、「いじめの防止等のための対策は、全ての児童等がいじめを行わず、及び他の児童等に対して行われるいじめを認識しながらこれを放置することがないようにするため、いじめが児童等の心身に及ぼす影響その他のいじめの問題に関する児童等の理解を深めることを旨として行われなければならない」とされている。

078
☑☑☑

いじめ防止対策推進法第3条では、「いじめの防止等のための対策は、いじめを受けた児童等の生命及び心身を保護することが特に重要であることを認識しつつ、国、地方公共団体、学校、地域住民、家庭その他の関係者の連携の下、いじめの問題を克服することを目指して行われなければならない」とされている。

079
☑☑☑

いじめ防止対策推進法では、「児童等は、いじめを行ってはならない」と明確に規定されている。

080
☑☑☑

いじめ防止対策推進法では、「地方公共団体は、基本理念にのっとり、いじめの防止等のための対策について、国と協力しつつ、当該地域の状況に応じた施策を策定し、及び実施する責務を有する」と規定されている。

「学校内では」ではなく、「学校の内外を問わず」と記載されている。

設問のとおり。単に規制すればよいという考え方ではなく、児童の自発的な理解を伴わなければ、いじめを根絶には導けない。

設問のとおり。部局や立ち位置を越えた連携ができなければ、対策に死角を生じ、抜け穴が生ずる元となってしまう。

いじめ防止対策推進法第4条に規定されている。

いじめ防止対策推進法第6条に規定されている。

図表まとめ▶ 人物とキーワード

人物	キーワード
ソクラテス	「無知」を自ら気づかせる問答法「産婆術」（無知の知）
コメニウス	実際の事物あるいは代替物を用いた「直観教授」 著書『大教授学』『世界図絵』
ロック	「健全な身体に宿る健全な精神」が幸福 「タブラ・ラサ」～人は生得観念を持たずに生まれる
ルソー	子どもは小さな大人ではないとし、「子どもの発見者」と呼ばれる 著書『エミール』『社会契約論』
ペスタロッチ	学習者の興味・体験～主体的な学び「生活が陶冶する」 著書『隠者の夕暮』『シュタンツだより』『白鳥の歌』
オーエン	「性格形成学院」設立、社会改革家で実業家でもある 主著『新社会観または性格形成論』
フレーベル	世界初の幼稚園「キンダーガルテン」 遊戯を重視し、考案した遊具を「恩物」と名づけた
モンテッソーリ	障害児教育に寄与。著書に『幼児の秘密』がある ローマの貧民街に「児童の家（子どもの家）」創設
キルパトリック	目標を設定し計画・実行「プロジェクト・メソッド」
ヴィゴツキー	子どもの発達過程における「最近接領域」に着目 主著『思考と言語』
ブルーナー	発見的に学ぶプロセスと発達段階を重視「発見学習」 著書『教育の過程』
スキナー	ティーチング・マシンの開発による「プログラム学習」
その他	プラトン「アカデメイア」／アリストテレス「リュケイオン」 コンドルセ「公教育制度改革案」 カント「人格の完成」 ヘルバルト「四段階教授法」～明瞭・連合・系統・方法 デューイ「経験主義」、著書『民主主義と教育』 エレン・ケイ「児童中心主義」、著書『児童の世紀』 ラングラン…1965年ユネスコ国際会議で生涯教育を提唱

第3章

社会的養護

人間の弱さや生き方について考えさせられる、重要な科目だよ。

フレーフレー

001
☑☑☑
「社会的養護の課題と将来像」（児童養護施設等の社会的養護の課題に関する検討委員会・社会保障審議会児童部会社会的養護専門委員会）は2017年に打ち出された。

002
☑☑☑
「新しい社会的養育ビジョン」（新たな社会的養育の在り方に関する検討会）は2011年に取りまとめられた。

003
☑☑☑
「児童の権利に関する条約」は、1989年に採択された。

004
☑☑☑
「児童の代替的養護に関する指針」は、2009年に採択された。

005
☑☑☑
「新しい社会的養育ビジョン」では、社会的養護とは、「サービスの開始と終了に行政機関が関与し、子どもに確実に支援を届けるサービス形態」と定義づけられている。

006
☑☑☑
「新しい社会的養育ビジョン」では、社会的養護には、在宅指導措置（児童福祉法第27条第1項第2号）が含まれる。

007
☑☑☑
「新しい社会的養育ビジョン」において、保護者と分離した子どもの代替養育は、長期間にわたって養育することを原則とする。

001　「社会的養護の課題と将来像」は、2011（平成23）年、社会的養護の充実のために取りまとめられた。

002　「新しい社会的養育ビジョン」は、2017（平成29）年に取りまとめられた。

003　「児童の権利に関する条約」は、1989年に国連総会において採択され、日本は1994（平成6）年に批准した。

004　「児童の代替的養護に関する指針」は、家庭での養育と永続的解決の原則を各国に求めるものであり、その後の日本の児童福祉法改正等に大きな影響を与えるものとなった。

005　「新しい社会的養育ビジョン」＜本文編＞のⅡ「新しい社会的養育ビジョンの全体像」の2「『社会的養護』の考え方と永続的解決の必要性」に記載されている。

006　「新しい社会的養育ビジョン」＜本文編＞のⅡ「新しい社会的養育ビジョンの全体像」の2「『社会的養護』の考え方と永続的解決の必要性」に記載されている。

007　「新しい社会的養育ビジョン」＜本文編＞のⅡ「新しい社会的養育ビジョンの全体像」の2「『社会的養護』の考え方と永続的解決の必要性」では、「代替養育は、本来は一時的な解決であり（中略）漠然とした長期間にわたる代替養育措置はなくなる必要がある」とあり、長期間にわたって養育することを原則としていない。

008
☑ ☑ ☑

「新しい社会的養育ビジョン」では、社会的養育の対象は全ての子どもであり、家庭で暮らす子どもから代替養育を受けている子ども、その胎児期から自立までが対象となる。

009
☑ ☑ ☑

「新しい社会的養育ビジョン」では、「新たな社会的養育という考え方では、そのすべての局面において、子ども・家族の参加と支援者との協働を原則とする」とされる。

010
☑ ☑ ☑

「新しい社会的養育ビジョン」では、子どもに永続的な家族関係をベースにしたパーマネンシーを保障するために、特別養子縁組や普通養子縁組は実父母の死亡などの場合に限られる。

011
☑ ☑ ☑

「新しい社会的養育ビジョン」では、「施設で培われた豊富な体験による子どもの養育の専門性をもとに、施設が地域支援事業やフォスタリング機関事業等を行う多様化を、乳児院から始め、児童養護施設、児童心理治療施設、児童自立支援施設でも行う」とされている。

008 ○ 「新しい社会的養育ビジョン」＜本文編＞のⅡ「新しい社会的養育ビジョンの全体像」の1「子どもの権利を基礎とした社会的養育の全体像」に記載されている。

009 ○ 「新しい社会的養育ビジョン」＜本文編＞のⅡ「新しい社会的養育ビジョンの全体像」の1「子どもの権利を基礎とした社会的養育の全体像」に記載されている。

010 ✕ 「新しい社会的養育ビジョン」＜要約編＞の1「新しい社会的養育ビジョンの意義」では、「平成28年児童福祉法改正では、子どもが権利の主体であることを明確にし、家庭への養育支援から代替養育までの社会的養育の充実とともに、家庭養育優先の理念を規定し、実親による養育が困難であれば、特別養子縁組による永続的解決（パーマネンシー保障）や里親による養育を推進することを明確にした」とされている。

011 ○ 「新しい社会的養育ビジョン」＜要約編＞の3「新しい社会的養育ビジョンの実現に向けた工程」の（6）「子どもニーズに応じた養育の提供と施設の抜本改革」に記載されている。

012 ☑☑☑
児童自立支援施設では、地域の児童の福祉に関する各般の問題につき、児童に関する家庭その他からの相談のうち、専門的な知識及び技術を必要とするものに応じ、必要な助言を行うとともに、市町村の求めに応じ、技術的助言その他必要な援助を行う。

013 ☑☑☑
児童心理治療施設では、家庭環境、学校における交友関係その他の環境上の理由により社会生活への適応が困難となった児童を、短期間入所させ、または保護者の下から通わせて、社会生活に適応するために必要な心理に関する治療及び生活指導を主として行い、あわせて退所した者について相談その他の援助を行う。

014 ☑☑☑
児童発達支援センターでは、障害児を日々保護者の下から通わせて、日常生活における基本的な動作及び知識技能の習得並びに集団生活への適応のための支援を行う。

015 ☑☑☑
児童家庭支援センターでは、不良行為をなし、またはなすおそれのある児童及び家庭環境その他の環境上の理由により生活指導等を要する児童を入所させ、または保護者の下から通わせて、個々の児童の状況に応じて必要な指導を行い、その自立を支援し、あわせて退所した者について相談その他の援助を行う。

016 ☑☑☑
心理療法担当職員は、虐待等による心的外傷のための心理療法を必要とする児童等や、夫等からの暴力による心的外傷等のため心理療法を必要とする母子に、遊戯療法やカウンセリング等の心理療法を実施する。

017 ☑☑☑
個別対応職員は、虐待を受けた児童等の施設入所の増加に対応するため、被虐待児等の個別の対応が必要な児童への一対一の対応や、保護者への援助等を行う職員を配置し、虐待を受けた児童等への対応の充実を図る。

設問は、児童家庭支援センターに関する記述である（児童福祉法第44条の2第1項）。同センターは「児童に関する家庭その他からの相談」を中心に行う。

013 ○ 児童心理治療施設は、「社会生活に適応するために必要な心理に関する治療及び生活指導」を行う施設である（児童福祉法第43条の2）。

014 ○ 児童発達支援センターは、児童発達支援として、障害児に対する「日常生活における基本的な動作及び知識技能の習得並びに集団生活への適応のための支援」と、肢体不自由のある児童に対する治療を行う（児童福祉法第6条の2の2第2項及び第43条）。

015 × 設問の「不良行為をなし、またはなすおそれのある児童」等を入所させ、支援する施設は、児童自立支援施設である（児童福祉法第44条）。

016 ○ 個別対応職員と同じように、子どものメンタルケアを担うのが、心理療法担当職員である。虐待やDVなどで心的外傷を受けた子どもを心理療法で治療する。

017 ○ 個別対応職員は、子どものメンタルケアが必要になるケースが多い施設（乳児院、母子生活支援施設、児童養護施設、児童心理治療施設、児童自立支援施設）に配置される。

018 ☑☑☑

里親支援専門相談員（里親支援ソーシャルワーカー）は、児童養護施設及び乳児院に、地域の里親およびファミリーホームを支援する拠点としての機能をもたせ、児童相談所の里親担当職員、里親委託等推進員、里親会等と連携して、里親委託の推進及び里親支援の充実を図る。

019 ☑☑☑

母子支援員は、児童養護施設及び乳児院にのみ配置が義務づけられている。

020 ☑☑☑

心理療法担当職員は、児童心理治療施設にのみ配置が義務づけられている。

021 ☑☑☑

児童指導員は、児童自立支援施設にのみ配置が義務づけられている。

022 ☑☑☑

看護師は、乳児院において配置が義務づけられている。

023 ☑☑☑

児童福祉司は、児童養護施設において配置が義務づけられている。

024 ☑☑☑

小規模住居型児童養育事業（ファミリーホーム）は、家庭養護として養育者が親権者となり、委託児童を養育する取り組みである。

018 ○ 里親支援専門相談員は、児童養護施設と乳児院に配置される職員で、里親支援ソーシャルワーカーとも呼ばれる。児童相談所の里親担当職員などと連携して、所属施設の入所児童の里親委託を推進する。

019 ✕ 母子支援員が配置されるのは、児童養護施設及び乳児院ではなく、母子生活支援施設である。

020 ✕ 児童心理治療施設だけでなく、心理療法の対象児童が10人以上いる児童養護施設と児童自立支援施設、対象となる乳幼児または保護者が10人以上いる乳児院、対象となる母または子どもが10人以上いる母子生活支援施設においても、配置が義務づけられている。

021 ✕ 児童自立支援施設には、児童指導員の配置は義務づけられていない。児童指導員は乳児院、児童養護施設、障害児入所施設、児童発達支援センター、児童心理治療施設において、児童の自立促進や生活指導等の援助を行う。

022 ○ 乳児院には、個別対応職員、家庭支援専門相談員、栄養士及び調理員のほか、医師または嘱託医、看護師の配置が児童福祉施設の設備及び運営に関する基準で義務づけられている。

023 ✕ 児童養護施設には、児童福祉司の配置は義務づけられていない。児童福祉司は児童相談所に配置される（児童福祉法第13条第1項）。

024 ✕ 親権者は養育者ではなく、児童相談所長である（児童福祉法第47条第2項）。

025
☑☑☑
小規模住居型児童養育事業（ファミリーホーム）の対象児童は、「児童福祉法」における「要支援児童」である。

026
☑☑☑
小規模住居型児童養育事業（ファミリーホーム）は、5人または6人の児童を養育者の家庭において養育を行う取り組みである。

027
☑☑☑
小規模住居型児童養育事業（ファミリーホーム）において委託児童の養育を担う養育者は、保育士資格を有していなければならない。

028
☑☑☑
「社会的養護関係施設における親子関係再構築支援ガイドライン」（平成26年厚生労働省）では、（ ① ）の回復を支えるという視点で親子関係再構築を捉えている。そのため、その内容は、内的イメージから外的現実まで幅広く、家族形態や問題の程度も様々なものを含む等、多面的で重層的に考える必要がある。ガイドラインでは、親子関係再構築を「子どもと親がその相互の（ ② ）すること」と定義する。親子関係再構築支援を家族の状況によって2つに分類すると、分離となった家族に対するものと、（ ③ ）親子に対するものとがある。

対象児童は要支援児童ではなく、要保護児童である（児童福祉法第6条の3第8項）。

設問のとおり。5人または6人の児童を養育者の家庭において養育を行う（児童福祉法施行規則第1条の19第1項）。

「保育士資格を有していなければならない」という規定はない。

①子ども、②肯定的なつながりを主体的に回復、③ともに暮らす。「社会的養護施設における親子関係再構築支援ガイドライン」（平成26年厚生労働省）第1章「親子関係再構築の定義－子どもの回復と成長の視点から」の4「親子関係再構築の定義」の考え方をまとめた内容である。

029
☑☑☑
乳児院運営指針では、「日常の養育において『担当養育制』を行い、特別な配慮が必要な場合を除いて、基本的に入所から退所まで一貫した担当制とする」としている。

030
☑☑☑
乳児院運営指針では、「施設の備品である玩具、食器、戸棚などは措置費で購入しているため、入所児童には自分の所有物という認識を持たせず、共有のものとして利用させる」としている。

031
☑☑☑
乳児院運営指針では、「個々の乳幼児の発達状況や個性に配慮し、専門的視点から遊びの計画や玩具を用意し、遊びを通じた好奇心の育みや身体機能の発達を支援する」としている。

032
☑☑☑
乳児院運営指針では、「施設は集団での生活であり、自立を目指しているため、日課で決められた食事の時間内に残さず食べることができるように訓練する」としている。

033
☑☑☑
児童養護施設運営指針では、子ども自身の出生や生い立ち、家族の状況については、義務教育終了後に開示するとしている。

034
☑☑☑
児童養護施設運営指針では、入所時においては、子どものそれまでの生活とのつながりを重視し、そこから分離されることに伴う不安を理解し受けとめ、不安の解消を図るとしている。

035
☑☑☑
児童養護施設運営指針では、子どもが相談したり意見を述べたりしたい時に、相談方法や相談相手を選択できる環境を整備し、子どもに伝えるための取り組みを行うとしている。

| 029
○ | 保護者から離れて暮らす乳幼児が心身の成長のために欠かせない、特定の大人との愛着関係を築くために、保護者や担当養育者、里親等との個別のかかわりをもつことができる体制を整備することとしている。 |

| 030
✕ | 「自分の所有物という認識を持たせず、共有のものとして利用させる」が誤りである。正しくは「他児と区別された『自分のもの』といえる玩具、食器、衣類、戸棚など個別化を図る」である。 |

| 031
○ | 乳幼児期は同じ年・月齢であっても、個々の乳幼児間の違いは大きく、生理的、身体的な諸条件や生育環境の違いにより一人一人の心身の発達の個人差が大きいため、配慮が必要である。 |

| 032
✕ | 「時間内に残さず食べることができるように訓練する」が誤りである。正しくは「乳幼児が自分で食べようとする意欲を育てられるように、おいしい食事をゆっくりと、くつろいで楽しい雰囲気で食べることができる環境づくりや配慮を行う」である。 |

| 033
✕ | 「義務教育終了後に開示する」ではなく、「子どもの発達に応じて（中略）適切に知らせる」が正しい。子ども自身が自分の生い立ちや家族の状況を知ることも重要であり、適切なタイミングで伝えることが必要である。 |

| 034
○ | 子どもと保護者等との関係性を踏まえて、分離に伴う不安を理解し受けとめ、入所の相談から施設での生活が始まるまで、対応についての手順を定め、子どもの意向を尊重しながら今後のことについて説明している。 |

| 035
○ | 複数の相談方法や相談相手の中から自由に選べることをわかりやすく説明した文書を作成・配布する。また、日常的に相談できる窓口を明確にした上で、内容をわかりやすい場所に掲示する。 |

036
☑☑☑
児童養護施設運営指針では、いかなる場合においても、体罰や子どもの人格を辱めるような行為を行わないよう徹底するとしている。

037
☑☑☑
児童養護施設運営指針では、様々な生活体験や多くの人たちとのふれあいを通して、他者への心づかいや他者の立場に配慮する心が育まれるよう支援するとしている。

038
☑☑☑
児童養護施設運営指針では、社会的養護はできる限り特定の養育者による一貫性のある養育が望まれるとしている。

039
☑☑☑
児童養護施設運営指針では、社会的養護における養育は、つらい体験をした過去を現在、そして将来の人生と切り離すことを目指して行われるとしている。

040
☑☑☑
児童養護施設運営指針では、社会的養護における養育は、効果的な専門職の配置ができるよう、大規模な施設において行う必要があるとしている。

041
☑☑☑
児童養護施設運営指針では、社会的養護における支援は、子どもと緊密な関係を結ぶ必要があるので、他機関の専門職との連携は行わないとしている。

| 036 ○ | 就業規則等の規程に体罰等の禁止を明記し、子どもや保護者に対して、体罰等の禁止を周知する。また職員に暴力、人格的辱め、心理的虐待などの不適切なかかわり等を伴わない援助技術を習得させる。 |

| 037 ○ | 同年齢、上下の年齢などの人間関係を日常的に経験できる生活状況を用意し、人格の尊厳を理解し、自他の権利を尊重できる人間性を育成する。 |

| 038 ○ | 児童養護施設運営指針では、「社会的養護は、その始まりからアフターケアまでの継続した支援と、できる限り特定の養育者による一貫性のある養育が望まれる」としている。 |

| 039 × | 児童養護施設運営指針では、「社会的養護における養育は、『人とのかかわりをもとにした営み』である。子どもが歩んできた過去と現在、そして将来をより良くつなぐために、一人一人の子どもに用意される社会的養護の過程は、『つながりのある道すじ』として子ども自身にも理解されるようなものであることが必要である」としている。 |

| 040 × | 児童養護施設運営指針では、「児童養護施設、乳児院等の施設養護も、できる限り小規模で家庭的な養育環境（小規模グループケア、グループホーム）の形態に変えていくことが必要である」としている。 |

| 041 × | 児童養護施設運営指針では、「児童相談所等の行政機関、各種の施設、里親等の様々な社会的養護の担い手が、それぞれの専門性を発揮しながら、巧みに連携し合って、一人一人の子どもの社会的自立や親子の支援を目指していく社会的養護の連携アプローチが求められる」としているため、関係機関と連携した養育支援が重要である。 |

042
☑☑☑
児童養護施設運営指針では、社会的養護は、措置または委託解除までにすべての支援を終結し、自立させる必要があるとしている。

043
☑☑☑
児童養護施設運営指針の「社会的養護の原理」では、「社会的養護を必要とする子どもには、その子どもに応じた成長や発達を支える支援だけでなく、虐待体験や（ ① ）体験などによる悪影響からの癒しや（ ② ）をめざした専門的ケアや（ ③ ）などの治療的な支援も必要となる」とされている。

044
☑☑☑
「里親及びファミリーホーム養育指針」（平成24年3月厚生労働省）では、里親及びファミリーホームは、社会的養護を必要とする子どもを、養育者の家庭に迎え入れて養育する（ ① ）である。また、社会的養護の担い手として、（ ② ）な責任に基づいて提供される養育の場である。

045
☑☑☑
「里親及びファミリーホーム養育指針」（平成24年3月厚生労働省）では、「子どもを（ ① ）として尊重する。子どもが自分の気持ちや意見を素直に表明することを保障するなど、常に子どもの（ ② ）に配慮した養育・支援を行う。（中略）子どもに対しては、（ ① ）であることや守られる権利について、（ ③ ）などを活用し、子どもに応じて、正しく理解できるよう随時わかりやすく説明する」とされている。

児童養護施設運営指針では、「社会的養護の下で育った子どもたちが社会に出てからの暮らしを見通した支援を行うとともに、入所や委託を終えた後も長くかかわりを持ち続け、帰属意識を持つことができる存在になっていくことが重要である」としているため、入所措置や里親委託が終了するとそれで終わりというわけではなく、かかわりを持ち続けていくことが大切である。

①分離、②回復、③心理的ケア。児童養護施設運営指針の第Ⅰ部「総論」の2「社会的養護の基本理念と原理」の(2)「社会的養護の原理」の③「回復をめざした支援」の一部である。指針は、児童養護施設の養育・支援の内容や養育機能、目指すべき方向性を社会に開示し、質の確保と向上と子どもたちへの適切な支援を実現していくことを目的として定められた。

①家庭養護、②社会的。家庭養護と家庭的養護は似ている言葉であるが、「家庭養護」は児童を家庭に迎え入れて養育を行う里親及びファミリーホームについて用いられ、「家庭的養護」は施設における家庭的な養育環境での養護という点を覚えておこう。社会的養護は、社会的な責任に基づいて提供される。そして、養育のありかたをできるだけひらいていく必要がある。

①権利の主体、②最善の利益、③権利ノート。「里親及びファミリーホーム養育指針」の第Ⅱ部「各論」の3「権利擁護」の(1)「子どもの尊重と最善の利益の考慮」からの抜粋である。

046
家庭支援専門相談員（ファミリーソーシャルワーカー）は、対象児童の早期家庭復帰のための保護者等に対する相談援助を行う。

047
家庭支援専門相談員（ファミリーソーシャルワーカー）は、対象児童等に対する心理療法を行う。

048
家庭支援専門相談員（ファミリーソーシャルワーカー）は、退所後の児童に対する継続的な相談援助を行う。

049
家庭支援専門相談員（ファミリーソーシャルワーカー）は、里親委託・養子縁組の推進を行う。

050
家庭支援専門相談員（ファミリーソーシャルワーカー）は、児童相談所等関係機関との連絡・調整を行う。

051
家庭支援専門相談員（ファミリーソーシャルワーカー）は、母子生活支援施設に配置される。

052
里親支援専門相談員（里親支援ソーシャルワーカー）は、里親支援を行う乳児院に配置される。

053
個別対応職員は、児童心理治療施設に配置される。

046
○
家庭支援専門相談員は、対象児童が入所中に、施設内または保護者宅を訪問して、対象児童の早期家庭復帰のための保護者等に対する相談援助を行う。

047
×
対象児童等に対する心理療法は、心理療法担当職員の業務内容である。

048
○
家庭支援専門相談員は、対象児童の家庭復帰後も、対象児童やその保護者等に対して、継続的に相談援助を行う。

049
○
家庭支援専門相談員は、里親希望家庭への相談援助、里親への委託後における相談援助、里親の新規開拓を行ったり、養子縁組を希望する家庭への相談援助や養子縁組の成立後における相談援助等を行う。

050
○
設問のとおり。そのほかにも、家庭支援専門相談員は、地域の子育て家庭に対する育児不安の解消のための相談援助、要保護児童の状況の把握や情報交換を行うための協議会への参画なども行う。

051
×
家庭支援専門相談員は、児童養護施設、乳児院、児童心理治療施設、児童自立支援施設に配置義務がある。

052
○
里親支援専門相談員は、里親支援を行う児童養護施設と乳児院に配置される。児童相談所の里親担当職員などと連携して、所属施設の入所児童の里親委託を推進する。里親の新規開拓や里親向けの研修、アフターケアとしての相談対応などを行う。

053
○
個別対応職員は、子どものメンタルケアが必要になるケースが多い施設（乳児院、母子生活支援施設、児童養護施設、児童心理治療施設、児童自立支援施設）に配置される。

054
☑☑☑
職業指導員は、実習設備を設けて職業指導を行う児童自立支援施設に配置される。

055
☑☑☑
医療的ケアを担当する職員は、医療的ケアを必要とする児童が15人以上入所している児童養護施設に配置される。

056
☑☑☑
児童委員は、福祉事務所に必置とされている。

057
☑☑☑
児童福祉司は、児童相談所に必置とされている。

058
☑☑☑
支援コーディネーターは、児童相談所の一時保護所に必置とされている。

059
☑☑☑
里親支援専門相談員は、児童自立支援施設に必置とされている。

060
☑☑☑
「社会的養護関係施設における親子関係再構築支援ガイドライン」（厚生労働省）に、「親とのコミュニケーションにおいて、家庭支援専門相談員に求められる技術は、「受容」「（　①　）」「傾聴」である。虐待を行ったため、否定されている親の持ついろいろな思いを「受容」や「（　①　）」することで、親との（　②　）を作り出されることが支援の大きな鍵となる。親を（　③　）するという姿勢も大切である。その前提としてそれぞれの親たちが持っている困難を乗り越える力を正しく評価し伝えると共に、かかわりを通じて更に前向きな力に変容できるよう支援することが重要である」と記載されている。

054 ○
実習設備を設けて職業指導を行う児童養護施設又は児童自立支援施設には、職業指導員を置かなければならない。

055 ○
児童養護施設では、医療的ケアを必要とする児童が15人以上入所している場合、厚生労働省通知により医療的ケアを担当する職員を配置しなければならない。

056 ✕
児童委員は民間ボランティアになるので、福祉事務所で必置という位置づけにはない。

057 ○
児童福祉司は、児童相談所長の命を受けて、児童の保護その他の児童の福祉に関する事項について、相談に応じ、専門的技術に基づいて必要な指導を行う（児童福祉法第13条第4項）。

058 ✕
児童相談所の一時保護所では、支援コーディネーターは必置になっていない。

059 ✕
里親支援専門相談員は、児童自立支援施設に必置ではない。里親支援専門相談員は、里親支援を行う乳児院と児童養護施設に配置されている。

060 →
①共感、②信頼関係、③エンパワメント。家庭支援専門相談員（ファミリーソーシャルワーカー）は虐待等の家庭環境上の理由により入所している児童の保護者等に対し、児童相談所との密接な連携のもとに相談援助等の支援を行う。信頼関係をつくり出すために求められる技術として、「受容」「共感」「傾聴」が必要である。エンパワメントは、保護者が自分自身の置かれている差別構造や抑圧されている要因に気づき、その状況を変革していく方法や自信、自己決定力を回復・強化できるように援助することである。

061
☑☑☑

児童相談所の一時保護では、児童養護施設や里親に委託一時保護することができる。

062
☑☑☑

児童相談所の一時保護では、一時保護所における一時保護期間は、上限が2週間と定められている。

063
☑☑☑

児童相談所の一時保護では、一時保護所には、近隣の小学校及び中学校の分教室が設置されている。

064
☑☑☑

児童相談所の一時保護では、児童の保護者の同意なしに一時保護することはできない。

061
○

「一時保護ガイドライン」によると、「児童相談所において一時保護しているこどもで、法第28条第1項又は第33条の7の申立て等により一時保護期間が相当長期化すると推測される場合においても、里親・ファミリーホーム、児童養護施設等への委託一時保護を検討する」と規定されている。

062
×

児童福祉法第33条第3項に、「前2項の規定による一時保護の期間は、当該一時保護を開始した日から2月を超えてはならない」と規定されている。また、同条第4項には、「前項の規定にかかわらず、児童相談所長又は都道府県知事は、必要があると認めるときは、引き続き第1項又は第2項の規定による一時保護を行うことができる」と規定されており、2か月を超えて引き続き一時保護が行われることもある。

063
×

一時保護所に近隣の小学校や中学校の分教室が設置されていることはなく、そのような規定もない。

064
×

児童福祉法第33条第5項に「前項の規定により引き続き一時保護を行うことが当該児童の親権を行う者又は未成年後見人の意に反する場合においては、児童相談所長又は都道府県知事が引き続き一時保護を行おうとするとき、及び引き続き一時保護を行った後2月を超えて引き続き一時保護を行おうとするときごとに、児童相談所長又は都道府県知事は、家庭裁判所の承認を得なければならない」とあるため、家庭裁判所の承認を得れば、保護者の同意なしに一時保護することができる。

065 児童福祉法において、被措置児童等への虐待行為には経済的虐待が含まれる。

☑☑☑

066 児童福祉法において、被措置児童等自身による虐待の被害の届出は規定されていない。

☑☑☑

067 児童養護施設の長は、児童を現に監護する者として保護者となることから、被措置児童への虐待行為を行った場合、それは児童虐待の防止等に関する法律に規定する児童虐待であるとともに、被措置児童等虐待に該当する。

☑☑☑

068 「児童養護施設入所児童等調査結果（令和5年2月1日現在）」によると、児童養護施設入所児童の「被虐待経験あり」は全体の約3割であった。

☑☑☑

069 「児童養護施設入所児童等調査結果（令和5年2月1日現在)」によると、児童養護施設入所児童の、入所時の年齢で最も多いのは2歳であった。

☑☑☑

070 「児童養護施設入所児童等調査結果（令和5年2月1日現在）」によると、児童養護施設入所児童の、入所時の保護者の状況について「両親又は一人親」とされた児童は、全体の9割以上であった。

☑☑☑

071 児童福祉法第25条では、「要保護児童を発見した者は、これを市町村、都道府県の設置する（ ① ）若しくは児童相談所又は（ ② ）を介して市町村、都道府県の設置する（ ① ）若しくは児童相談所に通告しなければならない。ただし、罪を犯した満（ ③ ）歳以上の児童については、この限りでない。この場合においては、これを家庭裁判所に通告しなければならない」とされている。

☑☑☑

「被措置児童等虐待の防止等」として、児童福祉法第33条の10に、身体的虐待、性的虐待、ネグレクト、心理的虐待が定められているが、経済的虐待はない。

 児童福祉法第33条の12第3項に、被措置児童等が虐待を受けたときは、その旨を「児童相談所、都道府県の行政機関又は都道府県児童福祉審議会に届け出ることができる」と定められている。

 児童虐待の防止等に関する法律では、「児童虐待の定義」が定められ、父母や児童養護施設の施設長など「保護者」による虐待を定義することで、施設内暴力の抑止力としている。

 被虐待経験とは家庭にて虐待を受けた経験があるということである。児童養護施設の入所児童については71.7%が「虐待経験あり」であった。

 児童養護施設の入所児童について、入所時の年齢で最も多いのは2歳である。児童養護施設入所児童等調査結果には、年齢について「現在の年齢」「委託（入所）時の年齢」の2種類が載っている。

 児童養護施設の入所児童については、「両親又は一人親」が95.4%であった。入所時の保護者の状況は、「両親又は一人親」「両親ともいない」「両親とも不明」という項目に分かれる。

 ①福祉事務所、②児童委員、③14。児童福祉法第25条において、要保護児童を発見した者は、これを市町村、都道府県の設置する福祉事務所若しくは児童相談所又は児童委員を介して市町村、都道府県の設置する福祉事務所若しくは児童相談所に通告しなければならないと定められている。

072
☑☑☑

養子縁組里親に委託される児童は、養子縁組里親になる者と親族関係にある必要がある。

073
☑☑☑

養子縁組里親には、里親になるために必須となる指定された研修の受講義務がない。

074
☑☑☑

養子縁組里親は、都道府県で作成される養子縁組里親の名簿登録が任意である。

075
☑☑☑

養子縁組里親には、欠格事由が定められていない。

076
☑☑☑

養子縁組里親には、里親手当は支給されない。

077
☑☑☑

里親が行う養育に関する最低基準に、「里親が行う養育は、委託児童の（ ① ）を尊重し、基本的な（ ② ）を確立するとともに、豊かな人間性及び社会性を養い、委託児童の（ ③ ）を支援することを目的として行われなければならない」と記載されている。

078
☑☑☑

「社会的養育の推進に向けて」（令和6年2月：厚生労働省）によると、令和3年度末の里親及び小規模住居型児童養育事業（ファミリーホーム）への委託率は社会的養護を利用する児童全体の約4割である。

養子縁組里親に委託される児童は、養子縁組里親になる者と親族関係にある必要はない。児童が15歳未満の場合（一定の条件を満たせば15歳以上も可）、特別養子縁組制度により、裁判所の審判により、実子扱いが可能になる（民法第817条の2〜11）。

養子縁組里親には、研修の受講義務がある。

養子縁組里親は、都道府県が作成する養子縁組里親名簿への登録を行わなければならない。

養子縁組里親には、欠格事由が定められている。

法的にも家族となることを目指す養子縁組里親や親族里親に、里親手当は支給されない。養育里親と専門里親は、国から一時的に児童を委託されるので、里親手当が支給される。

①自主性、②生活習慣、③自立。児童福祉法第45条の2第1項の規定に基づき、里親が行う養育に関する最低基準（以下、基準）が定められている。基準第4条の「養育の一般原則」の第1項に設問のとおり記載されている。

「社会的養育の推進に向けて」によると、令和3年度末の里親等委託率は、社会的養護を利用する児童全体の23.5％となっているため、約2割になる。「社会的養護を利用する児童全体」とは、乳児院入所児、児童養護施設入所児、里親及び小規模住居型児童養育事業（ファミリーホーム）委託児を指す。

079

☑☑☑

小規模住居型児童養育事業（ファミリーホーム）は、「社会福祉法」に定める第一種社会福祉事業である。

080

☑☑☑

都道府県知事は、児童を里親に委託する措置をとった場合には、児童福祉司、知的障害者福祉司、社会福祉主事のうち一人を指定して、里親の家庭を訪問して、必要な指導をさせなければならない。

081

☑☑☑

保育所は乳児院・児童養護施設と同じく第一種社会福祉事業に分類される。

082

☑☑☑

フォスタリング機関（里親養育包括支援機関）の業務として、里親のリクルート及びアセスメントがある。

083

☑☑☑

フォスタリング機関（里親養育包括支援機関）の業務として、子どもと里親家庭のマッチングがある。

084

☑☑☑

フォスタリング機関（里親養育包括支援機関）の業務として、子どもの里親委託中における里親養育への支援がある。

085

☑☑☑

フォスタリング機関（里親養育包括支援機関）の業務として、里親登録前後及び委託後における里親に対する研修がある。

086

☑☑☑

フォスタリング機関（里親養育包括支援機関）の業務として、養子縁組成立後の養親及び養子への支援がある。

079 ✕
社会福祉法第2条第3項第2号で、小規模住居型児童養育事業（ファミリーホーム）は第二種社会福祉事業と定められている。ファミリーホームは児童福祉法にも記載があるが、各種の社会福祉事業については社会福祉法で定められているので注意が必要である。

080 ○
児童福祉法施行令第30条により、里親委託措置をとった際には、都道府県知事は、児童福祉司、知的障害者福祉司、社会福祉主事のうち一人を指定して、里親家庭に対して訪問指導をさせることになっている。

081 ✕
保育所は第二種社会福祉事業に分類される（社会福祉法第2条第3項第2号）。

082 ○
設問のとおり。フォスタリング業務として、里親の広報・リクルート及びアセスメントがある。

083 ○
設問のとおり。フォスタリング業務として、子どもと里親家庭のマッチングがある。

084 ○
設問のとおり。フォスタリング業務として、子どもの里親委託中における里親養育への支援がある。

085 ○
設問のとおり。フォスタリング業務として、里親登録前後及び委託後における里親に対する研修がある。

086 ✕
フォスタリング機関は、里親養育に関する一連の支援を行うのであって、養子縁組に関する支援を行うわけではない。

087
☑☑☑
セオドア・ルーズベルト大統領の招集により、「第1回白亜館会議（ホワイトハウス会議）」が開催された。この会議において「児童は緊急なやむをえない理由がない限り、家庭生活から引き離されてはならない」などの宣言が行われた。

088
☑☑☑
ボウルビィ（Bowlby, J.）は「乳幼児の精神衛生」において、母性的養育の剥奪が子どもにとって深刻な影響をもたらすとした。

089
☑☑☑
バーナード（Barnardo, T. J.）は浮浪児等が生活する施設としてバーナードホームを設立した。この施設では小舎制を採用するとともに里親委託の試みが行われた。

090
☑☑☑
社会的養護自立支援事業が対象とする年齢は、年度末の時点で26歳までの者である。

091
☑☑☑
社会的養護自立支援事業の対象となる者には、里親等への委託や、児童養護施設等への入所措置の経験がない在宅で生活している者を含んでいる。

092
☑☑☑
社会的養護自立支援事業の実施主体は、市町村に限定されている。

087 ○ 1909年に、第1回白亜館会議（ホワイトハウス会議）が開催され、設問にある宣言が行われた。

088 ○ ボウルビィは、イギリス出身の精神科医である。1951年にボウルビィ報告（「乳幼児の精神衛生」）を発表した。

089 ○ 1870年に、バーナードが浮浪児等を保護する施設「バーナードホーム」（孤児院）を開設した。

090 × 「26歳」ではなく「22歳」である。社会的養護自立支援事業の対象は、児童養護施設・児童心理治療施設・児童自立支援施設を退所した者、里親・小規模住居型児童養育事業者（ファミリーホーム）への委託を解除された者、児童自立生活援助が行われていた者（満20歳以上義務教育終了児童等を除く）であり、かつ、原則として、18歳（措置延長の場合は20歳）到達後から22歳に達する日の属する年度の末日までの間にある者とされている。

091 × 自立支援事業は、里親・小規模住居型児童養育事業者（ファミリーホーム）等への委託や、児童養護施設入所措置の経験がある者が対象である。在宅で生活している者は、対象に含まれない。

092 × 社会的養護自立支援事業の実施主体は、都道府県、指定都市、児童相談所設置市である。

第3章 社会的養護

093
☑☑☑

社会的養護自立支援事業において、継続支援計画は原則、措置解除後に作成することとされている。

094
☑☑☑

社会的養護自立支援事業を行う際には、生活相談支援担当職員を配置することとされている。

095
☑☑☑

「家庭と同様の環境における養育の推進」（厚生労働省）によると、「家庭と同様の養育環境」には、里親がある。

096
☑☑☑

「家庭と同様の環境における養育の推進」（厚生労働省）によると、「家庭と同様の養育環境」には、地域小規模児童養護施設（グループホーム）がある。

097
☑☑☑

「家庭と同様の環境における養育の推進」（厚生労働省）によると、「家庭と同様の養育環境」には、小規模グループケアがある。

098
☑☑☑

「家庭と同様の環境における養育の推進」（厚生労働省）によると、「できる限り良好な家庭的環境」には、特別養子縁組を含む養子縁組がある。

099
☑☑☑

「家庭と同様の環境における養育の推進」（厚生労働省）によると、「できる限り良好な家庭的環境」には、小規模住居型児童養育事業（ファミリーホーム）がある。

「措置解除後」ではなく「措置解除前」である。支援コーディネーターは、対象者、児童相談所の子ども担当職員、里親、施設職員など対象者の支援に携わってきた者等により構成される会議を開催し、これらの者の意見を踏まえ、原則措置解除前に継続支援計画を作成することとされている。

社会的養護自立支援事業を実施するにあたっては、生活相談支援担当職員を配置することとされている。

「家庭と同様の環境における養育の推進」では、「家庭」：実親による養育、「家庭と同様の養育環境」：養子縁組・里親・小規模住居型児童養育事業（ファミリーホーム）、「できる限り良好な家庭的環境」：地域小規模児童養護施設（グループホーム）・小規模グループケアを示している。

地域小規模児童養護施設（グループホーム）は、「できる限り良好な家庭的環境」である。

小規模グループケアは、「できる限り良好な家庭的環境」である。

特別養子縁組を含む養子縁組は、「家庭と同様の養育環境」である。

小規模住居型児童養育事業（ファミリーホーム）は、「家庭と同様の養育環境」である。

社会的養育の推進に向けて

100
☑☑☑
「児童養護施設入所児童等調査の概要（令和6年2月1日現在）」（厚生労働省）によると、児童養護施設の入所児童のうち、6歳未満で入所した児童が約8割である。

101
☑☑☑
「児童養護施設入所児童等調査の概要（令和6年2月1日現在）」（厚生労働省）によると、児童養護施設の入所児童の平均在所期間は、10年を超えている。

102
☑☑☑
「児童養護施設入所児童等調査の概要（令和6年2月1日現在）」（厚生労働省）によると、児童養護施設の入所児童の入所経路では、「家庭から」が約6割である。

103
☑☑☑
「児童養護施設入所児童等調査の概要（令和6年2月1日現在）」（厚生労働省）によると、児童養護施設の入所児童のうち、心身の状況において障害等を有する児童は、約7割である。

104
☑☑☑
「児童養護施設入所児童等調査の概要（令和6年2月1日現在）」（厚生労働省）によると、虐待を受けた経験がある児童養護施設の入所児童のうち、心理的虐待は約6割である。

105
☑☑☑
「児童養護施設入所児童等調査の概要（令和6年2月1日現在）」（厚生労働省）における母子生活支援施設入所世帯（母親）の状況では、入所理由は「経済的理由による」が最も多い。

106
☑☑☑
「児童養護施設入所児童等調査の概要（令和6年2月1日現在）」（厚生労働省）における母子生活支援施設入所世帯（母親）の状況では、在所期間は「10年以上」が最も多い。

107
☑☑☑
「児童養護施設入所児童等調査の概要（令和6年2月1日現在）」（厚生労働省）における母子生活支援施設入所世帯（母親）の状況では、母子世帯になった理由は、「未婚の母」が最も多い。

100 **✕**
児童養護施設に「6歳未満で入所した児童」は48.2%である。

101 **✕**
児童養護施設の「児童の平均在所期間」は5.2年である。

102 **〇**
児童養護施設の児童の入所経路では「家庭から」が62.4%である。

103 **✕**
児童養護施設の「心身の状況において障害等を有する児童」は42.8%である。

104 **✕**
虐待を受けた経験がある児童のうち「心理的虐待」は31.1%である。なお、この調査は複数回答であり、身体的虐待42.4%、性的虐待5.2%、ネグレクト61.2%となっている。

105 **✕**
母子生活支援施設への入所理由は、「配偶者からの暴力」が50.3%で最も多く、次いで「住宅事情による」が15.8%、「経済的理由による」が10.6%となっている。

106 **✕**
母子生活支援施設へ入所してからの期間は、「5年未満」が84.2%と大部分を占め、「5年未満」の中でも「1年未満」が29.4%、「1年」が23.1%となっている。

107 **✕**
母子世帯になった理由は、「離婚」が56.1%と最も多く、次いで「未婚の母」が17.0%となっている。

108

☑☑☑

「児童養護施設入所児童等調査の概要（令和6年2月1日現在）」（厚生労働省）における母子生活支援施設入所世帯（母親）の状況では、平均所得金額（不明を除く）はおおよそ「166万円」である。

109

☑☑☑

「児童養護施設入所児童等調査の概要（令和6年2月1日現在）」（厚生労働省）における母子生活支援施設入所世帯（母親）の状況では、母の従業上の地位は、「常用勤労者」が最も多い。

母子生活支援施設入所世帯の令和4年の年間所得分布は、「165.0万円」となっており、一般家庭の545.7万円（令和4年国民生活基礎調査）の3割程度にとどまっている。

母子生活支援施設の入所世帯の母親の59.6％は就業している。就業している母親では、「臨時・日雇・パート」が40.1％と最も多く、「常用勤労者」が13.8％となっている。また「不就業」については、39.2％となっている。

「社会的養護」とは、事情によって親と生活することが難しい子どもを、社会が家庭の代わりになって育てることだよ。

図表まとめ▶ 社会的養護関係施設

施設名	支援内容	必置職員	その他職員
乳児院	短期間の入所の場合は、子育て支援。長期間入所している子どもについては養育のほかに、保護者支援や子どもの退所後のアフターケアなど	医師または嘱託医 看護師 個別対応職員 家庭支援専門相談員 栄養士及び調理員	心理療法担当職員注1 保育士 児童指導員
児童養護施設	食事や入浴などの生活全般の手助けや指導、学校行事への参加や進学・就職相談など生活支援(基本的信頼感の回復)と自立支援(社会性の獲得)	児童指導員 嘱託医 保育士 個別対応職員 家庭支援専門相談員 栄養士及び調理員	看護師注2 心理療法担当職員 職業指導員
母子生活支援施設	母親と子どもが一緒に生活できる住居の提供・自立支援(就労・家庭生活・児童の教育等の相談や助言) DVの被害者の一時保護や相談	母子支援員 嘱託医 少年を指導する職員 調理員またはこれに代わるべき者	個別対応職員注3 心理療法担当職員
児童心理治療施設	カウンセリングなどによる心理治療を行って、児童の成長・発達と自立を援助 親子関係の再構築等が図られるよう家庭環境の調整 退所した後、健全な社会生活を営むことができるよう心理療法及び生活指導	医師 心理療法担当職員 児童指導員 保育士 看護師 個別対応職員 家庭支援専門相談員 栄養士及び調理員	
児童自立支援施設	自立支援計画を策定 生活指導、学習指導、職業指導及び家庭環境の調整 児童への養育や心理的ケア等の支援、親子関係の再構築等を図る	児童自立支援専門員 児童生活支援員 嘱託医及び精神科の診療に相当の経験を有する医師または嘱託医 個別対応職員 家庭支援専門相談員 栄養士並びに調理員	心理療法担当職員 職業指導員

注1:心理療法を行う必要があると認められる乳幼児またはその保護者10人以上に心理療法を行う場合は必置。

注2:乳児が入所している施設にあっては必置。

注3:配偶者からの暴力を受けたこと等により個別に特別な支援を行う必要があると認められる母子に当該支援を行う場合には必置。

第4章

子ども家庭福祉

子ども・保護者・親子関係に対する支援について学ぶ科目だよ。子どもの権利に関する条約や児童福祉法をしっかり押さえよう。

001
☑☑☑

児童の権利に関する条約に、「締約国は、児童がその父母の意思に反してその父母から（ ① ）されないことを確保する。ただし、権限のある当局が司法の審査に従うことを条件として適用のある法律及び手続に従ってその（ ① ）が児童の最善の利益のために必要であると決定する場合は、この限りでない。このような決定は、父母が児童を虐待し若しくは（ ② ）する場合又は父母が別居しており児童の居住地を決定しなければならない場合のような特定の場合において必要となることがある」と規定されている。

002
☑☑☑

児童の権利に関する条約に、「すべての関係当事者は、1の規定に基づくいかなる手続においても、その手続に（ ① ）しかつ（ ② ）機会を有する」と規定されている。

003
☑☑☑

児童の権利に関する条約に、「締約国は、自己の（ ① ）を形成する能力のある児童がその児童に影響を及ぼすすべての事項について自由に自己の（ ① ）を表明する権利を確保する。この場合において、児童の（ ① ）は、その児童の（ ② ）に従って相応に考慮されるものとする」と規定されている。

004
☑☑☑

児童の権利に関する条約に、「締約国は、児童の身体的、精神的、道徳的及び（ ① ）な発達のための相当な生活水準についてのすべての児童の（ ② ）を認める」と規定されている。

001

①分離、②放置。第9条で、「親と引き離されない権利」が保障されている。子どもには、親と引き離されない権利がある一方で、子どもに最もよいという理由から引き離されることも認められるが、その場合は、親と会ったり連絡したりすることができる。

002

①参加、②自分の意見を述べる。第9条第2項に規定されている。また、第12条で、自己の意見を述べることができる「意見表明権」が保障されている。

003

①意見、②年齢及び成熟度。児童の権利に関する条約は、18歳未満を「児童」と定義し、国際人権規約において定められている権利を児童について敷衍し、児童の権利の尊重及び確保の観点から必要となる詳細かつ具体的な事項を規定している。1989年の第44回国連総会において採択され、1990年に発効した。日本は1994（平成6）年に批准した。

004

①社会的、②権利。第27条で、「締約国は、相当な生活水準についての児童の権利」を認めている。条約では、大人から一方的に保護される「受動的」な存在ではなく「権利の主体者、行使者」として規定している。加えて、大人と同様に子どもにも表現の自由、思想・良心・宗教の自由、結社や集会の自由を認めているのも特徴である。

005
☑☑☑

児童の権利に関する条約第3条では、「児童に関するすべての措置をとるに当たっては、公的若しくは私的な社会福祉施設、裁判所、行政当局又は立法機関のいずれによって行われるものであっても、親権が主として考慮されるものとする」とある。

006
☑☑☑

児童の権利に関する条約は国連加盟国のすべての国が批准している。

007
☑☑☑

児童の権利に関する条約では、子どもの権利は大きく4つに分けられている。

008
☑☑☑

児童の権利に関する条約では、締約国は、いかなる場合も児童がその父母の意思に反してその父母から分離されないことを確保するとされている。

009
☑☑☑

児童の権利に関する条約では、締約国は、自己の意見を形成する能力のある児童がその児童に影響を及ぼすすべての事項について自由に自己の意見を表明する権利を確保すると規定されている。

010
☑☑☑

児童の権利に関する条約では、締約国は、休息及び余暇についての児童の権利並びに児童がその年齢に適した遊び及びレクリエーションの活動を行い並びに文化的な生活及び芸術に自由に参加する権利を認めると規定されている。

005 ✕ 「親権」ではなく、「児童の最善の利益」である。

006 ✕ アメリカ合衆国は署名はしているが、批准はしていない。

007 ○ 「生きる権利」「育つ権利」「守られる権利」「参加する権利」の4つである。

008 ✕ 第9条第1項に、「締約国は、児童がその父母の意思に反してその父母から分離されないことを確保する。ただし、権限のある当局が司法の審査に従うことを条件として適用のある法律及び手続に従いその分離が児童の最善の利益のために必要であると決定する場合は、この限りではない」とある。

009 ○ 第12条第1項に規定されている。

010 ○ 第31条第1項に規定されている。

011
☑☑☑

児童の権利に関する条約では、締約国は、学校の規律が児童の人間の尊厳に適合する方法で及びこの条約に従って運用されることを確保するためのすべての適当な措置をとると規定されている。

012
☑☑☑

児童の権利に関する条約第31条第1項では、「締約国は、（　①　）及び余暇についての児童の権利並びに児童がその年齢に適した遊び及び（　②　）の活動を行い並びに文化的な生活及び（　③　）に自由に参加する権利を認める」と規定されている。

011
○

第28条第2項に規定されている。

- -

012
→

①休息、②レクリエーション、③芸術。児童の権利に関する条約は、1989年に国際連合総会で採択された、児童の権利を保障するための国際条約である。この条約には、児童の最善の利益を尊重すること、差別を受けない権利、生存・発達・参加・保護に必要な権利などが含まれる。

第**4**章 子ども家庭福祉

「子ども家庭福祉」では、「社会的養護」の出題範囲からも多く出題されているよ！

013
☑☑☑
特別児童扶養手当等の支給に関する法律は、特に経済的に厳しいひとり親家庭の子どもに対する現金給付に関して定めている。

014
☑☑☑
児童福祉法は、障害児相談支援給付費及び特例障害児相談支援給付費の支給に関して定めている。

015
☑☑☑
児童手当法に基づく児童手当は、児童を養育している者に対して支給される。

016
☑☑☑
発達障害者支援法は、成人以降の発達障害者支援を対象とした法律であり、発達障害児支援に関しては児童福祉法に規定されている。

017
☑☑☑
就学前の子どもに関する教育、保育等の総合的な提供の推進に関する法律は、「この法律は、幼児期の教育及び保育が生涯にわたる（　①　）の基礎を培う重要なものであること並びに我が国における急速な（　②　）の進行並びに家庭及び地域を取り巻く環境の変化に伴い小学校就学前の子どもの教育及び保育に対する需要が多様なものとなっていることに鑑み、地域における創意工夫を生かしつつ、小学校就学前の子どもに対する教育及び保育並びに保護者に対する（　③　）の総合的な提供を推進するための措置を講じ、もって（　④　）において子どもが健やかに育成される環境の整備に資することを目的とする」と規定している。

013
×
特別児童扶養手当等の支給に関する法律は、20歳未満で精神又は身体に障害を有する児童を家庭で監護、養育している父母等に支給される特別児童扶養手当等に関して定めている。

 014
○
障害児相談支援給付費は児童福祉法第24条の26に、特例障害児相談支援給付費は同法第24条の27に規定されている。

 015
○
児童手当法第1条に「児童を養育している者に児童手当を支給することにより、家庭等における生活の安定に寄与するとともに、次代の社会を担う児童の健やかな成長に資することを目的とする」と規定されている。

 016
×
発達障害児支援についても発達障害者支援法に規定されている。発達障害者支援法第2条第2項で「「発達障害児」とは、発達障害者のうち18歳未満のものをいう」と定められている。

017
→
①人格形成、②少子化、③子育て支援、④地域。第1条（目的）の条文である。

018
☑☑☑
認定こども園には、地方裁量型がある。

019
☑☑☑
認定こども園には、幼保連携型がある。

020
☑☑☑
認定こども園には、幼稚園型がある。

021
☑☑☑
認定こども園には、事業所併設型がある。

022
☑☑☑
認定こども園には、保育所型がある。

023
☑☑☑
児童福祉法第2条では、「全て国民は、児童が良好な環境において生まれ、かつ、社会のあらゆる分野において、児童の（　①　）の程度に応じて、その意見が尊重され、その（　②　）が優先して考慮され、心身ともに健やかに育成されるよう努めなければならない」とされている。

024
☑☑☑
児童の保護者は、児童を心身ともに健やかに育成することについて第一義的責任を負う。

025
☑☑☑
市町村は、すべての妊産婦若しくはその配偶者又は乳児若しくは幼児の保護者に対して、医師、歯科医師について保健指導を受けることを命令しなければならない。

018 ○ 幼稚園・保育所いずれの認可もない地域の施設で、幼稚園機能と保育所機能を併せもつ。

019 ○ 幼保連携型認定こども園の法的性格は、学校かつ児童福祉施設である。

020 ○ 幼稚園型認定こども園の法的性格は、学校（幼稚園＋保育所機能）である。

021 ✕ 認定こども園に「事業所併設型」はない。認定こども園は、幼保連携型、幼稚園型、保育所型、地方裁量型の4類型である。

022 ○ 保育所型認定こども園の法的性格は、児童福祉施設（保育所＋幼稚園機能）である。

023 → ①年齢及び発達、②最善の利益。児童福祉法第2条では、第1条に規定している児童の育成責任を、保護者が負うものとし、日本国憲法第25条に規定されている社会福祉の国家責任を反映して国及び地方公共団体にも課している。

024 ○ 児童福祉法第2条第2項に規定されている。児童の健全育成は保護者に第一義的責任があるとされている。

025 ✕ 「命令しなければならない」ではなく、「勧奨しなければならない」と母子保健法第10条に定められている。

026 ☑☑☑
市町村長は、当該乳児が新生児であつて、育児上必要があると認めるときは、医師、保健師、助産師又はその他の職員をして当該新生児の保護者を訪問させ、必要な指導を行わせるものとする。

027 ☑☑☑
市町村は、内閣府令の定めるところにより健康診査を行わなければならないと、母子保健法で定められている。

028 ☑☑☑
市町村は、妊娠の届出をした者に対して、母子健康手帳を交付しなければならない。

029 ☑☑☑
市町村は、妊産婦が妊娠又は出産に支障を及ぼすおそれがある疾病につき医師又は歯科医師の診療を受けるために必要な援助を与えるように努めなければならない。

030 ☑☑☑
産前・産後サポート事業について対象となる時期は、妊娠初期（母子健康手帳交付時等）から出産後3年までが目安となるが、親子の状況、地域におけるニーズや社会的資源等の状況を踏まえ、市町村において判断する。

031 ☑☑☑
産前・産後サポート事業の「パートナー型」では、助産師等の専門職や子育て経験者やシニア世代等が、妊産婦等の自宅に赴く等により個別に相談に対応する。

032 ☑☑☑
産前・産後サポート事業は、妊産婦等が抱える妊娠・出産や子育てに関する悩み等について相談支援を行い、家庭や地域での妊産婦等の孤立感の解消を図ることを目的とする。

026
○

母子保健法第11条第1項に定められている。さらに同条第2項では、「新生児に対する訪問指導は、当該新生児が新生児でなくなった後においても、継続することができる」とされている。

027
○

母子保健法第12条に定められ、その対象は、満1歳6か月を超え満2歳に達しない幼児、及び満3歳を超え満4歳に達しない幼児と定められている。

028
○

母子保健法第16条に定められている。

029
○

母子保健法第17条第2項に定められている。

030
×

「出産後3年まで」ではなく、「産後1年頃まで」が正しい。「産前・産後サポート事業ガイドライン」（厚生労働省）のⅡ「産前・産後サポート事業」の4「対象時期」に定められている。

031
○

この事業は、寄り添い、相談に乗り、孤立感や育児の不安を軽減すること等を目的としている。「産前・産後サポート事業ガイドライン」のⅡ「産前・産後サポート事業」の7（1）「アウトリーチ（パートナー）型」に定められている。

032
○

「地域の親同士の仲間づくりを促し（交流支援）、妊産婦及びその家族が家庭や地域における孤立感を軽減し（孤立感の解消）、安心して妊娠期を過ごし、育児に臨めるようサポートすることを目的とする」と「産前・産後サポート事業ガイドライン」のⅡ「産前・産後サポート事業」の1「事業の目的」に定められている。

033
☑☑☑

産前・産後サポート事業の「参加型」は、公共施設等を活用し、同じ悩み等を有する妊産婦等に対して集団形式により相談に対応する。

034
☑☑☑

養育支援訪問事業は、子育て困難家庭等に対し保健師が訪問指導を行う事業で、保育士やヘルパー等による訪問支援は含まれない。

035
☑☑☑

乳児家庭全戸訪問事業は、生後4か月までの乳児のいる家庭を訪問するもので、母子保健法に基づき実施されている。

036
☑☑☑

児童福祉法に基づく子育て援助活動支援事業は、助産師等が産後ケアを行う事業である。

037
☑☑☑

配偶者暴力相談支援センターでは、被害者が自立して生活することを促進するため、就業の促進、住宅の確保、援護等に関する制度の利用等について、情報の提供、助言、関係機関との連絡調整その他の援助を行う。

038
☑☑☑

配偶者暴力相談支援センターでは、被害者を居住させ保護する施設の利用について、情報の提供、助言、関係機関との連絡調整その他の援助を行う。

039
☑☑☑

配偶者暴力相談支援センターでは、配偶者の意向を聴取し、必要な指導を行う。

033
○
この事業の実施方法として、アウトリーチ（パートナー）型のほかに、デイサービス（参加）型（保健センター等実施場所に来所させて行う）があり、デイサービス（参加）型には集団（複数の妊婦又は親子）で相談やグループワーク等を行う集団型と１人ずつ相談等を行う個別型がある。

034
×
「養育支援訪問事業ガイドライン」（厚生労働省）には「訪問支援者については、専門的相談支援は保健師、助産師、看護師、保育士、児童指導員等が、育児・家事援助については、子育てOB（経験者）、ヘルパー等が実施すること」と記載されている。

035
×
乳児家庭全戸訪問事業（こんにちは赤ちゃん事業）は母子保健法ではなく児童福祉法第６条の３第４項に基づく事業である。

036
×
子育て援助活動支援事業は、ファミリー・サポート・センター事業のことで、子どもを預けたい住民（利用会員）と子どもを預かることができる住民（提供会員）が有料で預かりなどを行う会員組織を設立して実施する事業である。

037
○
配偶者からの暴力の防止及び被害者の保護等に関する法律（DV防止法）第３条に規定されている。

038
○
配偶者からの暴力の防止及び被害者の保護等に関する法律（DV防止法）第３条に規定されている。

039
×
配偶者暴力相談支援センターの業務としては、被害者に対する相談や援助であり、「配偶者の意向を聴取し必要な指導を行う」ということは含まれていない。

040 ☑☑☑
配偶者暴力相談支援センターでは、被害者（中略）の緊急時における安全の確保及び一時保護を行う。

041 ☑☑☑
児童福祉法第11条に規定される都道府県の業務として、児童及びその家庭につき、必要な調査並びに医学的、心理学的、教育学的、社会学的及び精神保健上の判定を行うことがある。

042 ☑☑☑
児童福祉法第11条に規定される都道府県の業務として、里親につき、その相談に応じ、必要な情報の提供、助言、研修その他の援助を行うことがある。

043 ☑☑☑
児童福祉法第11条に規定される都道府県の業務として、児童委員のうちから、主任児童委員を指名することがある。

044 ☑☑☑
児童福祉法第11条に規定される都道府県の業務として、里親に関する普及啓発を行うことがある。

045 ☑☑☑
児童福祉法第11条に規定される都道府県の業務として、児童に関する家庭その他からの相談のうち、専門的な知識及び技術を必要とするものに応ずることがある。

046 ☑☑☑
児童買春、児童ポルノに係る行為等の規制及び処罰並びに児童の保護等に関する法律は、児童に対する性的（　①　）及び性的虐待が児童の権利を著しく侵害することの重大性に鑑み、あわせて児童の権利の擁護に関する（　②　）動向を踏まえ、児童買春、児童ポルノに係る行為等を規制し、及びこれらの行為等を処罰するとともに、これらの行為等により（　③　）に有害な影響を受けた児童の保護のための措置等を定めることにより、児童の権利を擁護することを目的とする。

040 ○ 配偶者からの暴力の防止及び被害者の保護等に関する法律（DV防止法）第3条に規定されている。

041 ○ 第11条第1項第2号ハに記載されている。

042 ○ 第11条第1項第2号ト（2）に記載されている。

043 ✗ 第11条ではなく、第16条第3項に「厚生労働大臣は、児童委員のうちから、主任児童委員を指名する」と記載されている。

044 ○ 第11条第1項第2号ト（1）に記載されている。

045 ○ 第11条第1項第2号ロに記載されている。

046 → ①搾取、②国際的、③心身。児童買春、児童ポルノに係る行為等の規制及び処罰並びに児童の保護等に関する法律第1条に規定されている。

047
☑☑☑
保育所保育指針に、「保護者に対する子育て支援を行う際には、各地域や家庭の実態等を踏まえるとともに、保護者の気持ちを受け止め、相互の（ ① ）を基本に、保護者の（ ② ）を尊重すること」との記載がある。

048
☑☑☑
保育所保育指針に、「保育及び子育てに関する知識や技術など、保育士等の（ ① ）や子どもが常に存在する環境など、保育所の特性を生かし、保護者が子どもの成長に気付き子育ての（ ② ）を感じられるように努めること」の記載がある。

049
☑☑☑
多様な事業者の参入促進・能力活用事業は、地域子ども・子育て支援事業の1つである。

050
☑☑☑
放課後児童健全育成事業は、地域子ども・子育て支援事業の1つである。

051
☑☑☑
児童館事業は、地域子ども・子育て支援事業の1つである。

052
☑☑☑
妊婦健康診査は、地域子ども・子育て支援事業の1つである。

047
→

①信頼関係、②自己決定。保育所保育指針第4章「子育て支援」の1「保育所における子育て支援に関する基本的事項」に記載されている。保育士等が守秘義務を前提としながら保護者を受容し、その自己決定を尊重する過程を通じて両者の間に信頼関係が築かれていく。

048
→

①専門性、②喜び。保育所保育指針第4章「子育て支援」の1「保育所における子育て支援に関する基本的事項」に記載されている。保育所は、継続的に子どもの発達の援助及び保護者に対する子育て支援を行うことができ、専門性を有する職員が配置されているとともに、子育て支援の活動にふさわしい設備を備えている施設でもある。

049
○

特定教育・保育施設などへの民間事業者の参入の促進に関する調査研究その他多様な事業者の技術、手法、経験などを活用した特定教育・保育施設などの設置又は運営を促進するための事業である。

050
○

保護者の就労等の理由で、放課後や長期休業中に保護者不在の小学生に対して、自主性、社会性及び創造性の向上や基本的な生活習慣の確立等を図り、健全な育成を図る事業である。

051
✕

地域子ども・子育て支援事業には含まれていない。

052
○

妊婦の健康の保持及び増進を図り、安心・安全な出産に資するよう、母子保健法第13条に基づき実施される事業である。

053

利用者支援事業は、地域子ども・子育て支援事業の1つである。

☑☑☑

054

保育所・幼稚園・認定こども園は、子ども・子育て支援法の施設型給付費の対象である。

☑☑☑

055

児童手当は、子ども・子育て支援法の地域型保育給付費の対象である。

☑☑☑

056

家庭的保育・小規模保育・事業所内保育・居宅訪問型保育は、子ども・子育て支援法の地域型保育給付費の対象である。

☑☑☑

057

保育所等施設整備費は、子ども・子育て支援法の施設型給付費の対象である。

☑☑☑

058

地域子ども・子育て支援事業は、子ども・子育て支援法の地域型保育給付費の対象である。

☑☑☑

059

子ども・子育て支援新制度において、社会保障・税一体改革の一項目として、消費税率の引き上げによる財源の一部を得て実施されている。

☑☑☑

053
○

子育て中の親子や妊婦等が、幼稚園、保育所等の施設あるいは地域の子育て支援事業の中から必要な支援を選択して円滑に利用できるように、行政窓口その他の場所で選任職員が情報提供、相談、援助を行い、関係機関との連絡調整を行う事業である。

054
○

施設型給付費として、認定こども園（4類型）、幼稚園、保育所を対象とした財政支援がある。

055
✕

児童手当は、「子ども・子育て支援給付」の子どものための現金給付として位置づけられている。

056
○

地域型保育給付費として、市町村の認可事業となる設問の4事業を対象とした財政支援があり、いずれも対象は0～2歳が原則である。

057
✕

保育所等施設整備費という費用は子ども・子育て支援法には定められていない。なお、保育所等整備交付金は、保育所等に国が交付する交付金であり、保育所等待機児童の解消を図ることを目的としている。

058
✕

地域子ども・子育て支援事業とは、市町村が地域の実情に応じ、市町村子ども・子育て支援事業計画に従って実施する事業で、全部で13の事業が展開されている。

059
○

子ども・子育て支援新制度の財源確保については、社会保障・税一体改革に関する確認書（社会保障部分）（平成24年6月15日、民主党・自由民主党・公明党　社会保障・税一体改革（社会保障部分）に関する実務者間会合）にあげられている。

060
☑☑☑
子ども・子育て支援新制度では、「国および地方公共団体が子育てについての第一義的責任を有する」という基本的な認識がある。

061
☑☑☑
子ども・子育て支援新制度では、幼児期の学校教育・保育、地域の子ども・子育て支援を総合的に推進することとしている。

062
☑☑☑
子ども・子育て支援新制度では、実施主体は基礎自治体である市町村としている。

063
☑☑☑
子ども・子育て支援新制度の基本的な方向性には、地域の子ども・子育て支援の充実が含まれる。

064
☑☑☑
子育て支援事業の一時預かり事業（一般型）では、保育従事者のうち2分の1以上を保育士とし、保育士以外は一定の研修を受けた者を配置することが認められている。

065
☑☑☑
子育て支援事業の子育て援助活動支援事業においては、病児や病後児の預かりも行われている。

066
☑☑☑
子育て支援事業の子育て短期支援事業におけるショートステイ事業は、冠婚葬祭、学校等の公的行事への参加などの理由では利用できない。

067
☑☑☑
家庭的保育事業の家庭的保育補助者は、子育て支援員研修事業の対象者である。

060 ✕
子ども・子育て支援法第2条第1項に基本理念として「子ども・子育て支援は、父母その他の保護者が子育てについての第一義的責任を有するという基本的認識の下に（後略）」と定められている。

061 ◯
内閣府において、「自公民3党合意を踏まえ、幼児期の学校教育・保育、地域の子ども・子育て支援を総合的に推進する」と位置づけられている。

062 ◯
子ども・子育て支援法第3条において、市町村は子ども・子育て支援の総合的・計画的な実施、関係機関との連絡調整、効率的な提供体制の確保についてその責務を、さらに国及び都道府県は市町村に対し必要な助言及び適切な援助を行うと定められている。

063 ◯
子ども・子育て支援新制度の実施による幼児期の学校教育、保育、地域の子ども・子育て支援の充実が見込まれている。

064 ◯
乳幼児の年齢及び人数に応じて保育従事者等を配置し、そのうち保育士を2分の1以上とする。保育士等以外の保育従事者等は研修を修了した者としている。

065 ◯
病児・病後児の預かり、早朝・夜間等の緊急時の預かりなどの事業（病児・緊急対応強化事業）が行われている。

066 ✕
保護者の入院や通院、出張や冠婚葬祭などにより、一時的に家庭で子どもを養育できなくなった場合等に、児童養護施設等で一定期間、子どもを預かる事業である。

067 ◯
「子育て支援員研修事業実施要綱」の4「対象者」の（1）に示されている。

068
☑☑☑

児童館事業の児童厚生員は、子育て支援員研修事業の対象者である。

069
☑☑☑

社会的養護関係施設等の補助的職員等は、子育て支援員研修事業の対象者である。

070
☑☑☑

子育て援助活動支援事業の提供会員は、子育て支援員研修事業の対象者である。

071
☑☑☑

利用者支援事業の専任職員は、子育て支援員研修事業の対象者である。

072
☑☑☑

家庭的保育者は、保育士資格もしくは幼稚園教諭免許を有していなければならない。

073
☑☑☑

家庭的保育事業では、家庭的保育者と家庭的保育補助者がいる場合、4名までの子どもの保育を行うことができる。

074
☑☑☑

家庭的保育事業では、原則として、連携を行う保育所、幼稚園、及び認定こども園を適切に確保し、必要な支援を受けることが定められている。

075
☑☑☑

家庭的保育事業では、満3歳以上であっても、保育の必要が認められ、かつ幼児の保育体制等が整備される場合は、家庭的保育者による保育が可能である。

068 ✕
児童厚生員は、「児童の遊びを指導する者」の旧称であり、児童厚生施設（児童遊園や児童館など）に配置される職員である。

069 ◯
「子育て支援員研修事業実施要綱」の4「対象者」の（11）に示されている。

070 ◯
「子育て支援員研修事業実施要綱」の4「対象者」の（10）に示されている。

071 ◯
「子育て支援員研修事業実施要綱」の4「対象者」の（5）に示されている。

072 ✕
家庭的保育者は「市町村長（特別区の区長を含む。以下同じ。）が行う研修を修了した保育士その他内閣府令で定める者であって、当該保育を必要とする乳児・幼児の保育を行う者として市町村長が適当と認めるもの」（児童福祉法第6条の3第9項第1号）とされる。

073 ✕
家庭的保育者1人が保育できるのは3名以下だが、家庭的保育補助者がいる場合は、家庭的保育者の自宅などで定員5名以下で保育できる。

074 ◯
認定こども園、幼稚園、認可保育所のいずれかの施設と連携し、連携施設は家庭的保育事業実施施設に対し、「保育内容の支援」「代替保育の提供」「保育の提供の終了後の進級先の確保」等の支援を行う。

075 ◯
児童福祉法第6条の3第9項第2号に定められている。

076 ☑☑☑
病児保育事業の実施主体は、市町村（特別区及び一部事務組合を含む）であるが、市町村が認めた者へ委託等を行うことができる。

077 ☑☑☑
病児保育事業の事業類型は、病児対応型、病後児対応型、体調不良児対応型、非施設型（訪問型）、送迎対応である。

078 ☑☑☑
病児保育事業は乳児・幼児が対象であり、小学校に就学している児童は対象にならない。

079 ☑☑☑
病児保育事業の病児対応型及び病後児対応型では、病児の看護を担当する看護師等を利用児童おおむね10人につき1名以上配置するとともに、保育士を利用児童おおむね3人につき1名以上配置しなければならない。

080 ☑☑☑
「夜間保育所の設置認可等について」（平成12年厚生省）によると、開所時間は原則として概ね11時間とし、おおよそ午後10時までとすることとされている。

081 ☑☑☑
厚生労働省によると、2023（令和5）年4月1日現在、全国に設置されている夜間保育所は73か所となっており、2017（平成29）年4月1日現在に比べて10か所以上増加した。

082 ☑☑☑
延長保育事業には、都道府県及び市町村以外の者が設置する保育所又は認定こども園など適切に事業が実施できる施設等で実施される一般型と、利用児童の居宅において実施する訪問型がある。

083 ☑☑☑
厚生労働省によると、2021（令和3）年度の病児保育事業実施か所数は、2017（平成29）年度に比べて500か所以上増加した。

076 **○**
設問のとおり。病児保育事業の実施主体は市町村（特別区及び一部事務組合を含む）であるが、実際の運営は市町村が認めた者への委託等として、民間保育所が担うところが多いといえる。

077 **○**
設問のとおり。「非施設型（訪問型）」とは、地域の病児・病後児について、看護師等が保護者の自宅へ訪問し、一時的に保育を行う事業である。

078 **✕**
病児保育事業は、小学生も対象となる。

079 **○**
設問のとおり。病児保育は非常に繊細な保育が必要となるため、職員配置について徹底することはもちろん、その環境整備も含めて、ゆとりある運営が必要となる。

080 **○**
「夜間保育所の設置認可等について」1の（6）「保育の方法」では、「開所時間は原則として概ね11時間とし、おおよそ午後10時までとすること」としている。

081 **✕**
「令和5年度夜間保育所の設置状況（令和5年4月1日時点）」によると、夜間保育所は、2017（平成29）年4月1日現在の81か所から、2023（令和5）年4月1日現在の73か所へと減少している。

082 **○**
「延長保育事業実施要項」に詳細が記載されている。

083 **○**
厚生労働省によると、2017（平成29）年度に2886か所だったものが、2021（令和3）年度には3791か所まで増加している。

084 ☑☑☑
企業主導型保育事業は、企業が従業員の働き方に応じた柔軟な保育サービスを提供するために設置する保育施設であり、全企業に設置義務が課されている。

085 ☑☑☑
市町村長は、児童委員の研修を実施しなければならない。

086 ☑☑☑
児童委員は、その職務に関し、市町村長の指揮監督を受ける。

087 ☑☑☑
都道府県知事は、児童委員のうちから、主任児童委員を指名する。

088 ☑☑☑
主任児童委員は、児童の福祉に関する機関と児童委員との連絡調整を行うとともに、児童委員の活動に対する援助及び協力を行う。

084
×

全企業に保育施設の設置義務はない。

085
×

児童福祉法第18条の2に、「都道府県知事は、児童委員の研修を実施しなければならない」と定められている。

086
×

児童福祉法第17条第4項に、「児童委員は、その職務に関し、都道府県知事の指揮監督を受ける」と定められている。

087
×

児童福祉法第16条第3項に、「厚生労働大臣は、児童委員のうちから、主任児童委員を指名する」と定められている。

088
○

児童福祉法第17条第2項に、主任児童委員は、児童委員の職務について、児童の福祉に関する機関と児童委員との連絡調整を行うとともに、児童委員の活動に対する援助及び協力を行うと定められている。

089
☑☑☑

児童養護施設の目的には、退所した者に対する相談やその他の自立のための援助が含まれる。

090
☑☑☑

福祉型障害児入所施設は、障害児を入所させ、保護、日常生活における基本的な動作及び独立自活に必要な知識技能の習得のための支援を行うことを目的とする施設である。

091
☑☑☑

児童心理治療施設は、不良行為をなし、又はなすおそれのある児童及び家庭環境その他の環境上の理由により生活指導等を要する児童を対象とする。

092
☑☑☑

母子生活支援施設は、父子も入所することができる。

093
☑☑☑

児童相談所運営指針によれば、児童相談所は、触法少年に係る重大事件につき警察から送致された場合には、事件を原則として家庭裁判所に送致しなければならない。

094
☑☑☑

児童相談所運営指針によれば、子どもが非行問題を有する場合には、里親委託は行わず、児童自立支援施設等の施設入所の措置をとらなければならない。

095
☑☑☑

児童相談所運営指針によれば、児童自立支援施設入所児童を、少年法の保護処分により少年院に入院させることが相当と認められる場合、子どもの最善の利益を確保する観点から家庭裁判所の審判に付すことが適当と認められる。

089
○
児童養護施設は、保護者のない児童、虐待されている児童その他環境上養護を要する児童を入所させて、これを養護し、あわせて退所した者に対する相談その他の自立のための援助を行うことを目的としている（児童福祉法第41条）。

090
○
設問のとおり。また、障害児を入所させて、保護、日常生活における基本的な動作及び独立自活に必要な知識技能の習得のための支援及び治療を行う医療型障害児入所施設も定められている（児童福祉法第42条）。

091
✕
設問は、児童心理治療施設ではなく、児童自立支援施設についての説明である。

092
✕
母子生活支援施設では、「配偶者のない女子又はこれに準ずる事情にある女子及びその者の監護すべき児童を入所させて」（児童福祉法第38条）とあり、父子の入所は認められていない。

093
○
児童相談所運営指針第4章「援助」の第8節「家庭裁判所送致」の1「法第27条第1項第4号の規定に基づく送致」の（1）に規定されている。

094
✕
非行問題を抱える子どもであっても、専門里親への委託を行うことがあり、設問の内容は児童相談所運営指針には規定されてはいない。

095
○
児童相談所運営指針第4章「援助」の第8節「家庭裁判所送致」の1「法第27条第1項第4号の規定に基づく送致」の（3）「家庭裁判所の審判に付することがこどもの最善の利益を確保する観点から適当と認められる例として以下に掲げる場合がある」として、その1つに設問の内容が規定されている。

096
☑☑☑

児童相談所運営指針によれば、警察署における委託一時保護は、原則として24時間を超えることができない。

097
☑☑☑

1997（平成9）年の児童福祉法改正で、母子寮は母子生活支援施設に名称が変更され、その目的に「入所者の自立の促進のためにその生活を支援すること」が追加された。

098
☑☑☑

母子生活支援施設は、母子が一緒に生活しつつ、共に支援を受けることができる児童福祉施設である。

099
☑☑☑

厚生労働省によると、2022（令和4）年10月1日現在、母子生活支援施設は全国に215か所が設置されており、3142世帯が入所している。

100
☑☑☑

「児童養護施設入所児童等調査結果（令和5年2月1日現在）」（こども家庭庁）によると、母子生活支援施設入所世帯の母親の半数以上は就業していたが、就業している母親のうち「常用勤労者」は20%に満たなかった。

101
☑☑☑

「児童養護施設入所児童等調査結果（令和5年2月1日現在）」（こども家庭庁）によると、母子生活支援施設に入所している母子世帯で、母子世帯になった理由としては「死別」が最も多く、次いで「離別」「未婚の母」であった。

096 ○

児童相談所運営指針第8章「各種機関との連携」の第16節「警察との関係」の4「委託一時保護」の（2）に規定されている。

097 ○

設問のとおり。さらに、児童が満20歳になるまで引き続き母子を在所させることができることとされた。

098 ○

施設の特性上、主に母親に対する支援が中心と思われがちだが、児童福祉法第38条に規定される児童福祉施設である。

099 ✕

母子生活支援施設は、配偶者のない女子又はこれに準ずる事情にある女子及びその者の監護すべき児童を対象とし、2022（令和4）年10月1日現在、全国に204か所、4289世帯が入所している。

100 ○

母子生活支援施設入所世帯の母親の59.6％は就業しているが、就業している母親では、「臨時・日雇・パート」が40.1％、「常用勤労者」が13.8％となっている。

101 ✕

母子世帯になった理由は、「離婚」が56.1％と最も多く、次いで「未婚の母」が17.0％となっている。

102
☑☑☑
自立援助ホームは、児童福祉法に規定された児童自立生活援助事業を行う施設である。

103
☑☑☑
こども家庭庁支援局家庭福祉課の調べによると、令和5年10月1日現在、児童自立生活援助事業を行う施設は、全国に317か所設置されている。

104
☑☑☑
児童自立生活援助事業の対象者には、児童養護施設の対象となる18歳未満の児童は含まれない。

105
☑☑☑
「児童養護施設入所児童等調査結果（令和5年2月1日現在）」（こども家庭庁）では、自立援助ホーム入所児の7割以上に被虐待経験があった。

106
☑☑☑
「児童養護施設入所児童等調査結果（令和5年2月1日現在）」（こども家庭庁）では、自立援助ホーム入所児の保護者の状況について、「両親ともいない」「両親とも不明」が、合わせても1割以下であった。

107
☑☑☑
放課後等デイサービスは、障害児通所給付費及び特例障害児通所給付費の給付対象である。

108
☑☑☑
児童発達支援は、障害児通所給付費及び特例障害児通所給付費の給付対象である。

102 ○ 児童自立生活援助事業は、共同生活を営むべき住居その他内閣府令で定める場所における相談その他の日常生活上の援助及び生活指導並びに就業の支援（児童自立生活援助）を行い、あわせて児童自立生活援助の実施を解除された者に対し相談その他の援助を行う事業と児童福祉法第6条の3第1項に定められている。

103 ○ 児童自立生活援助事業を行う施設（自立援助ホーム）の施設数は317、定員は2032で、現員が1061となっている。

104 × 児童自立生活援助事業の対象は、義務教育を終了した満20歳未満の児童等や、満20歳以上で学生であるなどその他の政令で定めるやむを得ない事情のある者で、児童養護施設入所の措置等を解除された者またはその他の都道府県知事が必要と認めたものとされ、18歳未満の児童も含まれる。

105 ○ 自立援助ホーム入所児の77.7％に被虐待経験があったという結果になっている。

106 ○ 自立援助ホーム入所児の保護者の状況について、「両親ともいない」が7.6％、「両親とも不明」が2.3％、合計で9.9％と1割以下となっている。

107 ○ 生活能力の向上のために必要な支援、社会との交流の促進その他必要な支援を行い、対象者は、就学し、授業の終了後又は休業日に支援が必要な障害児である。

108 ○ 対象者は療育の観点から集団療育及び個別療育を行うことが必要な主に未就学の障害児である。

109
☑☑☑

居宅訪問型保育事業は、障害児通所給付費及び特例障害児通所給付費の給付対象である。

110
☑☑☑

保育所等訪問支援は、障害児通所給付費及び特例障害児通所給付費の給付対象である。

111
☑☑☑

児童自立支援施設とは、不良行為をなし、又はなすおそれのある児童及び家庭環境その他の環境上の理由により生活指導等を要する児童を入所させ、又は保護者の下から通わせて、個々の児童の状況に応じて必要な指導を行い、その自立を支援し、あわせて退所した者について相談その他の援助を行うことを目的とする施設である。

112
☑☑☑

児童家庭支援センターとは、地域の児童の福祉に関する各般の問題につき、児童に関する家庭その他からの相談のうち、専門的な知識及び技術を必要とするものに応じ、必要な助言を行うとともに、市町村の求めに応じ、技術的助言その他必要な援助等を行うことを目的とする施設である。

113
☑☑☑

医療型障害児入所施設とは、障害児を日々保護者の下から通わせて、日常生活における基本的動作の指導、独立自活に必要な知識技能の付与又は集団生活への適応のための訓練を提供することを目的とする施設である。

114
☑☑☑

児童養護施設に入所している児童の人数は約2万3000人である。

109
×
居宅訪問型保育事業は子ども・子育て支援新制度において、市町村の認可事業として位置づけられている地域型保育給付の対象となるサービスである。

110
○
保育所等訪問支援は、障害児以外の児童との集団生活への適応のための専門的な支援その他必要な支援を行う。対象者は保育所または乳児院その他の児童が集団生活を営む施設として内閣府令で定めるものに通い、その施設で専門的な支援が必要と認められた障害児である。

111
○
児童自立支援施設は、不良行為等で生活指導等を要する児童を入所させ、必要な指導を行い、その自立を支援し、あわせて退所者への相談援助を行う（児童福祉法第44条）。

112
○
児童家庭支援センターは、1997（平成9）年の児童福祉法改正によって新たに制度化された児童家庭福祉に関する地域相談機関である（児童福祉法第44条の2）。

113
×
医療型障害児入所施設は、障害のある児童を入所させて、保護、日常生活における基本的な動作及び独立自活に必要な知識技能の習得のための支援並びに治療を行う施設である（児童福祉法第42条第2号）。

114
○
2万3043人である（「児童養護施設入所児童等調査結果（令和5年2月1日現在）」）。

115 ☑☑☑
母子生活支援施設に入所している児童の人数は約5300人である。

116 ☑☑☑
乳児院に入所している児童の人数は約2400人である。

117 ☑☑☑
児童心理治療施設に入所している児童の人数は約1300人である。

118 ☑☑☑
母子生活支援施設は、配偶者のない女子又はこれに準ずる事情にある女子及びその者の監護すべき児童を入所させて、これらの者を保護するとともに、これらの者の自立の促進のためにその生活を支援することを目的とする施設である。

119 ☑☑☑
助産施設は、保健上必要があるにもかかわらず、経済的理由により、入院助産を受けることが難しい妊産婦を入所させて、助産を受けさせることを目的とする施設である。

120 ☑☑☑
母子・父子福祉センターは、無料又は低額な料金で、母子家庭等に対して、各種の相談に応ずるとともに、生活指導及び生業の指導を行う等母子家庭等の福祉のための便宜を総合的に供与することを目的とする施設である。

121 ☑☑☑
女性自立支援施設は、困難な問題を抱える女性を入所させて、その保護を行うとともに、その心身の健康の回復を図るための医学的又は心理学的な援助を行い、及びその自立の促進のためにその生活を支援し、あわせて退所した者について相談その他の援助を行うこと（自立支援）を目的とする施設である。

115
○

4538人である（「児童養護施設入所児童等調査結果（令和5年2月1日現在）」）。

116
○

2404人である（「児童養護施設入所児童等調査結果（令和5年2月1日現在）」）。

117
○

1334人である（「児童養護施設入所児童等調査結果（令和5年2月1日現在）」）。

118
○

児童福祉法第38条に規定されている。

119
○

児童福祉法第36条に規定されている。

120
○

母子及び父子並びに寡婦福祉法第39条第2項に規定されている。

121
○

困難な問題を抱える女性への支援に関する法律（困難女性支援法）第12条に規定されている。

122
☑☑☑

石井十次は、「岡山孤児院」を創設し、小舎制による養育や里子委託等の先駆的な実践方法を展開した。

123
☑☑☑

糸賀一雄は、日本で最初の知的障害児施設である「滝乃川学園」を創設した。

124
☑☑☑

糸賀一雄は、「この子らを世の光に」という理念のもと、「近江学園」を設立した。

125
☑☑☑

野口幽香らは、託児・保育事業の先駆けである「二葉幼稚園」を創設した。

126
☑☑☑

1899（明治32）年、留岡幸助による「家庭学校」（東京・巣鴨）が創設された。

127
☑☑☑

1900（明治33）年、感化法が公布された。

128
☑☑☑

1933（昭和8）年、少年教護法が公布された。

129
☑☑☑

1947（昭和22）年、児童福祉法が公布された。

122
○

石井十次は、1887（明治20）年、フランスの思想家ルソーのエミール教育の感化を受け、岡山市に創立し自ら院長として「岡山孤児院」を運営した。

123
×

「滝乃川学園」を創設したのは、糸賀一雄ではなく石井亮一である。石井亮一は1891（明治24）年、東京下谷に後の滝乃川学園の母体となる孤女学院を創設し、翌年、滝野川村（東京西巣鴨）に院舎を建設、1897（明治30）年より本格的に知的障害児者のための教育を始めた。

124
○

糸賀一雄は「この子らが自ら輝く素材そのものであるから、いよいよ磨きをかけて輝かそうというのである。『この子らを世の光に』である。この子らが、生まれながらにしてもっている人格発達の権利を徹底的に保障せねばならぬということなのである」と記している。

125
○

野口幽香と森嶋峰（美根）は、1900（明治33）年に、貧児にも華族幼稚園の子どもたちと同じように保育したいと願い、東京麹町の借家で6人の子どもたちを集めて「二葉幼稚園」を設立した。

126
○

明治時代にアメリカで教護を学んだ留岡幸助は、私立の感化院である「東京家庭学校」を創設（1899（明治32）年）した。

127
○

1900（明治33）年、留岡幸助らの功績によって感化法が成立した。

128
○

感化法は1933（昭和8）年、少年教護法に改正（感化院は少年教護院に改称）された。

129
○

1947（昭和22）年に児童福祉法が公布され、少年教護院は教護院に改称された。

130
☑☑☑
1998（平成10）年、教護院は児童自立支援施設に改称された。

131
☑☑☑
糸賀一雄は、第二次世界大戦後の混乱期に「近江学園」を設立し、園長に就任した。その後「びわこ学園」を設立した。「この子らを世の光に」という言葉を残したことで有名である。

132
☑☑☑
野口幽香らは、東京麹町に「二葉幼稚園」を設立し、日本の保育事業の草分けの一つとなった。

133
☑☑☑
岩永マキは、1887（明治20）年に「岡山孤児院」を設立した。

134
☑☑☑
日本で最初の知的障害児施設は、1891（明治24）年に石井亮一が設立した「滝乃川学園」である。

135
☑☑☑
留岡幸助は、1899（明治32）年に東京巣鴨に私立の感化院である「家庭学校」を設立した。

130
○

1997（平成9）年の児童福祉法改正で、教護院は「対象が不良行為だけでなく生活指導が必要な児童への拡大」を受けて、1998（平成10）年、児童自立支援施設と改称された。

131
○

設問のとおり。

132
○

野口幽香は、森嶋峰（美根）とともに二葉幼稚園を設立した。

133
✕

岩永マキは明治から大正時代の社会事業家とされており、孤児の救済活動（現・浦上養育院）をしてきた。岩永マキによって始められた事業は、日本における奉仕活動の草分けとなった。岡山孤児院を設立したのは、石井十次である。

134
○

設問のとおり。

135
○

設問のとおり。

136 1989（平成元）年の合計特殊出生率は、1966（昭和41）年（丙午：ひのえうま）を下回る1.57を記録した。

137 2020（令和2）年の「国勢調査」（総務省）では、30〜34歳の女性の約4割が未婚であった。

138 結婚年齢が高くなる晩婚化が進行しており、「人口動態統計」（厚生労働省）によると、2022（令和4）年における平均初婚年齢が男女ともに32歳を超えた。

139 「人口動態統計」（厚生労働省）によると、2022（令和4）年の第1子出生時の母の平均年齢は28歳未満であった。

140 「人口推計（2023（令和5）年10月1日現在）」（総務省）によると、少子高齢化に伴い、65歳以上の人口が全人口の3分の1を超えた。

141 要保護児童対策地域協議会の設置により、支援対象児童等を早期に発見することができる。

142 要保護児童対策地域協議会設置・運営指針によれば、保育所や幼稚園等教育・保育施設を除く要保護児童関係機関・施設が集中的に連絡を取り合うことで情報の共有化ができる。

143 要保護児童対策地域協議会設置・運営指針によれば、情報アセスメントの共有化を通じて、それぞれの関係機関等の間で、それぞれの役割分担について共通の理解を得ることができる。

136 ◯

この「1.57ショック」を契機に、政府は出生率の低下と子どもの数が減少傾向にあることを「問題」として認識し、仕事と子育ての両立支援など子どもを生み育てやすい環境づくりに向けての対策の検討を始めた。

137 ◯

2020（令和2）年の国勢調査では、38.5％となっている。

138 ✕

「人口動態統計」（2022（令和4）年）における平均初婚年齢は、男性が31.0歳、女性が29.6歳である。

139 ✕

「人口動態統計」（2022（令和4）年）における第1子出生時の母の平均年齢は30.9歳である。

140 ✕

「人口推計」（2023（令和5）年）における65歳以上の人口割合は29.1％であり、全人口の3分の1を超えているわけではない。

141 ◯

要保護児童対策地域協議会設置・運営指針第1章の2「要保護児童対策地域協議会の意義」の1つとして、「支援対象児童等を早期に発見することができる」と記載されている。

142 ✕

「保育所や幼稚園等教育・保育施設を除く」ではなく、「含む」が正しい。要保護児童対策地域協議会の連携する対象には、保育所や幼稚園等も含まれる。

143 ◯

指針第1章の2「要保護児童対策地域協議会の意義」の1つとして、「情報アセスメントの共有化を通じて、それぞれの関係機関等の間で、それぞれの役割分担について共通の理解を得ることができる」と記載されている。

144 要保護児童対策地域協議会設置・運営指針によれば、関係機関等の役割分担を通じて、それぞれの機関が責任をもって支援を行う体制づくりができる。

☑☑☑

145 要保護児童対策地域協議会設置・運営指針によれば、関係機関等が分担をし合って個別の事例に関わることで、それぞれの機関の責任、限界や大変さを分かち合うことができる。

☑☑☑

146 「難病」は、障害のある子どもの中には含まれない。

☑☑☑

147 放課後等デイサービスの利用対象者には、高等学校生徒も含まれる。

☑☑☑

148 「令和4年人口動態統計」によると、離婚率は2.00を割り込んだ2010（平成22）年から反転し増加傾向にある。

☑☑☑

149 「令和4年人口動態統計」によると、死産率は1960（昭和35）年前後をピークとし、多少の増減はあるものの減少する傾向にある。

☑☑☑

150 （ ① ）は、平成13年から開始した、母子の健康水準を向上させるための様々な取り組みを、みんなで推進する国民運動計画である。

☑☑☑

144
○

指針第1章の2「要保護児童対策地域協議会の意義」の1つとして、「関係機関等の役割分担を通じて、それぞれの機関が責任をもって支援を行う体制づくりができる」と記載されている。

145
○

指針第1章の2「要保護児童対策地域協議会の意義」の1つとして、「関係機関等が分担をし合って個別の事例に関わることで、それぞれの機関の責任、限界や大変さを分かち合うことができる」と記載されている。

146
×

児童福祉法第4条第2項に「障害児とは、（中略）治療方法が確立していない疾病その他の特殊の疾病（中略）である児童」と難病も含めている。

147
○

放課後等デイサービスの利用対象者は、「就学している障害児」とされている。また、放課後等デイサービスを受けなければ福祉を損なうおそれがあるときは20歳に達するまで対象となるとされている。

148
×

離婚率は、2010（平成22）年以降やや減少しており、増加傾向にはない。

149
○

設問のとおり。1960（昭和35）年は千人あたり100.4人、2022（令和4）年は千人あたり19.3人と減少傾向にある。

150
→

①健やか親子21。2015（平成27）年度からは、現状の課題を踏まえ、新たな健やか親子21（第2次）（～2024（令和6）年度）が始まっている。

151

（　①　）は、平成6年に策定された少子化対策のための最初の国の具体的な計画で、「今後の子育て支援のための施策の基本的方向について」のことを指す。

152

（　①　）は、5年間の計画期間における乳幼児の学校教育・保育・地域の子育て支援についての需給計画である。

153

子ども・子育てビジョンとは、子どもや子育て家庭への支援に関する国や地方公共団体が策定した計画及び大綱の呼称である。

154

ゴールドプランとは、子どもや子育て家庭への支援に関する国や地方公共団体が策定した計画及び大綱の呼称である。

155

子ども・子育て応援プランとは、子どもや子育て家庭への支援に関する国や地方公共団体が策定した計画及び大綱の呼称である。

151
→

①エンゼルプラン。保育所における低年齢児の受け入れ枠や延長保育の拡大、病気回復期の乳幼児の一時預かり、低学年児童の放課後対策（学童保育）、地域子育てセンターの増設など、保育サービスを中心に、働く女性が子育てしながら仕事を続けられる社会づくりを目指した。

152
→

①市町村子ども・子育て支援事業計画。市町村は、潜在ニーズも含めた地域での子ども・子育てに係るニーズを把握したうえで、管内における新制度の給付・事業の需要見込量、提供体制の確保の内容及びその実施時期等を盛り込んだ「市町村子ども・子育て支援事業計画」を策定する。

153
○

2010（平成22）年、「子どもが主人公（チルドレン・ファースト）」の考えのもと、「子ども・子育て支援」へと視点を移し、社会全体で子育てを支え、「生活と仕事と子育ての調和」を目指しながら、次代を担う子どもたちが健やかにたくましく育つよう、子どもと子育てを全力で応援することを目的として策定された。

154
×

ゴールドプラン（高齢者保健福祉推進十カ年戦略）とは、高齢者対策の強化が目的で1989（平成元）年に策定されたもので、子ども子育て家庭支援を目的としていない。

155
○

2004（平成16）年に策定された「子ども・子育て応援プラン」では、少子化社会対策大綱（平成16年6月4日閣議決定）の掲げる4つの重点課題に沿って、2009（平成21）年度までの5年間に講ずる具体的な施策内容と目標が提示された。

156 市町村子ども・子育て支援事業計画とは、子どもや子育て家庭への支援に関する地方公共団体が策定した計画及び大綱の呼称である。

157 ニッポン一億総活躍プランとは、子どもや子育て家庭への支援に関する国や地方公共団体が策定した計画及び大綱の呼称である。

158 子ども・子育てビジョンは、2010（平成22）年に策定された。

159 少子化社会対策基本法は、2003（平成15）年に施行された。

160 ニッポン一億総活躍プランは、2016（平成28）年に閣議決定した。

161 待機児童解消加速化プランは、2013（平成25）年に実施された。

162 新エンゼルプランは、1999（平成11）年に策定された。

163 触法少年とは、刑罰法令に触れる行為をした12歳未満の者である。

156 ◯
市町村子ども・子育て支援事業計画は、5年間の計画期間における幼児期の学校教育・保育・地域の子育て支援についての需給計画である（新制度の実施主体として、全市町村で作成）。子ども・子育て支援法第61条に定められている。

157 ◯
女性も男性も、お年寄りも若者も、一度失敗を経験した人も、障害や難病のある方も、家庭で、職場で、地域で、あらゆる場で、誰もが活躍できる、全員参加型の社会が目指された（平成28年6月2日閣議決定）。

158 ◯
子ども・子育てビジョンでは、チルドレンファースト、「生活と仕事と子育ての調和」が掲げられた。

159 ◯
少子化社会対策基本法は、次世代育成支援対策推進法の基盤とされている。

160 ◯
ニッポン一億総活躍プランでは、「希望を生み出す強い経済」「夢をつむぐ子育て支援」「安心につながる社会保障」が掲げられた。

161 ◯
待機児童解消加速化プランでは、約40万人分の保育の受け皿を確保、2017（平成29）年度末までに待機児童解消を目指すことが掲げられた。

162 ◯
新エンゼルプランでは、保育所の量的拡大、低年齢児保育延長が示された。

163 ✕
触法少年とは、14歳未満で刑罰法令に触れる行為をした者をいう。

164 ぐ（虞）犯少年とは、犯罪行為をした14歳以上20歳未満の者である。

165 少年鑑別所は、家庭裁判所の求めに応じて、鑑別を行う。

166 子供の貧困対策に関する大綱では、「目指すべき社会を実現するためには、子育てや貧困を家庭のみの責任とするのではなく、地域や社会全体で課題を解決するという意識を強く持ち、子供のことを第一に考えた適切な支援を包括的かつ早期に講じていく必要がある」とされている。

167 子供の貧困対策に関する大綱では、「子供の貧困対策を進めるに当たっては、子供の心身の健全な成長を確保するため、親の妊娠・出産期から、生活困窮を含めた家庭内の課題を早期に把握した上で、適切な支援へつないでいく必要がある」とされている。

168 子供の貧困対策に関する大綱では、「生まれた地域によって子供の将来が異なることのないよう、地方公共団体は計画を策定しなければならない」とされている。

169 子供の貧困対策に関する大綱では、「学校を地域に開かれたプラットフォームと位置付けて、スクールソーシャルワーカーが機能する体制づくりを進める」とされている。

ぐ（虞）犯少年とは、犯罪等を犯す虞（おそ）れのある、18歳未満の者をいう。

少年鑑別所はそのほかに、観護の措置が執られて少年鑑別所に収容される者等に対し、健全な育成のための支援を含む観護処遇を行うこと、地域社会における非行及び犯罪の防止に関する援助を行うことを業務とする法務省所管の施設である。

子供の貧困対策に関する大綱の第1「はじめに」の「（新たな大綱の策定の目的）」に記載されている。

「親の妊娠・出産期から子供の社会的自立までの切れ目のない支援体制を構築する」ことが示されている（第2の1の（2））。

策定は義務ではない。地方公共団体の取組みとして、「生まれた地域によって子供の将来が異なることのないよう、地方公共団体による計画の策定を促すとともに、地域の実情を踏まえた取組の普及啓発を積極的に進めていく」とある（第2の1の（4））。

「教育の支援では、学校を地域に開かれたプラットフォームと位置付ける」ことなどが示されている（第2の2の（1））。

170
☑☑☑
子供の貧困対策に関する大綱では、「ひとり親のみならず、ふたり親世帯についても、生活が困難な状態にある世帯については、親の状況に合ったきめ細かな就労支援を進めていく」とされている。

171
☑☑☑
「体罰等によらない子育てのために〜みんなで育児を支える社会に〜」（令和2年厚生労働省）によると、2019（令和元）年6月に「児童虐待防止対策の強化を図るための児童福祉法等の一部を改正する法律」が成立し、体罰が許されないものであることが法定化され、2020（令和2）年4月1日から施行された。

172
☑☑☑
「体罰等によらない子育てのために〜みんなで育児を支える社会に〜」（令和2年厚生労働省）では、「体罰のない社会を実現していくためには、一人一人が意識を変えていくとともに、子育て中の保護者に対する支援も含めて社会全体で取り組んでいかなくてはならない」と記載されている。

173
☑☑☑
「体罰等によらない子育てのために〜みんなで育児を支える社会に〜」（令和2年厚生労働省）によると、しつけのためだと親が思っても、身体に何らかの苦痛を引き起こす場合は、どんなに軽いものであっても体罰に該当する。

174
☑☑☑
「体罰等によらない子育てのために〜みんなで育児を支える社会に〜」（令和2年厚生労働省）によると、子どもを保護するための行為（道に飛び出しそうな子どもの手をつかむ等）や、第三者に被害を及ぼすような行為を制止する行為（他の子どもに暴力を振るうのを制止する等）等であっても、体罰に該当する。

170
○

「保護者の就労支援では、職業生活の安定と向上に資するよう、所得の増大や、仕事と両立して安心して子供を育てられる環境づくりを進める」ことについて示されている（第2の2の（3））。

171
○

Ⅰ「はじめに」に記載されている。

172
○

Ⅰ「はじめに」に記載されている。

173
○

Ⅱ「しつけと体罰は何が違うのか」では、「たとえしつけのためだと親が思っても、身体に、何らかの苦痛を引き起こし、又は不快感を意図的にもたらす行為（罰）である場合は、どんなに軽いものであっても体罰に該当し、法律で禁止されます」と記載されている。

174
✕

Ⅱ「しつけと体罰は何が違うのか」では、「ただし、罰を与えることを目的としない、子どもを保護するための行為（道に飛び出しそうな子どもの手をつかむ等）や、第三者に被害を及ぼすような行為を制止する行為（他の子どもに暴力を振るうのを制止する等）等は、体罰には該当しません」と記載されている。

175
☑☑☑
「令和4年度児童相談所における児童虐待相談対応件数」（こども家庭庁）によると、全国の児童相談所における児童虐待に関する相談対応件数は、平成29年度より一貫して増加してきた。

176
☑☑☑
「令和4年版子供・若者白書」（2022（令和4）年内閣府）によると、児童が同居する家庭における配偶者などに対する暴力がある事案（面前DV）について警察からの通告が増加している。

177
☑☑☑
ヤングケアラー支援に関する法令として全国で初めて「埼玉県ケアラー支援条例」が2020（令和2）年に公布・施行された。

178
☑☑☑
ヤングケアラーに対し、福祉と教育が連携して適切な支援を行う体制を構築するため、市町村教育委員会、学校の教職員等を対象とした合同研修を実施することが重要である。

179
☑☑☑
がん・難病・精神疾患など慢性的な病気の家族の看病を日常的にしている子どもは、ヤングケアラーである。

180
☑☑☑
日本語が第一言語でない家族や障害のある家族のために日常的に通訳をしている子どもは、ヤングケアラーである。

175
○
「令和4年度児童相談所における児童虐待相談対応件数」によると、一貫して増加している。

176
○
「令和4年版子供・若者白書」の第3章「困難を有する子供・若者やその家族の支援」の第3節「子供・若者の被害防止・保護」によると、「児童が同居する家庭における配偶者などに対する暴力がある事案(面前DV)について警察からの通告が増加している」と記載されている。

177
○
「埼玉県ケアラー支援条例」は、全国初のヤングケアラー支援に関する条例として、2020(令和2)年3月31日に公布・施行された。

178
○
ヤングケアラーの支援に向けた福祉・介護・医療・教育の連携プロジェクトチーム報告(2021)によると、ヤングケアラーの早期発見のため、教育委員会と福祉・介護・医療の部局とが合同で研修を行うなどして、ヤングケアラーの概念等についての理解促進を図る必要があるとしている。

179
○
こども家庭庁ホームページ「ヤングケアラーとは」によると、がん・難病・精神疾患など慢性的な病気の家族の看病を日常的にしている子どもは、ヤングケアラーである。子ども・若者育成支援推進法は、「家族の介護その他の日常生活上の世話を過度に行っていると認められる子ども・若者」として、ヤングケアラーを、国・地方公共団体等が各種支援に努めるべき対象としている。

180
○
こども家庭庁ホームページ「ヤングケアラーとは」によると、日本語が第一言語でない家族や障害のある家族のために日常的に通訳をしている子どもは、ヤングケアラーである。

181
☑☑☑
障害や病気のある家族に代わり、日常的に買い物・料理・掃除・洗濯などの家事をしている子どもは、ヤングケアラーではない。

182
☑☑☑
「新しい社会的養育ビジョン」（2017（平成29）年厚生労働省）によると、代替養育は施設での養育を原則とする。

183
☑☑☑
「新しい社会的養育ビジョン」（2017（平成29）年厚生労働省）によると、代替養育の目的の一つは、子どもが成人になった際に社会において自立的生活を形成、維持しうる能力を形成し、また、そのための社会的基盤を整備することにある。

184
☑☑☑
「新しい社会的養育ビジョン」（2017（平成29）年厚生労働省）によると、実親による養育が困難であれば、特別養子縁組による永続的解決（パーマネンシー保障）や里親による養育を推進する。

185
☑☑☑
「新しい社会的養育ビジョン」（2017（平成29）年厚生労働省）によると、代替養育の場における自律・自立のための養育、進路保障、地域生活における継続的な支援を推進する際に当事者の参画と協働は必要としない。

186
☑☑☑
「令和4年（2022）人口動態統計（確定数）の概況」（厚生労働省）によると、2022（令和4）年の婚姻件数は、2021（令和3）年に比べて増加している。

187
☑☑☑
「令和4年（2022）人口動態統計（確定数）の概況」（厚生労働省）によると、2022（令和4）年の出生数は、2021（令和3）年に比べて減少している。

こども家庭庁ホームページ「ヤングケアラーとは」によると、障害や病気のある家族に代わり、日常的に買い物・料理・掃除・洗濯などの家事をしている子どもは、ヤングケアラーである。

「代替養育は家庭での養育を原則とし、高度に専門的な治療的ケアが一時的に必要な場合には、子どもへの個別対応を基盤とした『できる限り良好な家庭的な養育環境』を提供し、短期の入所を原則とする」と示されている。

代替養育の目的の一つとして、「子どもが成人になった際に社会において自立的生活を形成、維持しうる能力を形成し、また、そのための社会的基盤を整備することにある」と示されている。

「実親による養育が困難であれば、特別養子縁組による永続的解決（パーマネンシー保障）や里親による養育を推進する」と示されている。

「代替養育の場における自律・自立のための養育、進路保障、地域生活における継続的な支援を推進する。その際、当事者の参画と協働を原則とする」と示されている。

2022（令和4）年の婚姻件数は50万4930組で、2021（令和3）年の50万1138組に比べて増加している。

2022（令和4）年の出生数は77万759人で、2021（令和3）年の81万1622人に比べて減少している。

188

「令和4年（2022）人口動態統計（確定数）の概況」（厚生労働省）によると、2022（令和4）年の離婚件数は、2021（令和3）年に比べて増加している。

189

子どもの貧困対策の推進に関する法律によると、子どもの貧困対策は、社会のあらゆる分野において、子どもの年齢及び発達の程度に応じて、その（ ① ）が尊重され、その最善の利益が優先して考慮され、子どもが心身ともに健やかに育成されることを旨として、推進されなければならない。

190

子どもの貧困対策の推進に関する法律によると、子どもの貧困対策は、子ども等に対する（ ① ）の支援、生活の安定に資するための支援、職業生活の安定と向上に資するための就労の支援、経済的支援等の施策を、子どもの現在及び将来がその生まれ育った環境によって左右されることのない社会を実現することを旨として、子ども等の生活及び取り巻く環境の状況に応じて包括的かつ早期に講ずることにより、推進されなければならない。

191

子どもの貧困対策の推進に関する法律によると、子どもの貧困対策は、国及び（ ① ）の関係機関相互の密接な連携の下に、関連分野における総合的な取組として行われなければならない。

2022（令和4）年の離婚件数は17万9099組で、2021（令和3）年の18万4384組に比べて減少している。

 ①意見。子どもの貧困対策の推進に関する法律第2条第1項に規定されている。

 ①教育。子どもの貧困対策の推進に関する法律第2条第2項に規定されている。

 ①地方公共団体。子どもの貧困対策の推進に関する法律第2条第4項に規定されている。

第4章 子ども家庭福祉

192 放課後児童健全育成事業において、1つの支援の単位を構成する児童の数は、おおむね50人以下とする。

193 特別支援学校の小学部の児童は、放課後児童健全育成事業ではなく、放課後等デイサービス事業を利用することとする。

194 放課後児童健全育成事業の実施主体は、市町村（特別区及び一部事務組合を含む）とする。

195 放課後児童支援員は、保育士資格や教員免許取得者でなければならない。

196 放課後児童健全育成事業の対象児童は、保護者が労働等により昼間家庭にいない小学校低学年までとする。

197 「放課後子ども総合プラン」は、2014（平成26）年に文部科学省と厚生労働省が共同で、いわゆる「小1の壁」を打破するとともに、次代を担う人材を育成するために策定された。

198 放課後児童健全育成事業者は、運営の内容について、自ら評価を行い、その結果を公表するよう努めなければならない。

| 192 ✕ | 放課後児童健全育成事業の設備及び運営に関する基準第10条第4項に「一の支援の単位を構成する児童の数は、おおむね40人以下」と規定されている。 |

| 193 ✕ | 対象児童は、児童福祉法第6条の3第2項及び放課後児童健全育成事業の設備及び運営に関する基準に基づき、保護者が労働等により昼間家庭にいない小学校に就学している児童とし、その他に特別支援学校の小学部の児童も加えることができることと規定されている(通知「『放課後児童健全育成事業』の実施について」)。 |

| 194 ◯ | 実施主体は市町村(特別区及び一部事務組合を含む)である。ただし、市町村が適切と認めた者に委託等を行うことができる。 |

| 195 ✕ | 放課後児童支援員は、社会福祉士の資格を有する者などもなることができる(放課後児童健全育成事業の設備及び運営に関する基準第10条第3項)。 |

| 196 ✕ | 対象児童は、児童福祉法第6条の3第2項及び放課後児童健全育成事業の設備及び運営に関する基準に基づき、保護者が労働等により昼間家庭にいない小学校に就学している児童と規定されている(通知「『放課後児童健全育成事業』の実施について」)。 |

| 197 ◯ | 「小1の壁」とは、共働き家庭において、子どもが保育園児から小学生になった際、直面する社会的な問題を指す。 |

| 198 ◯ | 放課後児童健全育成事業の設備及び運営に関する基準第5条第4項に記載されている。 |

199 放課後児童健全育成事業者の職員は、正当な理由がなく、その業務上知り得た利用者又はその家族の秘密を漏らしてはならない。

200 放課後児童健全育成事業に携わる放課後児童支援員は、保育士資格を有していなければならない。

201 厚生労働省が公表した「令和5年放課後児童健全育成事業（放課後児童クラブ）の実施状況（令和5年5月1日現在）」によると、登録児童数が145万7384人となり、過去最高値となっている。

202 厚生労働省が公表した「令和5年放課後児童健全育成事業（放課後児童クラブ）の実施状況（令和5年5月1日現在）」によると、当該事業を利用できなかったいわゆる待機児童数は前年に比べ増加したことが報告されている。

203 「児童館ガイドライン」によると、児童館は、子どもの（ ① ）の拠点と居場所となることを通して、その活動の様子から、必要に応じて家庭や地域の子育て環境の（ ② ）を図ることによって、子どもの安定した日常の生活を支援することが大切である。

204 「児童館ガイドライン」によると、児童館が子どもにとって日常の安定した生活の場になるためには、最初に児童館を訪れた子どもが「来てよかった」と思え、利用している子どもがそこに自分の求めている場や活動があって、必要な場合には援助があることを実感できるようになっていることが必要となる。そのため、児童館では、訪れる子どもの（ ① ）に気付き、子どもと信頼関係を築く必要がある。

199
〇
放課後児童健全育成事業の設備及び運営に関する基準第16条第1項に記載されている。

200
✕
放課後児童健全育成事業の設備及び運営に関する基準第10条第3項によると、保育士資格は必須ではない。

201
〇
「令和5年放課後児童健全育成事業（放課後児童クラブ）の実施状況」によると、登録児童数は145万7384人（前年比6万5226人増）とされ、過去最高値を更新している。

202
〇
「令和5年放課後児童健全育成事業（放課後児童クラブ）の実施状況」によると、利用できなかった児童数（待機児童数）は1万6276人（前年比1096人増）とされ、増加している。

203
→
①遊び、②調整。「児童館ガイドライン」第3章「児童館の機能・役割」の2「子どもの安定した日常の生活の支援」に記載されている。

204
→
①心理と状況。「児童館ガイドライン」第3章「児童館の機能・役割」の2「子どもの安定した日常の生活の支援」に記載されている。

205
☑☑☑

子ども・若者育成支援推進法は、社会生活を円滑に営む上で困難を有する子どもや若者を支援するための地域ネットワークの整備を主な内容とするものである。

206
☑☑☑

子ども・若者育成支援推進法に基づき、「子ども・若者ビジョン」が策定された。

207
☑☑☑

子ども・若者育成支援推進法に基づき、厚生労働省は子ども・若者計画を作成することとされた。

208
☑☑☑

内閣府に設置された子ども・若者育成支援推進本部により「子供・若者育成支援推進大綱」が作成された。

209
☑☑☑

「子供・若者育成支援推進大綱」では、すべての子ども・若者が健やかに成長し、自立・活躍できる社会が目指されている。

210
☑☑☑

保護司は、法務大臣から委嘱された非常勤の国家公務員である。

211
☑☑☑

児童委員は、厚生労働大臣から委嘱され、2022（令和4）年度末現在、全国で約23万人である。

205
○

同法は、子ども・若者育成支援施策の総合的推進のための枠組み整備（基本法的性格）と社会生活を円滑に営む上での困難を有する子ども・若者を支援するためのネットワーク整備が趣旨・目的となっている。

206
○

2010（平成22）年4月1日の法施行に伴い、子ども・若者育成支援推進本部が設置され、同年7月23日、法第8条に基づく大綱として「子ども・若者ビジョン」が策定された。

207
×

第9条に、「都道府県は、子ども・若者育成支援推進大綱を勘案して、当該都道府県の区域内における子ども・若者育成支援についての計画を作成するよう努めるものとする」と規定されている。

208
○

2016（平成28）年2月9日、内閣府の子ども・若者育成支援推進本部において「子供・若者育成支援推進大綱」が作成され、2021（令和3）年4月6日、新たな大綱が作成された。

209
○

2021（令和3）年4月に新たに策定された大綱の第1「はじめに」の1「新たな大綱策定の経緯」で、「全ての子供・若者が自らの居場所を得て、成長・活躍できる社会を目指し（中略）子供・若者の健全育成に取り組んでいく」とうたっている。

210
○

保護司法に基づき法務大臣から委嘱を受けた非常勤の国家公務員（実質的に民間のボランティア）である。保護観察官（更生保護に関する専門的な知識に基づいて、保護観察の実施などに当たる国家公務員）と協力して活動を行う。

211
○

2022（令和4）年度末現在、22万7426人（男性：8万6002人、女性14万1424人）となっている。

212
☑☑☑

主任児童委員は、関係機関と児童委員との連絡調整や児童委員の活動に対する援助と協力を行っている。

213
☑☑☑

厚生労働省は、様々な人権問題に対処するため、幅広い世代・分野の出身者に人権擁護委員を委嘱している。

214
☑☑☑

こども家庭庁では、困難を有する子供・若者に対する相談業務に従事する者を対象に、適切な支援を行うために必要な知見等の習得を目的とした研修を実施している。

215
☑☑☑

第二次世界大戦以降、わが国で最も合計特殊出生率が低くなったのは、1966（昭和41）年の「ひのえうま」の年である。

216
☑☑☑

わが国では、1973（昭和48）年頃の第二次ベビーブームの時期と比べると、2021（令和3）年の出生数は半数以下となった。

217
☑☑☑

「令和4年版少子化社会対策白書」によれば、2020（令和2）年現在、合計特殊出生率が1.5を下回っているのはイギリス・日本で、上回っているのはフランス・スウェーデン・イタリアなどである。

218
☑☑☑

わが国の出生数は、2019（令和元）年に90万人を割った。

212 ○
児童福祉法第17条第2項で「主任児童委員は、（中略）児童委員の職務について、児童の福祉に関する機関と児童委員との連絡調整を行うとともに、児童委員の活動に対する援助及び協力を行う」と規定されている。

213 ✗
厚生労働省（厚生労働大臣）ではなく法務大臣から委嘱される。人権擁護委員法に基づいて、人権相談を受けたり人権の考えを広める活動をしている民間のボランティアである。

214 ○
設問のとおり。また、2017（平成29）年度からは、各地域において伴走型の支援を行うに当たって必要となる専門的な知識や技法を分野横断的に整理・共有して習得することを目的とした研修を実施している。

215 ✗
1966（昭和41）年（ひのえうま）の合計特殊出生率は1.58であり、1989（平成元）年に合計特殊出生率1.57となったことで「1.57ショック」といわれている。2022（令和4）年現在の戦後最小値は、2005（平成17）年と2022（令和4）年の合計特殊出生率1.26である。

216 ○
1973（昭和48）年の出生数209万1983人、対して2022（令和4）年の出生数は77万759人となり、半数以下になっている。

217 ✗
1.5以下はイタリア：1.24、日本：1.33、1.5以上はフランス：1.82、スウェーデン：1.66、イギリス：1.58などである。

218 ○
2019（令和元）年の出生数は86万5239人で90万人を割り、「86万ショック」と呼ぶべき状況となった。2022（令和4）年の出生数は77万759人である。

219
☑☑☑
子ども・若者支援地域協議会について、運営は、構成機関の代表者で組織される代表者会議、実務者によって組織し進行管理等を担う実務者会議、個別のケースを担当者レベルで検討する個別ケース検討会議の三層構造としなければならない。

220
☑☑☑
子ども・若者支援地域協議会について、支援の対象となる「子ども・若者」の対象年齢は20歳代までを想定している。

221
☑☑☑
子ども・若者支援地域協議会について、支援の対象は、修学及び就業のいずれもしていない子ども・若者その他の子ども・若者であって、社会生活を円滑に営む上での困難を有するものである。

222
☑☑☑
子ども・若者支援地域協議会について、複数の市町村が共同で設置することが認められている。

223
☑☑☑
「令和2年版少子化社会対策白書」(内閣府)によると、6歳未満の子供を持つ夫婦の家事・育児関連時間(1日当たり・国際比較)で、日本の妻の1日当たりの家事・育児平均時間が、記載国(日本、アメリカ、イギリス、フランス、ドイツ、スウェーデン、ノルウェー)の中で最も長かった。

224
☑☑☑
「令和4年版男女共同参画白書」(内閣府)によると、OECD諸国の女性(15〜64歳)の就業率(2020(令和2)年)で、日本はOECD平均より高いことが示されている。

219
×

「子ども・若者支援地域協議会設置・運営指針」(平成22年) の 2「協議会の基本的な仕組み」の (5)「運営方法」によると、必ずしも三層構造としなければならないわけではない。

220
×

「子ども・若者支援地域協議会設置・運営指針」(平成22年) の 2「協議会の基本的な仕組み」の (1)「対象となる子ども・若者」のア「原則」によると、「子ども・若者」の対象年齢は30歳代までを想定していると記載されている。

221
〇

「子ども・若者支援地域協議会設置・運営指針」(平成22年) の 2「協議会の基本的な仕組み」の (1)「対象となる子ども・若者」のア「原則」に記載されている。

222
〇

「子ども・若者支援地域協議会設置・運営指針」(平成22年) の 2「協議会の基本的な仕組み」の (2)「設置主体」に記載されている。

223
〇

日本の妻の 1 日当たりの家事、育児平均時間は 7 時間34分で最も長く、夫は 1 時間23分で最も短かった。

224
〇

OECD平均が59.0％であるのに対し、日本は70.6％となっている。

図表まとめ▶ 子どもの権利保障等に関する経緯

制定等年	条約等名称	特　徴
1924年	ジュネーブ宣言	子どもの適切な保護が、「児童の権利に関するジュネーブ宣言」として国際的機関で初めて宣言された。
1951年	児童憲章	児童の基本的人権を尊重し、大人の守るべき事項を、国民多数の意見を反映して児童問題有識者が自主的に制定した道徳的規範。
1959年	児童の権利に関する宣言（児童権利宣言）	児童が、幸福な生活を送り、かつ、自己と社会の福祉のためにこの宣言に掲げる権利と自由を享有することができるようにする。
1979年	国際児童年	社会の子どもへの関心を喚起するため、児童権利宣言制定20周年目に制定した。
1981年	国際障害者年	障害者が社会に完全に参加し、融和する権利と機会を享受することに向けることを目的とする。
1989年（日本は1994年に批准）	児童の権利に関する条約	児童（18歳未満）を権利を持つ主体と位置づけ、ひとりの人間として持っている権利を認め、弱い立場にある児童には保護や配慮が必要な面もあるため、児童ならではの権利も定めている。
1994年	国際家族年	家族の重要性を強調し家族問題に対する政府、国民の関心を高めることで、家族の役割、構造及び機能に対する理解、家族の関心事、現状及び問題に対する認識を深め、家族の福利を支援、促進するための施策を助長することを目的とする。

第 5 章

社会福祉

子ども・高齢者・障害
者・生活困窮者に対す
る福祉を広く学ぶ科目
だよ。相談援助に関す
るキーワードをしっか
り押さえよう。

001
☑☑☑

ノーマライゼーションとは、国民に対して最低限度の生活を保障することを意味し、「入所施設での生活を、より普通の生活に近づける」という考え方から始まった。

002
☑☑☑

ノーマライゼーションの理念が国際的な場で初めて表明されたのは、1994年のサラマンカ声明（スペインのサラマンカで開催された「特別ニーズ教育世界会議」で採択された声明）である。

003
☑☑☑

ノーマライゼーションの理念とは、北欧の国から提唱された、障害者を施設から健常者が暮らす「ノーマルな社会」に戻すことである。

004
☑☑☑

生活保護法の第1条には、「社会福祉法の理念に基き、国が生活に困窮するすべての国民に対し、その困窮の程度に応じ、必要な保護を行い、その最低限度の生活を保障すること」が、定められている。

005
☑☑☑

母子及び父子並びに寡婦福祉法の第1条には、「母子家庭等及び寡婦に対し、その生活の安定と向上のために必要な措置を講じ、もつて母子家庭等及び寡婦の福祉を図ること」が、定められている。

006
☑☑☑

身体障害者福祉法の第1条には、「身体障害者の自立と社会経済活動への参加を促進するため、身体障害者を援助し、及び必要に応じて保護し、もつて身体障害者の福祉の増進を図ること」が、定められている。

007
☑☑☑

社会福祉法第1条（目的）では、「福祉サービスの利用者の利益の保護及び地域における社会福祉（地域福祉）の推進を図る」ことが、定められている。

001 ✕ 国民に対して最低限度の生活を保障することはナショナルミニマムという。

002 ✕ ノーマライゼーションは、デンマークのバンク－ミケルセンによる知的障害者施設の改善運動より始まり、1950年代に提唱された概念である。

003 ✕ 健常者が暮らす社会を「ノーマルな社会」に戻すことではない。ノーマライゼーションは障害の有無にかかわらず、誰もが普通（ノーマル）の生活を送ることのできる社会の実現を目指す考え方である。

004 ✕ 「社会福祉法の理念に基き」ではなく、「日本国憲法第25条に規定する理念に基き」と定められている。

005 ◯ 2014（平成26）年に公布された「次代の社会を担う子どもの健全な育成を図るための次世代育成支援対策推進法等の一部を改正する法律」において、父子家庭に対する支援を拡充することが定められ、これに伴って、同年10月1日から、法律名が母子及び父子並びに寡婦福祉法に改正された。

006 ◯ 身体障害者福祉法に定められた障害に該当し、都道府県知事（または政令指定都市市長、中核市市長）から「身体障害者手帳」が交付されると、障害の等級に応じたサービスを受けることができる。

007 ◯ 社会福祉法は、日本の社会福祉の目的・理念・原則と対象者別の各社会福祉関連法に規定されている福祉サービスに共通する基本的事項を規定した法律で、2000（平成12）年6月に社会福祉事業法から改称された。

008 ☑☑☑

精神保健及び精神障害者福祉に関する法律の第1条には、「その社会復帰の促進及びその自立と社会経済活動への参加の促進のために必要な援助を行い、並びにその発生の予防その他国民の精神的健康の保持及び増進に努めること」が、定められている。

009 ☑☑☑

児童福祉法第1条（児童福祉の理念）では、「全て児童は、児童憲章の精神にのっとり、適切に養育されること」が、定められている。

010 ☑☑☑

老人福祉法第4条（老人福祉増進の責務）では、「国及び地方公共団体は、老人の福祉を増進する責務を有する」ことが、定められている。

011 ☑☑☑

権利擁護とは、当事者が持っている権利を擁護し、虐待や差別等から当事者を守ることである。

012 ☑☑☑

エンパワメントとは、当事者自身が力を得て、自らの力で問題を解決していけるように側面的に支援することを意味している。

013 ☑☑☑

ソーシャル・インクルージョンとは、国民に対して最低限度の生活を保障すること（最低生活保障）である。

014 ☑☑☑

ノーマライゼーションとは、障害の有無にかかわらず、だれもが地域で普通に暮らせる社会を目指す理念である。

015 ☑☑☑

病院に入院している患者が、医療費を支払えない等の問題を抱えている場合は、社会福祉の対象となる。

008
○

精神保健法は、1995（平成7）年に精神保健及び精神障害者福祉に関する法律に改称され、「自立と社会経済活動への参加の促進のための援助」という福祉の要素が位置づけられ、従来の保健医療施策に加え、精神障害者の社会復帰等のための福祉施策の充実についても法律上、位置づけが強化された。

009
×

「児童憲章の精神」ではなく、「児童の権利に関する条約の精神」にのっとっている。

010
○

老人福祉法の条文では、老人の定義はされていないが、措置の対象を65歳以上のものとしている。

011
○

保育における権利擁護とは、児童労働や児童虐待の防止などに代表される社会的人権擁護と、日々の保育で子どもと関わるなかで直面する生活的人権擁護に大別できる。いずれも擁護される権利である。

012
○

保育におけるエンパワメントとは、子どもが自立する力をつけることと、それを支援することである。子どもの持っている潜在的な能力を引き出すことを中心とした相談支援の技法である。

013
×

ソーシャル・インクルージョンは、社会的包括（包摂）と訳され、すべての人、特に社会的に不利になりがちな人を社会全体で包み込むという考え方である。

014
○

ノーマライゼーションには「一般化」「標準化」という意味があり、だれもが地域で普通に暮らせる社会を目指す理念である。

015
○

社会福祉の対象は、児童、母子、障害者、高齢者、生活困窮者など、社会生活を送る上で社会的に不利な状態や何らかのハンディキャップを負った人たちである。

016 保護者の養育を支援することが特に必要と認められる要支援児童は、児童福祉の対象ではない。

☑☑☑

017 社会福祉は生活問題を対象とするが、その問題状況を解明するために、生活の全体像を理解することが求められる。

☑☑☑

018 保育所は保育を必要とする乳幼児の保育を行うことを目的とする施設であるので、地域住民は対象としない。

☑☑☑

019 社会福祉における自立支援は、障害者福祉の分野ばかりでなく、高齢者福祉、子ども家庭福祉の分野にも共通の理念と考えられている。

☑☑☑

020 私たち人間の幸福追求について、国が福祉政策によって関与することはない。

☑☑☑

021 日本国憲法では、生存権を保障するため、最低限度の生活に関する基準を示している。

☑☑☑

022 社会福祉における相談援助は、福祉サービスを必要とする人と社会資源を結びつける役割を果たす。

☑☑☑

016 ✕
要支援児童は、児童福祉の対象である。

017 ◯
日本国憲法第25条第2項で「国は、すべての生活部面について、社会福祉、社会保障及び公衆衛生の向上及び増進に努めなければならない」と定めているように、総合的な生活環境を鑑みることが求められている。

018 ✕
保育所保育指針第1章「総則」で、「保育所は、入所する子どもを保育するとともに、家庭や地域の様々な社会資源との連携を図りながら、入所する子どもの保護者に対する支援及び地域の子育て家庭に対する支援等を行う役割を担うものである」と定めている。

019 ◯
身体障害者福祉法、老人福祉法、児童福祉法などで自立の促進が謳われているように、社会福祉のすべての領域において、自立支援が考え方や取り組みの基準となっている。

020 ✕
日本の社会福祉は「福祉行政」といわれ、行政が主体となって展開されている。したがって、国が福祉政策をリードしていく体制にある。

021 ✕
日本国憲法第25条では、生存権を保障しているが、最低限度の生活に関する基準を示しているのは厚生労働大臣である。

022 ◯
福祉サービスを必要としている人の気持ちに寄り添いながら、効果的な社会資源に結びつけることが相談援助の役割である。

023
☑☑☑

『社会保険および関連サービス』(通称『ベヴァリッジ報告：Beveridge Report』)の提出は1869年である。

- -

024
☑☑☑

慈善組織(化)協会(COS)の設立は1942年である。

- -

025
☑☑☑

「救貧法」(Poor Law)の制定は1500年代である。

- -

026
☑☑☑

ケースワークの源流は、イギリスにおけるチャルマーズ(Chalmers, T.)の隣友運動とロンドンの慈善組織協会の活動である。

- -

027
☑☑☑

セツルメント活動は、ロンドンのバーネット夫妻(Barnett, S. & H.)によるハル・ハウス、さらにはアダムズ(Addams, J.)の設立したシカゴのトインビーホールを拠点として展開された。

- -

028
☑☑☑

バートレット(Bartlett, H.)は、ケースワークを理論的に体系化し、『社会診断論』、『ソーシャル・ケースワークとは何か』など多くの著書を出版した。

- -

029
☑☑☑

パールマン(Perlman, H.H.)は、ケースワークの構成要素として「4つのP(人、問題、場所、過程)」をあげている。

023
✕

『社会保険および関連サービス』（通称：ベヴァリッジ報告（Beveridge Report））の提出は1942年である。この報告は社会保険を中心とした公的扶助との保険を合わせて貧困などに対応する「所得補償制度」をつくるというものであった。

024
✕

慈善組織（化）協会（COS）の設立は1869年である。COSは、Charity Organization Societyの略語で、乱立した慈善活動を整理することで「併救」や「漏救」を防ぐために組織されたものである。併せて、貧民への戸別訪問（友愛訪問）なども行った。

025
○

「救貧法」（Poor Law）は1500年代に制定され、さらに総括し集大成したものが「エリザベス救貧法」という名称で1601年に制定された。

026
○

チャルマーズはスコットランドの長老教会の牧師であり神学者であった。1811年以降、貧困家庭の訪問等の隣友運動を熱意をもって貧民への救済と訪問の活動を開始した。

027
✕

バーネット夫妻が設立したのがトインビーホールであり、アダムズが設立したのがハル・ハウスである。

028
✕

バートレットではなく、リッチモンド（Richmond,M.E.）についての説明である。

029
○

「4つのP」とは、相互に関連するケースワークの4つの構成要素のことである。パールマンの「4つのP」は「人（Person）」「問題（Problem）」「場所（Place）」「過程（Process）」である。

030
☑☑☑
2000（平成12）年の社会福祉法の改正で、行政が利用者の処遇を決定する「措置制度」が廃止された。

031
☑☑☑
1970（昭和45）年代に高度経済成長が終わると、いわゆる「福祉見直し」が進められ、老人医療費支給制度は廃止された。

032
☑☑☑
1994（平成6）年、政府は児童虐待防止対策として「エンゼルプラン」を発表した。

033
☑☑☑
1997（平成9）年の児童福祉法の改正では、児童家庭支援センターの創設、保育所入所手続きの変更、放課後児童健全育成事業の推進等が図られた。

034
☑☑☑
精神薄弱者福祉法（現・知的障害者福祉法）は1949（昭和24）年に制定された。

035
☑☑☑
身体障害者福祉法は1961（昭和36）年に制定された。

036
☑☑☑
発達障害者支援法は2004（平成16）年に制定された。

037
☑☑☑
障害者虐待の防止、障害者の養護者に対する支援等に関する法律は2011（平成23）年に制定された。

038
☑☑☑
留岡幸助は、非行少年を対象とした「家庭学校」を開設した。

| 030 ✕ | 「措置制度」は、要保護児童に対する処遇や生活保護制度などにおいて、現在も用いられている制度である。 |

| 031 ○ | 老人保健法が1983（昭和58）年2月1日に施行され、それにともなって老人医療費支給制度は廃止された。 |

| 032 ✕ | 「エンゼルプラン」は、1994（平成6）年、社会全体で子育てを支援するための少子化社会対策として発表された。 |

| 033 ○ | 設問のとおり。 |

| 034 ✕ | 1960（昭和35）年に制定された。 |

| 035 ✕ | 1949（昭和24）年に制定された。 |

| 036 ○ | 設問のとおり。発達障害のある人の早期発見と支援を目的にした法律で、発達障害についての定義や支援の基本理念、具体的な支援制度についても定めている。 |

| 037 ○ | 設問のとおり。 |

| 038 ○ | 教誨師であった留岡幸助はアメリカ留学で非行少年が生まれる原因は社会全体にあると学び、帰国後の1899（明治32）年に東京の巣鴨に「東京家庭学校」を開設した。 |

039
☑☑☑
石井十次は、知的障害児を対象とした「滝乃川学園」を創設した。

040
☑☑☑
石井亮一は、孤児などを対象とした「岡山孤児院」を開設した。

041
☑☑☑
小河滋次郎は、民生委員・児童委員制度の前身とされる「方面委員制度」を創設した。

042
☑☑☑
ベヴァリッジ報告では、貧困を生みだす5つの要因に対して、新たな社会保障システムを打ち出した。

043
☑☑☑
「新救貧法」(1834（天保5）年)では、窮民の援助は、最下層の労働者の生活以下にとどめ、働ける者には強制労働を課した。

044
☑☑☑
「恤救規則」(1874（明治7）年)では、血縁や地縁などの無い窮民に対してのみ公的救済を行ったが、救済の責任は、本来血縁や地縁などの人民相互の情誼によって行うべきであるとした。

045
☑☑☑
「救護法」(1929（昭和4）年)では、保護の対象を13歳以下の幼者のみと規定した。

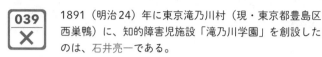

039 ✕　1891（明治24）年に東京滝乃川村（現・東京都豊島区西巣鴨）に、知的障害児施設「滝乃川学園」を創設したのは、石井亮一である。

040 ✕　「岡山孤児院」は1887（明治20）年に石井十次により開設された。

041 ◯　方面委員制度は、1918（大正7）年10月に小河滋次郎や林市蔵によって創設され、小学校通学区域を担当区域として、区域内の住民の生活状態を調査し、その情報を基に、要援護者に対する救済を行おうとする制度で、非常に画期的なものであった。

042 ◯　5つの要因を「5つの巨人」と呼び、具体的には、貧窮、疾病、無知、不潔、怠惰があると提唱した。

043 ◯　1601年エリザベス救貧法が改正され、1834年に「新救貧法」が成立したが、「劣等処遇」の原則が導入され、最下層の自立労働者の生活よりも低いものであるという貧困観ができあがった。

044 ◯　恤救規則は「人民相互の情誼に因る」として、明治以降における救済制度の中心となったが、救済範囲は極めて制限されていた。1929（昭和4）年に「救護法」が制定されるまで運用された。

045 ✕　救護法の対象は「65歳以上の老衰者、13歳以下の幼者、妊産婦、障害者」とされており13歳以下の幼者のみではない。

046

日本国憲法第25条第2項では、社会福祉、社会保障、公衆衛生の向上及び増進に関する国の責務が記されている。

047

身体障害者福祉法では、「障害者週間」が定められており、国及び地方公共団体は、「障害者週間」の趣旨にふさわしい事業を実施するよう努めなければならないとされている。

048

社会福祉法では、社会福祉を目的とする事業を経営する者に対して、「福祉サービスの提供の原則」について定めている。

049

生活保護法では、国民の責務として、国または地方自治体が実施する子どもの貧困対策に協力するよう努めなければならないと、定められている。

050

改正前の社会福祉事業法も改正後の社会福祉法も、社会福祉の共通基盤について規定している法律である。

051

社会福祉事業法を社会福祉法に改正することによって、行政の権限や裁量によって社会福祉事業が実施されるようになった。

046
○

日本国憲法第25条第2項で、「国は、すべての生活部面について、社会福祉、社会保障及び公衆衛生の向上及び増進に努めなければならない」と定められている。

047
✕

「障害者週間」は、身体障害者福祉法ではなく障害者基本法第9条に定められている。

048
○

社会福祉法第5条に「社会福祉を目的とする事業を経営する者は、その提供する多様な福祉サービスについて、利用者の意向を十分に尊重し、地域福祉の推進に係る取組を行う他の地域住民等との連携を図り、かつ、保健医療サービスその他の関連するサービスとの有機的な連携を図るよう創意工夫を行いつつ、これを総合的に提供することができるようにその事業の実施に努めなければならない」と定められている。

049
✕

生活保護法において、子どもの貧困対策に協力するという国民の責務についての定めはない。

050
○

社会福祉事業法第1条は「この法律は、社会福祉事業の全分野における共通的基本事項を定め、（中略）社会福祉事業が公明且つ適正に行われることを確保し、もって社会福祉の増進に資することを目的とする」と規定していた。

051
✕

行政の権限、裁量によって決定を行う措置制度（福祉の措置）から、利用者が主体となり、その選択（契約制度）の自由を尊重した制度が拡大されている（「措置」から「契約」へ）。

052
☑☑☑

社会福祉事業法を社会福祉法に改正することによって、ホームヘルプサービス、ショートステイ、デイサービス等の在宅福祉サービスの法定化が行われた。

053
☑☑☑

社会福祉事業法を社会福祉法に改正することによって、地域福祉の推進体制は法的に整備されることとなった。

054
☑☑☑

介護保険法は1997（平成9）年に制定された。

055
☑☑☑

児童虐待の防止等に関する法律（児童虐待防止法）は2004（平成16）年に制定された。

056
☑☑☑

生活困窮者自立支援法は2013（平成25）年に制定された。

057
☑☑☑

児童福祉法における「少年」とは、12歳以上18歳未満の者である。

058
☑☑☑

児童福祉法における「障害児」とは、20歳未満の者である。

052 ✕

設問の在宅サービスが法定化されたのは、社会福祉事業法を社会福祉法に改正することによってではなく、1990（平成2）年の老人福祉法改正によってである。

 053 ◯

社会福祉法第1条に「福祉サービスの利用者の利益の保護及び地域における社会福祉（以下「地域福祉」という。）の推進を図る」とあり、さらに同法第4条で、地域住民等は「地域福祉の推進に努めなければならない」と規定されている。

 054 ◯

介護保険法の基本的な考え方に「自立支援」「利用者本位」「社会保険方式」の3つがある。

 055 ✕

児童虐待防止法は2000（平成12）年に制定された。児童虐待が児童の人権を著しく侵害するものであり、その予防及び早期発見その他の児童虐待の防止に関する国及び地方公共団体の責務を、さらに児童虐待を受けた児童の保護及び自立の支援のための措置を定めている。

 056 ◯

生活困窮者自立支援法は、自立相談支援事業（必須事業）、住居確保給付金の支給（必須事業）、就労準備支援事業、家計改善支援事業、居住支援事業※、子どもの学習・生活支援事業を展開している。※2025年4月施行

 057 ✕

児童福祉法における「少年」とは、小学校就学の始期から、18歳に達するまで（18歳未満）の者である。

 058 ✕

児童福祉法における「障害児」とは、18歳未満の者である。障害があっても児童福祉法で規定されている児童なので、18歳未満である。

第5章 社会福祉

059
☑☑☑

母子及び父子並びに寡婦福祉法における「寡婦」とは、65歳未満の者である。

060
☑☑☑

介護保険法における「第一号被保険者」とは、65歳以上の者である。

061
☑☑☑

就労継続支援は、障害者総合支援法に定められた障害福祉サービスである。

062
☑☑☑

自立生活援助は、障害者総合支援法に定められた障害福祉サービスである。

063
☑☑☑

共同生活援助は、障害者総合支援法に定められた障害福祉サービスである。

064
☑☑☑

訪問リハビリテーションは、障害者総合支援法に定められた障害福祉サービスである。

065
☑☑☑

療養介護は、障害者総合支援法に定められた障害福祉サービスである。

059 ✕

母子及び父子並びに寡婦福祉法における「寡婦」とは、配偶者のない女子で、かつて配偶者のない女子として児童を扶養していた者であり、年齢についての規定はない。

060 ◯

第一号被保険者は、原因を問わず要介護認定又は要支援認定を受けたときに介護サービスを受けることができる。

061 ◯

就労継続支援は、通常の事業所に雇用されることが困難な障害者等に、就労の機会を提供するとともに、生産活動その他の活動の機会の提供を通じて、その知識及び能力の向上のために必要な訓練等を行う。

062 ◯

自立生活援助は、施設入所支援又は共同生活援助を受けていた障害者等が居宅における自立した日常生活を営む上での各般の問題につき、定期的な巡回訪問により、又は随時通報を受け、当該障害者からの相談に応じ、必要な情報の提供及び助言等を行う。

063 ◯

共同生活援助は、障害者等に主として夜間において、共同生活を営むべき住居において相談、入浴、排せつ又は食事の介護その他の日常生活上の援助を行う。

064 ✕

訪問リハビリテーションは、介護保険法第8条第5項において、居宅要介護者の「居宅において、その心身の機能の維持回復を図り、日常生活の自立を助けるために行われる理学療法、作業療法その他必要なリハビリテーションをいう」と規定されている。

065 ◯

療養介護は、医療を要する障害者であって常時介護を要する者に主として昼間において、病院等で機能訓練、療養上の管理、看護等を行う。

066
☑☑☑
1950（昭和25）年の「社会保障制度に関する勧告」が出されて以降、わが国の社会保険制度は大きく発展した。

067
☑☑☑
わが国の社会保障の目的は、「広く国民に安定した生活を保障するもの」から、近年、「生活の最低限度の保障」へと変わってきた。

068
☑☑☑
わが国の社会保障制度の機能は、①生活安定・向上機能、②所得再分配機能、③経済安定機能の3つがあげられる。

069
☑☑☑
財務省の2024（令和6）年2月の国民負担率の公表によると、わが国の社会保障制度の国民負担率（社会保障負担と租税負担の合計額の国民所得比）は、1970（昭和45）年度から2024（令和6）年度への約50年間で、約1.9倍となっている。

070
☑☑☑
「被保護者調査（令和4年度（月次調査確定値））」（厚生労働省）によると、2022（令和4）年度の保護開始の理由の中で、「傷病による」が全体の5分の1弱を占めている。

071
☑☑☑
「被保護者調査（令和4年度（月次調査確定値））」によると、2022（令和4）年度の世帯類型別世帯数の割合は、「母子世帯」が最も多く、全体の約半数を占めている。

072
☑☑☑
生活保護制度の保護費は、国が2分の1を負担し、都道府県、市、福祉事務所を設置する町村が2分の1を負担している。

066
◯

社会保障制度審議会による「社会保障制度に関する勧告」（1950（昭和25）年）において社会保障制度の体系化が図られ、社会保険、公的扶助、公衆衛生および医療、社会福祉をもって狭義の社会保障とし、これに恩給と戦争犠牲者援護を加えたものを広義の社会保障と定義した。

067
✕

「生活の最低限度の保障」から「広く国民に安定した生活を保障するもの」へと変わってきたが正しい。前者をウェルフェアといい、後者をウェルビーイングという。

068
◯

設問のとおり。

069
◯

1970（昭和45）年度の国民負担率は24.3％だったが、2024（令和6）年度では45.1％ほどになる見通しである。

070
◯

2022（令和4）年度中に保護を開始した世帯における主な保護開始理由をその構成割合でみると、「貯金等の減少・喪失」が46.1％と最も多く、次いで「傷病による」が18.8％、「働きによる収入の減少・喪失」が18.1％などとなっている。

071
✕

高齢者世帯が90万8609世帯と全体の163万5604世帯の55.6％を占めており一番多く、次いで傷病者・障害者世帯が40万6590世帯、24.9％となっている。母子世帯は6万7353世帯、4.1％を占めているにすぎない。

072
✕

生活保護制度の保護費は、国が4分の3、地方自治体が4分の1を負担する。

073
☑☑☑

特別児童扶養手当の支給には、前年の所得が法定の額を超えないことが要件として含まれる。

074
☑☑☑

障害児福祉手当は、重度障害児が対象である。

075
☑☑☑

児童扶養手当の手当額は、法律で定められている。

076
☑☑☑

雇用保険の失業等給付には、求職者給付、就職促進給付、教育訓練給付、雇用継続給付の4つがある。

077
☑☑☑

雇用保険の求職者給付には、病気やけがの場合の医療費の給付が含まれている。

078
☑☑☑

雇用保険の求職者給付は、求職の申し込みをしてから疾病または負傷のために求職活動することができなくなった場合には、支給されない。

079
☑☑☑

雇用保険の費用は、労働者の支払う保険料だけであり、その保険料は給料から天引きされる。

080
☑☑☑

通勤により負傷した場合は、労働者災害補償保険における保険給付の対象とならない。

| 073 ◯ | この要件を所得制限といい、受給者もしくはその配偶者または扶養義務者の前年の所得が一定の額以上であるときは、手当は支給されない。 |

| 074 ◯ | 「重度障害児に対して、その障害のため必要となる精神的、物質的な特別の負担の軽減の一助として手当を支給することにより、特別障害児の福祉の向上を図ることを目的としています」（厚生労働省ホームページ）とされている。 |

| 075 ◯ | 児童扶養手当法第5条に手当額が定められている。支給額は2024（令和6）年4月現在で児童1人の場合（本体月額）全額支給の場合、月額4万5500円。 |

| 076 ◯ | 失業等給付は、労働者が失業した場合及び雇用の継続が困難となる事由が生じた場合に、必要な給付を行うことに加えて、その生活と雇用の安定を図るための給付とされている。 |

| 077 ✕ | 医療費の給付は、雇用保険制度ではなく、健康保険制度や国民健康保険制度等の健康保険から支給される。 |

| 078 ✕ | 求職の申し込みをした後において15日以上引き続いて傷病のため職業に就くことができない状態となった場合、基本手当の日額に相当する額の傷病手当が、所定給付日数の範囲内で支給される。 |

| 079 ✕ | 雇用保険の費用は、事業主と被保険者（労働者）の負担する保険料と、国庫負担金によって賄われている。 |

| 080 ✕ | 通勤により負傷した場合も、労働者災害補償保険の保険給付の対象となる。 |

081 業務上の事由により死亡した場合は、労働者災害補償保険における保険給付の対象となる。

082 育児休業給付金は、国民健康保険における保険給付である。

083 介護休業給付金は、雇用保険における保険給付である。

084 生活困窮者自立支援対策の1つに、安定した住居の確保と就労自立を図ることを目的として、生活困窮者住居確保給付金制度がある。

085 生活困窮者自立支援制度のうち、自立相談支援事業の実施主体は、福祉事務所の設置自治体の直営のみとされており、民間団体への委託は禁止されている。

086 「子供の貧困対策に関する大綱」では、重点施策として、教育の支援、生活の支援、保護者に対する就労の支援、経済的支援等をあげている。

087 福祉事務所では、低所得世帯などを対象にして、生活福祉資金貸付制度を行っている。

088 健康保険制度の保険者は、全国健康保険協会及び健康保険組合である。

081
○
家族が労働災害で死亡した場合、労働者災害補償保険から遺族（補償）給付および葬祭料（葬祭給付）を受けることができる。

082
×
育児休業給付金は、雇用保険による保険給付である。

083
○
介護休業給付金とは、家族の介護のために休職する場合、給料が最大で67％支給される制度である。

084
○
生活困窮者住居確保給付金制度は、離職等により経済的に困窮し、住居を失った又はそのおそれがある者に対し、住居確保給付金を支給することにより、安定した住居の確保と就労自立を図るものとされている。

085
×
自立相談支援事業は福祉事務所設置自治体の必須事業で、自治体の直営のみでなく、民間団体への委託も可能である。

086
○
その他に、「国民運動として官公民の連携等の積極的な推進」や「今後5年間の重点施策による中長期的・継続的な取り組み」が盛り込まれている。

087
×
生活福祉資金貸付制度は、福祉事務所ではなく、都道府県社会福祉協議会が実施主体である。

088
○
全国健康保険協会は、健康保険組合に加入している組合員以外の被保険者の健康保険を管掌している。なお、健康保険組合は、その組合員である被保険者の健康保険を管掌し、単一の企業で設立する組合、同種同業の企業が合同で設立する組合などがある。

089
☑☑☑
健康保険制度において、療養の給付を受けた際の負担金は、年齢区分による差はなく、一律3割である。

090
☑☑☑
国民健康保険制度の保険者は、国及び健康保険組合である。

091
☑☑☑
国民健康保険制度において、療養の給付を受けた際の負担金は、年齢区分による差はなく、一律3割である。

092
☑☑☑
介護保険制度では、要介護認定・要支援認定は、都道府県が行う。

093
☑☑☑
介護保険制度における第2号被保険者とは、市町村の区域内に住所を有する65歳以上の者である。

094
☑☑☑
介護保険制度における要介護認定・要支援認定には、有効期間がある。

095
☑☑☑
介護保険制度における介護認定審査会には、民生委員の参加が規定されている。

096
☑☑☑
介護保険制度の保険者は国である。

一律3割ではない。療養給付の負担金（窓口での負担）の割合は、年齢区分により異なる。

国民健康保険制度の保険者は、国及び健康保険組合ではなく、都道府県、市区町村と国民健康保険組合である。

健康保険制度と同様、国民健康保険制度においても、年齢区分により負担割合は異なる仕組みになっている。

要介護認定・要支援認定は、市町村の附属機関として設置された「介護認定審査会」で行われる。

第2号被保険者は40歳以上65歳未満の医療保険加入者である。「市町村の区域内に住所を有する65歳以上の者」は第1号被保険者である。

要介護認定の有効期間は、新規申請の場合、原則として6か月間であり、申請者の状態によっては、介護認定審査会の判断により3か月から12か月の範囲内で有効期間が設定される場合がある。

民生委員の参加の規定はない。介護認定審査会の委員は、保健・医療・福祉に関する学識経験者であり、市町村長から任命される。

介護保険制度の保険者は、市町村及び特別区である。

097
☑☑☑
国民年金制度では、20歳になれば、学生であっても被保険者となる。

098
☑☑☑
国民年金制度における老齢基礎年金の支給開始年齢は、75歳と規定されている。

099
☑☑☑
国民年金制度における第2号被保険者の被扶養配偶者は、第1号被保険者である。

100
☑☑☑
生活保護法では、保護の原則として、申請保護の原則、基準及び程度の原則、必要即応の原則、世帯単位の原則の4つを掲げている。

101
☑☑☑
生活保護法第11条で定めている保護の種類は、生活扶助、教育扶助、住宅扶助、医療扶助、介護扶助、出産扶助、生業扶助、葬祭扶助の8つがある。

102
☑☑☑
生活保護法による保護施設は、救護施設、更生施設、医療保護施設の3つである。

103
☑☑☑
『令和4年版 厚生労働白書』によると、生活保護制度の被保護者数は、1995（平成7）年を底に増加し、2015（平成27）年3月に過去最高を記録し、以降減少に転じたと示されている。

097 ○

学生も含め、日本国内に住むすべての人は、20歳になったときから国民年金の被保険者となり、保険料の納付が義務づけられる。ただし、学生には、申請により在学中の保険料の納付が猶予される「学生納付特例制度」が設けられている。

098 ×

原則として65歳から受給できる。65歳以後に受給資格期間の10年を満たした場合は、受給資格期間を満たしたときから老齢基礎年金を受け取ることができる。

099 ×

第2号被保険者の被扶養配偶者は、第3号被保険者である。

100 ○

生活保護法では、保護について4つの原則を定めている。

101 ○

保護の種類は8種類であり、要保護者の必要に応じ、単給または併給として行われる。

102 ×

保護施設は救護施設、更生施設、医療保護施設、授産施設、宿所提供施設の5つである。

103 ○

生活保護制度の被保護者数は、2015（平成27）年3月に過去最高を記録したが、以降減少に転じ、2022（令和4）年2月には約203.4万人となり、ピーク時から約14万人減少している。

104
☑☑☑

児童相談所には児童福祉司が配置される。

105
☑☑☑

福祉事務所には社会福祉主事が配置される。

106
☑☑☑

女性相談支援センターには母子・父子自立支援員が配置される。

107
☑☑☑

介護福祉士の資格は、一定期間以上の実務経験がある者に任用される。

108
☑☑☑

介護支援専門員の資格は、厚生労働大臣への登録を必要とする。

109
☑☑☑

社会福祉士でない者であっても、相談援助を行うことができる。

110
☑☑☑

厚生労働大臣は、児童委員のうちから、主任児童委員を指名する。

111
☑☑☑

共同募金は、都道府県社会福祉協議会が実施しており、募金の配分計画の策定を行う。

104 ○

児童福祉法第13条第1項等で、都道府県・指定都市・中核市及び児童相談所設置市は、その設置する児童相談所に、児童福祉司を置かなければならないと定めている。

105 ○

社会福祉各法に定める援護又は更生の措置に関する事務を行うために、福祉事務所には社会福祉主事の必置義務がある（社会福祉法第18条）。

106 ✕

女性相談支援センターには、母子・父子自立支援員ではなく、女性相談支援員が配置される。

107 ✕

介護福祉士は任用資格ではなく国家資格である。養成施設ルート、実務経験ルート、福祉系高校ルート、経済連携協定ルートの方法で取得することができる。

108 ✕

介護支援専門員の資格は、都道府県の登録を受ける必要がある。

109 ○

社会福祉士は名称独占資格であり、資格がなくても相談援助自体は行うことができる。

110 ○

厚生労働大臣から指名された主任児童委員は、関係機関等と児童委員との連絡調整や、児童委員の活動に対する援助・協力を行う。

111 ✕

共同募金は47都道府県共同募金会が行う。共同募金事業の公正性を担保するため、各都道府県の共同募金会には配分委員会が設置されており、配分委員会の承認なしには、その年の募金目標額や配分計画を策定することができない。

112
☑☑☑
ボランティアセンターは、ボランティア活動の拠点となり、ボランティアの登録及びあっせん、啓発、グループの組織化、情報提供などを行う。

113
☑☑☑
児童福祉施設の長は、入所中の児童等で親権を行う者、未成年後見人のない者に対し、一部都道府県知事の許可を得て、親権を行うことができる。

114
☑☑☑
福祉専門職としての保育士は、子どもや保護者が抱える問題やニーズを代弁(アドボカシー)して支援していくことが求められている。

115
☑☑☑
個々の民生委員・児童委員の役割は、ケースの発見に関して、市町村全域を対象に戸別訪問を行うことである。

116
☑☑☑
介護支援専門員は、介護保険法に基づく専門相談員で、介護保険施設、地域包括支援センター及び訪問介護事業所に必ず配置されなければならないと定められている。

117
☑☑☑
社会福祉主事は、社会福祉法に基づく福祉事務所の現業員の任用資格であり、社会福祉諸法に定める援護または更生の措置に関する事務等を行う。

118
☑☑☑
母子・父子自立支援員は、母子家庭、父子家庭、寡婦家庭の相談や指導、職業能力の向上と求職活動に関する支援等の業務を担っている。

119
☑☑☑
児童委員は、配偶者のない者で現に児童を扶養している者及び寡婦に対し、相談に応じ、その自立に必要な情報提供及び指導を行う。

112 ○
都道府県・指定都市及び市町村ボランティアセンターが社会福祉協議会に設置され、ボランティア活動に関する相談、登録、あっせん、広報啓発、各種の研修を実施している。

113 ○
児童福祉法第47条第1項に「児童福祉施設の長は、入所中の児童で親権を行う者又は未成年後見人のないものに対し、親権を行う者又は未成年後見人があるに至るまでの間、親権を行う」と定められている。

114 ○
社会的に不利になりがちな子どもなどに代わって問題を訴えていく代弁機能が、保育士を含む社会福祉従事者には課されている。

115 ✗
必要に応じて戸別訪問を行うことはあるが、あくまでも担当する区域内への対応であり、市町村全域を対象とはしていない。

116 ✗
介護支援専門員（ケアマネジャー）は、訪問介護事業所ではなく居宅介護支援事業所に必ず配置されなければならない。

117 ○
社会福祉主事は、都道府県、市町村に設置された福祉事務所のケースワーカー等として任用されるための資格（任用資格）として位置づけられ、加えて、各種社会福祉施設の職種に求められる基礎的資格でもある。

118 ○
母子・父子自立支援員は、福祉事務所に配置され、専門的知識を必要とする事項の相談指導等に協力する、非常勤の特別職として位置づけられる。

119 ✗
設問は、母子及び父子並びに寡婦福祉法に基づく母子・父子自立支援員についての記述である。

120 ☑☑☑ 都道府県に配置される身体障害者福祉司は、身体障害者更生相談所の長の命を受けて、身体障害者の福祉に関し専門的な知識及び技術を必要とする業務を行う。

121 ☑☑☑ 乳幼児を10人以上入所させる乳児院には、家庭支援専門相談員を置かなければならない。

122 ☑☑☑ 児童福祉司は、児童相談所長の命を受けて、児童の保護その他児童の福祉に関する事項について、相談に応じ、専門的技術に基づいて必要な指導を行う等、児童福祉の増進に努める。

123 ☑☑☑ 日本赤十字社の国内の活動においては、災害救護活動、医療事業、血液事業、ボランティアの組織化などを行っている。

124 ☑☑☑ 社会福祉協議会は、2000（平成12）年に改正された社会福祉法において創設された。

125 ☑☑☑ 民生委員及び児童委員は、地域社会の福祉を増進することを目的として市町村の区域に置かれている民間奉仕者である。

126 ☑☑☑ 福祉事務所には、精神保健福祉士その他これに準ずる者を配置しなければならない。

120 ○
身体障害者福祉法第11条の2第3項で、「都道府県の身体障害者福祉司は、身体障害者更生相談所の長の命を受けて、次に掲げる業務を行うものとする」と規定され、業務は「専門的な知識及び技術を必要とするものを行うこと」とされている。

121 ○
児童福祉施設の設備及び運営に関する基準第21条第1項で、「乳児院（乳幼児10人未満を入所させる乳児院を除く。）には、（中略）家庭支援専門相談員（中略）を置かなければならない」と規定されている。

122 ○
児童福祉法第13条第4項に「児童福祉司は、児童相談所長の命を受けて、児童の保護その他児童の福祉に関する事項について、相談に応じ、専門的技術に基づいて必要な指導を行う等児童の福祉増進に努める」と規定されている。

123 ○
「苦しんでいる人を救いたい」をモットーに、設問の活動以外にも、国際活動、赤十字病院、看護師等の教育、青少年赤十字などを展開している。

124 ✕
社会福祉協議会は、1951（昭和26）年の社会福祉事業法（現・社会福祉法）制定時に創設された。

125 ○
民生委員法で定められている民間奉仕者である。地域の相談・支援や地域福祉活動を行っている。

126 ✕
福祉事務所に精神保健福祉士その他これに準ずる者の配置義務はない。①指導監督を行う所員、②現業を行う所員、③事務を行う所員（①②は社会福祉主事）が配置される（社会福祉法第15条）。

127
☑☑☑

児童相談所には、介護支援専門員その他これに準ずる者を配置しなければならない。

128
☑☑☑

児童発達支援センターには、介護福祉士その他これに準ずる者を配置しなければならない。

129
☑☑☑

地域包括支援センターには、社会福祉士その他これに準ずる者を配置しなければならない。

130
☑☑☑

保育士の資格は2001（平成13）年に改正された児童福祉法によって、国家資格となった。

131
☑☑☑

保育士は、従来の子どもに対して直接的にかかわる保育の専門家としてだけでなく、保護者に対して保育に関する指導をおこなう専門職として位置づけられている。

132
☑☑☑

保育所保育指針では、保育士の倫理観について言及している。

133
☑☑☑

保育士は、社会制度の改編や創設を提案することもある。

134
☑☑☑

社会福祉士資格をもつ者は、児童指導員として児童養護施設等で働くことができる。

<table>
<tr>
<td>

127

✕

</td>
<td>専門職の性質上、児童相談所に介護支援専門員その他これに準ずる者の配置義務はない。児童福祉司、児童心理司などが配置される。</td>
</tr>
<tr>
<td>

128

✕

</td>
<td>児童発達支援センターに介護福祉士その他これに準ずる者の配置義務はない。児童指導員、保育士、児童発達支援管理責任者などが配置される。</td>
</tr>
<tr>
<td>

129

◯

</td>
<td>地域包括支援センターは、市町村が設置主体となり、保健師、社会福祉士、主任介護支援専門員等を配置している。</td>
</tr>
<tr>
<td>

130

◯

</td>
<td>児童福祉法第18条の4において、「保育士とは、第18条の18第1項の登録を受け、保育士の名称を用いて、専門的知識及び技術をもつて、児童の保育及び児童の保護者に対する保育に関する指導を行うことを業とする者をいう」と法的に位置づけられ国家資格となった。</td>
</tr>
<tr>
<td>

131

◯

</td>
<td>保育所保育指針第1章「総則」に「一人一人の保護者の状況やその意向を理解、受容し、それぞれの親子関係や家庭生活等に配慮しながら、様々な機会をとらえ、適切に援助すること」と記載されている。</td>
</tr>
<tr>
<td>

132

◯

</td>
<td>保育所保育指針第5章に「子どもの最善の利益を考慮し、人権に配慮した保育を行うためには、職員一人一人の倫理観、人間性並びに保育所職員としての職務及び責任の理解と自覚が基盤となる」と記載されている。</td>
</tr>
<tr>
<td>

133

◯

</td>
<td>保育士は福祉の専門職であり、社会福祉制度の改善のために、議会や行政機関に働きかける、直接的に関係各方面に働きかけるなどの活動をすることも求められている。</td>
</tr>
<tr>
<td>

134

◯

</td>
<td>児童福祉施設の設備及び運営に関する規準第43条第1項において、児童指導員の要件の1つとして「社会福祉士の資格を有する者」があげられている。</td>
</tr>
</table>

135 ☑☑☑

児童福祉法において、児童相談所に社会福祉主事を置かなければならないと規定されている。

136 ☑☑☑

社会福祉法において、都道府県、市及び福祉に関する事務所を設置する町村に、社会福祉主事を置くと規定されている。

137 ☑☑☑

乳児院は、国の規定により看護師の配置が義務づけられている。

138 ☑☑☑

障害者支援施設の職員配置基準に、生活支援員が含まれている。

139 ☑☑☑

母子生活支援施設の職員配置基準に、少年を指導する職員が含まれている。

140 ☑☑☑

補装具製作施設の職員配置基準に、訓練指導員が含まれている。

141 ☑☑☑

養護老人ホームの職員配置基準に、生活相談員が含まれている。

135 **✕**

社会福祉主事は、社会福祉各法に定める援護又は更生の措置に関する事務を行うため、福祉事務所に必置義務がある（福祉事務所のない町村には任意設置）。児童相談所に必置義務があるのは、児童福祉司である。

136 **○**

社会福祉法第18条第1項に規定されている。

137 **○**

児童福祉施設の設備及び運営に関する基準第21条第1項に「乳児院（乳幼児10人未満を入所させる乳児院を除く。）には、小児科の診療に相当の経験を有する医師又は嘱託医、看護師、個別対応職員、家庭支援専門相談員、栄養士及び調理員を置かなければならない」と定められている。

138 **○**

生活支援員は、障害者支援施設、地域生活支援センターなどで、障害者の日常生活上の支援や身体機能・生活能力の向上に向けた支援を行うほか、創作・生産活動をサポートする。

139 **○**

児童福祉施設の設備及び運営に関する基準第27条に、「母子生活支援施設には、母子支援員（母子生活支援施設において母子の生活支援を行う者をいう。以下同じ。）、嘱託医、少年を指導する職員及び調理員又はこれに代わるべき者を置かなければならない」と規定されている。

140 **○**

身体障害者社会参加支援施設の設備及び運営に関する基準第26条で補装具製作施設に置くべき職員として、施設長1名、義肢装具技術員1名以上、訓練指導員1名以上と規定されている。

141 **○**

養護老人ホームの設備及び運営に関する基準第12条で養護老人ホームには、生活相談員の配置が義務づけられている。

142
☑☑☑

アセスメントにおいて、利用者の身体的状況、精神的状況の把握を行う必要がある。

143
☑☑☑

アセスメントにおいて、家族関係の把握を行う必要がある。

144
☑☑☑

相談援助（ソーシャルワーク）の生活モデルには、エコロジカル（生態学）アプローチが含まれている。

145
☑☑☑

相談援助（ソーシャルワーク）の生活モデルは、生活全体の中で問題をとらえ、人と環境の相互作用に焦点を当てることを特徴とする。

146
☑☑☑

相談援助（ソーシャルワーク）の生活モデルを生み出したのは、リッチモンド（Richmond, M. E.）のソーシャルケースワーク理論である。

147
☑☑☑

相談援助（ソーシャルワーク）の生活モデルでは、利用者のニーズを充足するために既存の社会資源を活用するだけでなく、利用者を取り巻く環境への適応力を強める援助をも行う。

148
☑☑☑

スーパービジョンの主な機能には、「教育的機能」と「支持的機能」と「管理的機能」がある。

149
☑☑☑

インテークとは、受理面接といわれるもので、利用者のニーズや問題のアウトラインを聞き取る面接過程である。

142
○
アセスメントは医療行為でいう見立てにあたる。利用者の様々な状況を把握し、総合的に行うことが重要である。

143
○
アセスメントにおける家族関係の把握では、家族の関係図（ジェノグラム）などを使いながら家族が社会資源と成りうるかを確認する必要がある。

144
○
生活モデルは1980年代にジャーメイン（Germain, C. B.）らによって提唱された、ソーシャルワークの中に生態学的な考えを取り入れたアプローチである。

145
○
人と環境の相互作用に焦点を当てる方法をエコロジカルパースペクティブ（生態学的な視座）という。

146
×
生活モデルは、リッチモンドではなく、1980年代にジャーメインらによって構築された理論である。

147
○
生活モデルとは、問題の原因を「個人か社会（環境）か」と分けるのではなく、「人と環境が互いに作用し合うもの（相互作用）」としてとらえる。また、支援者は両者の接点に介入して支援を行う。

148
○
援助者の自己評価の1つとして専門職や管理者などの指導者から意見をもらうことである。その指導者をスーパーバイザー、指導を受ける側をスーパーバイジーという。

149
○
相談者がどういう相談内容を抱えていて、その主訴の背景にある問題は何かを明らかにするために積極的、能動的に働きかけることを目的とした初対面の面接である。

150 インターベンションとは、介入や実施といわれるもので、利用者の問題解決への具体的な支援計画を立案する過程である。

☑☑☑

151 モニタリングとは、経過観察といわれるもので、介入や実施した内容が妥当であるか検討する過程である。

☑☑☑

152 エバリュエーションとは、終結を意味し、その後の経過を見守る段階である。

☑☑☑

153 ケースの発見の契機は、直接の来談、電話での受付、メールによる相談、訪問相談等、様々である。

☑☑☑

154 利用者の能力や態度が相談援助の展開過程を左右することがある。

☑☑☑

155 接近困難な利用者が地域にいる場合、援助者は利用者の来訪を待つ姿勢が必要である。

☑☑☑

156 地域の関係機関等と日頃から連携を強め、ケースの早期発見に努めることは必要である。

☑☑☑

157 利用者と援助者との好ましい信頼関係を構築することは重要なテーマである。

☑☑☑

158 バイステック（Biestek, F.P.）の7原則によると、利用者を個人として捉える。

☑☑☑

150
✗
インターベンションとは、立案した支援計画に沿って具体的に支援することであり、「介入」と訳される。

151
○
モニタリングとは、「経過観察」の意味で、援助が適切に行われているかを確認し、フィードバックすることである。

152
✗
エバリュエーションとは、「事後評価」の意味で、利用者と共に支援過程を振り返りながら問題が解決できたかについて評価する。「終結」はターミネーションという。

153
○
ケースワーカーやソーシャルワーカーには、あらゆる機会を利用してケースの発見に努めることが求められている。

154
○
利用者の自ら課題に向き合う力は相談援助において大きな要素になることから、援助者には利用者の観察が求められる。

155
✗
「援助者は利用者の来訪を待つ」のみではなく、自ら地域に出向き（アウトリーチ）、ニーズを発見（ニーズの掘り起こし）することも求められている。

156
○
利用者から直接聞き取る情報に加えて、取り巻く環境から得られる情報も支援する上で重要なことから、普段からの連携が必要である。

157
○
利用者と援助者との好ましい信頼関係（ラポール）の構築があって初めて相談援助が始まる。

158
○
「個別化の原則」にあたる。

159
☑☑☑

バイステック（Biestek, F.P.）の7原則によると、利用者を一方的に非難しない。

160
☑☑☑

バイステック（Biestek, F.P.）の7原則によると、援助者は自分の感情を自覚して吟味する。

161
☑☑☑

バイステック（Biestek, F.P.）の7原則によると、秘密を保持して信頼感を醸成する。

162
☑☑☑

ケアマネジメントとは、利用者に対して、効果的・効率的なサービスや社会資源を組み合わせて計画を策定し、それらを利用者に紹介や仲介するとともに、サービスを提供する機関などと調整を行い、さらにそれらのサービスが有効に機能しているかを継続的に評価する等の一連のプロセス及びシステムである。

163
☑☑☑

ソーシャルアクションとは、関係機関、専門職、住民と問題の解決に向けて、情報交換、学習、地域活動を通して相互の役割や違いを認め、既存の制度や組織の制約を超えて、多様的かつ多元的な価値観や関係性をつくりあげていくことをいう。

164
☑☑☑

ネットワーキングとは、行政や議会などに個人や集団、地域住民の福祉ニーズに適合するような社会福祉制度やサービスの改善、整備、創造を促す方法である。

159 ◯

「非審判的態度の原則」にあたる。

160 ◯

「統制された情緒的関与の原則」にあたる。

161 ◯

「秘密保持の原則」にあたる。

162 ◯

設問のとおり。

163 ✕

設問はネットワーキングについての説明文である。ソーシャルアクションとは、行政や議会などに個人や集団、地域住民の福祉ニーズに適合するような社会福祉制度やサービスの改善、整備、創造を促す方法である。

164 ✕

設問はソーシャルアクションについての説明文である。ネットワーキングとは、関係機関、専門職、住民と問題の解決に向けて、情報交換、学習、地域活動を通して相互の役割や違いを認め、既存の制度や組織の制約を超えて、多様的かつ多元的な価値観や関係性をつくりあげていくことをいう。

165
☑☑☑
保育所は、定期的に第三者評価を受審するよう努めなければならない。

166
☑☑☑
保育所の公表された自己評価や第三者評価受審の結果は、利用者がサービス選択を行うための情報として活用される。

167
☑☑☑
第三者評価機関が評価の結果を公表する際は、受審した事業所の同意を得る必要がある。

168
☑☑☑
福祉サービス第三者評価事業の普及促進等は、国の責務である。

169
☑☑☑
社会福祉事業の経営者は、広告をしてはならない。

170
☑☑☑
母子生活支援施設は、毎年度、自己評価を行わなければならない。

171
☑☑☑
児童自立支援施設は、3か年度毎に1回、自己評価を行わなければならない。

172
☑☑☑
保育所は、地域住民に対して、その保育に関する情報提供を行わなければならない。

| 165 ○ | 第三者評価の受審は、努力義務であり必須ではない。 |

| 166 ○ | 福祉サービス第三者評価を受けた結果が「公表ガイドライン」に基づいて公表されることにより、結果として利用者の適切なサービス選択に資する情報となりうる。 |

| 167 ○ | 第三者評価機関が評価結果を公表するには、受審した事業所の同意が必要である。 |

| 168 ○ | 社会福祉法第78条第2項で、「国は、社会福祉事業の経営者が行う福祉サービスの質の向上のための措置を援助するために、福祉サービスの質の公正かつ適切な評価の実施に資するための措置を講ずるよう努めなければならない」と定められている。 |

| 169 × | 社会福祉法第79条では、広告自体を禁じているのではなく、誇大広告の禁止が規定されている。 |

| 170 ○ | 母子生活支援施設は、毎年度の自己評価、3か年度毎に1回以上の第三者評価の受審義務がある。 |

| 171 × | 児童自立支援施設は、毎年度、自己評価を行わなければならない。 |

| 172 ○ | 児童福祉法第48条の4第1項に定められている。 |

173
☑☑☑
児童福祉施設は、児童の保護者及び地域社会に対して、その運営の内容を適切に説明するよう努めなければならない。

174
☑☑☑
児童養護施設等の社会的養護関係施設については、福祉サービス第三者評価を受けることが義務づけられている。

175
☑☑☑
福祉サービス第三者評価を受けた結果は、市町村が公表することになっている。

176
☑☑☑
社会福祉法では、社会福祉事業の経営者に対して、福祉サービスの利用者が、適切かつ円滑に福祉サービスを利用することができるように、その経営する社会福祉事業に関する情報の提供を行うよう努めなければならないと定めている。

177
☑☑☑
社会福祉法では、国と地方公共団体に対して、福祉サービスを利用しようとする者が必要な情報を容易に得られるように、必要な措置を講ずるよう努めなければならないと定めている。

178
☑☑☑
社会福祉法では、利用者から実際に福祉サービスの利用契約の申込みがあった場合、社会福祉事業の経営者は、利用者に対して、福祉サービスを利用する事項について説明するように努めなければならないと定めている。

179
☑☑☑
社会福祉法では、社会福祉事業の経営者は、利用契約が成立した際に、利用者に対して、定められた事項を記載した書面を交付しなければならないと定めている。

173 **○**
児童福祉施設の設備及び運営に関する基準第5条第2項に「児童福祉施設は、地域社会との交流及び連携を図り、児童の保護者及び地域社会に対し、当該児童福祉施設の運営の内容を適切に説明するよう努めなければならない」と定められている。

174 **○**
社会的養護関係施設（児童養護施設、乳児院、児童自立支援施設、児童心理治療施設、母子生活支援施設）については、3か年度毎に1回以上の第三者評価の受審及び毎年度の自己評価、それらの結果の公表が義務づけられている。

175 **✕**
福祉サービス第三者評価事業において評価結果を公表するのは市町村ではなく、都道府県推進組織である。

176 **○**
社会福祉法第75条第1項に定められている。

177 **○**
社会福祉法第75条第2項に定められている。

178 **○**
社会福祉法第76条に定められている。

179 **○**
社会福祉法第77条第1項に定められている。

180 成年後見制度は、社会福祉法を根拠として2000（平成12）年4月から施行された制度である。

☑☑☑

181 任意後見契約は、本人の判断能力が不十分になった場合に家族などの申し立てにより、家庭裁判所によって選任された後見人を決定、開始するもので、本人の判断能力の程度に応じて「補助人、保佐人、後見人」の3類型がある。

☑☑☑

182 法定後見制度は、利用契約制度のもとで自己決定など判断能力が不十分な高齢者や意思決定が難しい知的障害者及び精神障害者などの自己決定権を法的に保障する制度である。

☑☑☑

183 福祉サービスの第三者評価事業は、受審することで、他の事業所や施設などとの優劣を示すことが目的である。

☑☑☑

184 福祉サービスの第三者評価事業の普及促進については、「福祉サービス第三者評価事業に関する指針」において市町村社会福祉協議会の義務であることが規定されている。

☑☑☑

185 福祉サービスの第三者評価事業を行う評価機関は、都道府県推進組織における第三者評価機関認証委員会から認証を受ける必要がある。

☑☑☑

186 福祉サービス第三者評価機関認証ガイドラインの策定・更新は、厚生労働大臣が実施する。

☑☑☑

180
成年後見制度は、1999（平成11）年の民法改正によって導入され、2000（平成12）年4月1日から施行されている。

181
「補助人、保佐人、後見人」の3類型があるのは、法定後見制度である。

182
設問のとおり。

183
優劣を示すことが目的ではなく、質の高い福祉サービスを事業者が提供するために、保育所、指定介護老人福祉施設（特別養護老人ホーム）、障害者支援施設、社会的養護施設などにおいて実施される事業について、公正・中立な第三者機関による専門的・客観的な立場からの評価を受ける仕組みである。

184
市町村社会福祉協議会ではなく、全国社会福祉協議会が、評価事業普及協議会・評価基準等委員会を設置し、福祉サービス第三者評価事業の推進及び都道府県推進組織に対する支援を行う。

185
福祉施設に対して第三者評価を行う機関は、第三者評価機関認証要件を満たすことで認証される。「福祉サービス第三者評価機関認証ガイドライン」を満たしていることが認証要件となる。

186
「福祉サービス第三者評価機関認証ガイドライン」の策定・更新は、厚生労働大臣ではなく、全国社会福祉協議会である。

187 ☑☑☑
地域包括ケアシステムを構築するため、医療・介護の専門職、市町村の担当者、自治会長など地域の多様な関係者が参加する地域ケア会議を開催する。

188 ☑☑☑
配食などの生活支援の担い手として、ボランティアや民間企業も含めた多様な主体が参入することは、地域包括ケアシステムを構築することとなる。

189 ☑☑☑
配偶者からの暴力の防止及び被害者の保護等に関する法律は、配偶者からの暴力だけでなく、事実上婚姻関係と同様の事情にある相手からの暴力にも適用される。

190 ☑☑☑
配偶者暴力相談支援センターの機能には、生活資金の給付が含まれている。

191 ☑☑☑
配偶者からの暴力の防止及び被害者の保護等に関する法律には、困難な問題を抱える女性への支援に関する法律に基づく女性自立支援施設が暴力被害女性の保護を行うことができる旨、記載されている。

192 ☑☑☑
児童家庭支援センターは児童福祉法に規定されている。

193 ☑☑☑
市町村障害者虐待防止センターは児童虐待の防止等に関する法律に規定されている。

194 ☑☑☑
地域包括支援センターは介護保険法に規定されている。

195 ☑☑☑
次世代育成支援対策推進法は、市町村、都道府県における行動計画の策定について定めている。

187
〇
地域ケア会議の構成員は、会議の目的に応じ、行政職員、センター職員、介護支援専門員、介護サービス事業者、保健医療関係者、民生委員、住民組織等である。

188
〇
ボランティアや民間企業、NPOなどの多様かつ重層的な支援体制が求められる。

189
〇
「『配偶者』には、婚姻の届出をしていないが事実上婚姻関係と同様の事情にある者を含」むものとすると、配偶者からの暴力の防止及び被害者の保護等に関する法律（DV防止法）に規定されている。

190
✕
配偶者暴力相談支援センターの機能に、生活資金の給付は含まれていない。

191
〇
配偶者からの暴力の防止及び被害者の保護等に関する法律（DV防止法）第5条で、「都道府県は、女性自立支援施設において被害者の保護を行うことができる」と定められている。

192
〇
児童福祉法第44条の2に規定されている。

193
✕
児童虐待の防止等に関する法律ではなく、障害者虐待の防止、障害者の養護者に対する支援等に関する法律第32条に規定されている。

194
〇
介護保険法第115条の46に規定されている。

195
〇
都道府県行動計画、市町村行動計画、一般事業主行動計画等について、次世代育成支援対策推進法第7条から第20条に定められている。

196
☑☑☑
市町村地域福祉計画は、社会福祉法に定められている。

197
☑☑☑
市町村障害児福祉計画は、障害者の日常生活及び社会生活を総合的に支援するための法律に定められている。

198
☑☑☑
市町村介護保険事業計画は介護保険法に定められている。

199
☑☑☑
市町村子ども・子育て支援事業計画は子ども・子育て支援法に定められている。

200
☑☑☑
市町村障害福祉計画は、障害者の日常生活及び社会生活を総合的に支援するための法律に規定されている。

201
☑☑☑
都道府県地域福祉支援計画は、市町村地域福祉計画を支援する事項を定めている。

196 **○** 社会福祉法第107条第1項に「市町村は、地域福祉の推進に関する事項として次に掲げる事項を一体的に定める計画（以下「市町村地域福祉計画」という。）を策定するよう努めるものとする」と定められている。

197 **✕** 児童福祉法第33条の20に「市町村は、基本指針に即して、障害児通所支援及び障害児相談支援の提供体制の確保その他障害児通所支援及び障害児相談支援の円滑な実施に関する計画（以下「市町村障害児福祉計画」という。）を定めるものとする」とされている。

198 **○** 介護保険法第117条第1項に「市町村は、基本指針に即して、3年を一期とする当該市町村が行う介護保険事業に係る保険給付の円滑な実施に関する計画（以下「市町村介護保険事業計画」という。）を定めるものとする」とされている。

199 **○** 子ども・子育て支援法第61条第1項に「市町村は、基本指針に即して、5年を一期とする教育・保育及び地域子ども・子育て支援事業の提供体制の確保その他この法律に基づく業務の円滑な実施に関する計画（以下「市町村子ども・子育て支援事業計画」という。）を定めるものとする」とされている。

200 **○** 市町村障害福祉計画は、障害者の日常生活及び社会生活を総合的に支援するための法律第88条に規定されている。市町村は、主務大臣が定める基本指針に基づき、3年ごとに障害福祉計画を作成する。

201 **○** 都道府県地域福祉支援計画は、社会福祉法第108条に定められている。市町村の地域福祉の支援に関する事項として、「地域福祉に関して共通して取り組むべき事項」「市町村の地域福祉の推進を支援するための基本的方針に関する事項」等を一体的に定める計画を策定する。

202 福祉サービス利用援助事業（日常生活自立支援事業）の
サービスの利用料は、原則として利用者が負担する。

203 福祉サービス利用援助事業（日常生活自立支援事業）で
は、利用者が申請することが可能である。

204 共同募金の事業は、社会福祉法人以外も実施できる。

205 社会福祉協議会は、地方公共団体が運営することが定め
られている。

206 第一種社会福祉事業は、国、地方公共団体または社会福
祉法人が経営することを原則とする。

207 株式会社は、第二種社会福祉事業を経営できない。

208 助産施設は、第一種社会福祉事業である。

209 母子生活支援施設は、第一種社会福祉事業である。

210 保育所は、第二種社会福祉事業である。

202
○

利用者は実施主体が定める利用料を負担する。

203
○

福祉サービス利用援助事業については、「利用希望者は、実施主体に対して申請（相談）を行う」として利用者本人が申請することも可能である。

204
×

共同募金は、社会福祉法人である共同募金会が実施している。社会福祉法第113条第3項では、「共同募金会以外の者は、共同募金事業を行ってはならない」と規定されている。

205
×

社会福祉協議会は、公的機関ではなく、民間の社会福祉活動を推進することを目的とした営利を目的としない民間組織である。

206
○

設問のとおり。社会福祉法第60条に定められている。

207
×

第二種社会福祉事業に実施主体の制限はない。

208
×

助産施設は入所施設ではあるが、第二種社会福祉事業に位置づけられている。

209
○

母子生活支援施設は入所施設であることから、第一種社会福祉事業に位置づけられている。

210
○

保育所は通所型で運営主体も国及び地方公共団体または社会福祉法人以外でも運営できることから、第二種社会福祉事業に位置づけられている。

211
☑☑☑
福祉サービス利用援助事業（日常生活自立支援事業）は、地域福祉権利擁護事業として開始され、2020（令和2）年度より日常生活自立支援事業に名称が変更された。

212
☑☑☑
福祉サービス利用援助事業（日常生活自立支援事業）は、認知症高齢者、精神障害者のうち判断能力が不十分な者を対象としており、知的障害者は対象外とされている。

213
☑☑☑
福祉サービス利用援助事業（日常生活自立支援事業）は、国庫補助事業として実施されている。

214
☑☑☑
福祉サービス利用援助事業（日常生活自立支援事業）は、住民の立場に立って相談に応じ、必要な支援を行う民生委員が実施主体とされている。

215
☑☑☑
共同募金及び共同募金会に関する基本的な事項は、「共同募金法」に規定されている。

216
☑☑☑
毎年12月に実施される「歳末たすけあい運動」は、共同募金の一環として行われている。

217
☑☑☑
共同募金は、地域福祉の推進を図るために行われている。

218
☑☑☑
共同募金による寄附金の公正な配分を行うために、共同募金会に配分委員会が置かれている。

211 ✕
地域福祉権利擁護事業は1999（平成11）年に始まり、2007（平成19）年に日常生活自立支援事業と名称変更された。

212 ✕
援助対象は、判断能力が不十分な者（認知症高齢者、知的障害者、精神障害者等であって、日常生活を営むのに必要なサービスを利用するための情報の入手、理解、判断、意思表示を本人のみでは適切に行うことが困難な者）であり、知的障害者も対象となっている。

213 ◯
日常生活自立支援事業は国庫補助事業であり、第二種社会福祉事業に規定された「福祉サービス利用援助事業」に該当する。

214 ✕
実施主体は民生委員ではなく、都道府県社会福祉協議会及び指定都市社会福祉協議会である。

215 ✕
共同募金法という法律はない。共同募金は「都道府県の区域を単位として、毎年1回、厚生労働大臣の定める期間内に限ってあまねく行う寄附金の募集」であると社会福祉法第112条に規定されている。

216 ◯
歳末たすけあい運動は、共同募金の一環として、住民の参加や理解を得て多様な福祉活動を展開するもので、「歳末たすけあい募金」も併せて実施している。

217 ◯
「その区域内における地域福祉の推進を図るため、その寄附金をその区域内において社会福祉事業、更生保護事業その他の社会福祉を目的とする事業を経営する者に配分することを目的」としていると社会福祉法第112条に規定されている。

218 ◯
社会福祉法第115条に、「寄附金の公正な配分に資するため、共同募金会に配分委員会を置く」と規定されている。

219
☑☑☑
「日本の将来推計人口（令和5年推計）」によると、少子高齢化が進行した結果、わが国の総人口は、2070年には8700万人に減少すると推計されている。

220
☑☑☑
厚生労働省の人口動態統計によると、出生数は、2016（平成28）年には約97.7万人と、統計開始以来はじめて100万人を割った。

221
☑☑☑
厚生労働省の人口動態統計によると、都道府県別の合計特殊出生率は、東京などの都市部において高く、地方において低い傾向にある。

222
☑☑☑
少子化社会対策基本法第2条（施策の基本理念）では、「少子化に対処するための施策は、父母その他の保護者が子育てについての（　①　）を有するとの認識の下に、国民の意識の変化、（　②　）の多様化等に十分留意しつつ、（　③　）の形成とあいまって、家庭や子育てに夢を持ち、かつ、次代の社会を担う子どもを安心して生み、育てることができる（　④　）を整備することを旨として講ぜられなければならない」と定められている。

223
☑☑☑
ファミリー・サポート・センターのサービス提供会員は、子育てを支援するボランティアであり、報酬を受け取らない。

224
☑☑☑
子育て支援の専門職として、保育所に家庭支援専門相談員を配置しなければならない。

219 ○
2056（令和38）年に日本の人口が1億人を割りこむであろうと予測されている。

220 ○
2016（平成28）年に100万人を割り込み、以降減少し続けている。2022（令和4）年は77万759人と調査開始以来、最少となった。

221 ✕
東京都1.04は国内最低で、沖縄県1.70が国内最高となっていることから、都市部のほうが低い傾向にあるといえる。

222 →
①第一義的責任、②生活様式、③男女共同参画社会、④環境。男女共同参画社会とは、「男女が、社会の対等な構成員として、自らの意思によって社会のあらゆる分野における活動に参画する機会が確保され、もって男女が均等に政治的、経済的、社会的及び文化的利益を享受することができ、かつ、共に責任を担うべき社会」をいう。

223 ✕
乳幼児や小学生等の児童を有する子育て中の労働者や主婦等を会員として、有料で児童の預かりの援助を受けることを希望する者と当該援助を行うことを希望する者との相互援助活動に関する連絡、調整を行う事業である。

224 ✕
保育所への家庭支援専門相談員の配置義務はない。家庭支援専門相談員（ファミリー・ソーシャルワーカー）は児童養護施設、乳児院、児童心理治療施設及び児童自立支援施設に配置義務がある。

225
☑☑☑
いじめ、不登校、暴力行為などの問題を抱える児童生徒の課題解決を図るため、学校等にスクールソーシャルワーカーの配置が進んでいる。

226
☑☑☑
子育て支援を強化するために、福祉事務所に子育て支援員の配置が進んでいる。

227
☑☑☑
「令和4年（2022）人口動態統計（確定数）」によると、合計特殊出生率は、最近6年間減少し続けている。

228
☑☑☑
「令和4年（2022）人口動態統計（確定数）」によると、周産期死亡率は、近年増加し続けている。

229
☑☑☑
「令和4年（2022）人口動態統計（確定数）」によると、都道府県別の合計特殊出生率をみると、最高値と最低値の差は0.5以上である。

230
☑☑☑
「令和4年（2022）人口動態統計（確定数）」によると、死亡原因の第1位は、悪性新生物である。

231
☑☑☑
「2023（令和5）年 国民生活基礎調査の概況」（令和6年7月5日厚生労働省）における2023（令和5）年の状況によると、児童のいる世帯のうち、核家族世帯は8割以上を占めている。

232
☑☑☑
「2023（令和5）年 国民生活基礎調査の概況」（令和6年7月5日厚生労働省）における2023（令和5）年の状況によると、児童のいる世帯は、全世帯の3割未満である。

225
○

スクールソーシャルワーカーは教育の分野に加え、社会福祉に関する専門的な知識や技術で、問題を抱えた児童・生徒に対し、当該児童・生徒が置かれた環境への働きかけや、関係機関等とのネットワークの構築など、多様な支援方法を用いて課題解決への対応を図っていく人材である。

226
×

社会福祉法第15条第1項で、福祉事務所における所員の配置について定められているが、子育て支援員の配置についての規定はない。

227
○

合計特殊出生率は最近6年で、おおよそ減少傾向にある。

228
×

周産期死亡率は、近年おおよそ減少傾向にある。

229
○

最高値は沖縄県の1.70、最低値は東京都の1.04であり、その差は0.66であり、0.5以上になっている。

230
○

死亡原因の第1位は「悪性新生物（腫瘍）」の38万5797人で死亡原因の24.6％を占めている。第2位が「心疾患」で23万2964人（14.8％）、第3位が「老衰」の17万9529人（11.4％）という結果になっている。

231
○

児童のいる世帯のうち、核家族世帯は810万6000世帯で、これは児童のいる世帯の82.4％にあたる。

232
○

児童のいる世帯は983万5000世帯で、全世帯の18.1％となっている。

233
☑☑☑ 「2023（令和5）年 国民生活基礎調査の概況」（令和6年7月5日厚生労働省）における2023（令和5）年の状況によると、平均世帯人員は、3人未満である。

234
☑☑☑ 「2023（令和5）年 国民生活基礎調査の概況」（令和6年7月5日厚生労働省）における2023（令和5）年の状況によると、65歳以上の者のいる世帯では、夫婦のみの世帯よりも、三世代世帯が多い。

233
○

世帯構造では、単独世帯が全世帯の34.0％で最も多く、平均世帯人員は、2.23人である。

234
✕

65歳以上の者のいる世帯では、「三世代世帯」が189万8000世帯（65歳以上の者のいる世帯の7.0％）で、「夫婦のみの世帯」の863万5000世帯（同32.0％）より少ない。

「社会福祉」は子どもや高齢者、障害者、生活困窮者の福祉についてなど、幅広く出題されるよ。

図表まとめ▶ 関連法令の主なポイント（制定順）

法律	制定年	キーワード	主な対象者
児童福祉法	1947 （昭和22）	児童福祉の基本理念、児童の定義	児童全般
身体障害者福祉法	1949 （昭和24）	18歳以上、身体障害者手帳	身体障害者
精神保健及び精神障害者の福祉に関する法律	1950 （昭和25）	精神障害者保健福祉手帳、精神障害者の定義	精神障害者
知的障害者福祉法	1960 （昭和35）	自立、社会経済活動参加促進	知的障害者
老人福祉法	1963 （昭和38）	老人福祉の原理	高齢者
母子及び父子並びに寡婦福祉法	1964 （昭和39）	母子家庭等や寡婦の生活安定と向上	母子等
介護保険法	1997 （平成9）	契約制度、利用者主体、介護老人保健施設	高齢者
児童虐待の防止等に関する法律	2000 （平成12）	早期発見、通告義務、親子再統合	児童全般
次世代育成支援対策推進法	2003 （平成15）	次世代育成支援対策推進センター、次世代育成支援対策地域協議会	子育て家庭
高齢者虐待の防止、高齢者の養護者に対する支援等に関する法律	2005 （平成17）	セルフネグレクト、高齢者権利擁護等推進事業、要介護者のレスパイトケア、介護相談員派遣等事業	高齢者
子ども・若者育成支援推進法	2009 （平成21）	ワンストップ相談窓口、ネットワークづくり	子育て家庭
子ども・子育て支援法	2012 （平成24）	施設型給付、地域型保育給付	子育て家庭
困難な問題を抱える女性への支援に関する法律	2022 （令和4）	女性相談支援センター、女性相談支援員、女性自立支援施設	女性全般
こども基本法	2022 （令和4）	こどもの権利、こどもまんなか社会、こども大綱、こども政策推進会議	児童全般

第 6 章

保育の心理学

胎児期から老年期にいたるまでの心の発達について学ぶ科目だよ。子どもや保護者だけでなく自分自身の心についても理解しよう。

001 「できる」「できない」で発達を捉える行為論的発達観と、「できることをやろうとする」「できないけれどやろうとする」という能力論的発達観がある。

002 発達は遺伝のみによって規定されるのではなく、社会・文化によっても規定される。

003 哺乳類は、生まれた時は未熟で自分の力で動きまわることのできる（ ① ）のものと、生まれた時からすでに成熟していて自力で移動することのできる（ ② ）の２つに分類することもできる。ヒトの場合は、胎児期から音声に反応して母親の声を聞き分けるなど、感覚や知覚の能力を有するが、運動能力が未発達な状態で生まれてくることから、（ ③ ）はこれを二次的（ ① ）と呼び、（ ④ ）という考え方で説明した。つまり、人間は大脳の発達が著しいため、十分な成熟を待って出産することは体の大きさの問題から難しく、約（ ⑤ ）早く未熟な状態で生まれるといわれている。

004 発達段階説によれば、発達を質的に捉え、それぞれの発達時期における特有の質的特徴で、他の時期から区別できるとみる。

005 相互作用説によれば、遺伝要因と環境要因が寄り集まり、足し合わされて、発達が進んでいくとみる。

006 バルテス（Baltes, P. B.）は、生涯発達を獲得と喪失、成長と衰退の混合したダイナミクスとして捉えた。

説明が逆である。「できることをやろうとする」「できないけれどやろうとする」は行為論的発達観で、「できる」「できない」が能力論的発達観である。

 遺伝と環境の両方に影響される。相互作用説の考え方が主流である。

 ①就巣性、②離巣性、③ポルトマン、④生理的早産、⑤１年。未熟な状態で生まれる哺乳類を、就巣性と呼ぶ（ネズミ、イヌなど）。成熟した状態で生まれる哺乳類を、離巣性と呼ぶ（ウマやキリンなど）。生理的早産説を唱えたのはポルトマンである。生理的早産説では、人間の状態を二次的就巣性とし、約１年早く未熟な状態で生まれるといわれている。

 例えばピアジェ（Piaget, J.）の認知発達段階など、認知構造の変化を視点として段階を区別している。このように各段階の質的変化に着眼することで発達段階を区分している。

 相互作用説は遺伝要因と環境要因の「掛け合わせ」、つまり相乗的な作用という考え方である。「足し合わせ」は輻輳説の考え方で、ルクセンブルガーの図式として知られている。

 バルテスは生涯発達の考え方を提唱した。生涯発達とは、人の成長の部分だけではなく、衰退も含め、「発達」と捉える考え方である。

007 ☑☑☑

ブロンフェンブレンナー（Bronfenbrenner, U.）は、（ ① ）を提唱した。保育所に通っている子どもが直接経験する環境である（ ② ）は、主に保育所と家庭である。この保育所と家庭は相互に関係しあい、（ ③ ）として機能する。例えば、子どもの父親の職場において、残業が当たり前で、定時には帰りづらいという雰囲気があると、父親の帰宅はいつも遅く、子どもが父親と過ごす時間が短くなるなど、父親の職場は間接的に子どもに影響するので、（ ④ ）といえる。

008 ☑☑☑

環境閾値説は、「ある行動や能力の発現には、その特質がもつ遺伝的なものと環境の最適さが関係する」とするものである。

009 ☑☑☑

ゲゼル（Gesell, A. L.）は、一卵性双生児の階段登りの実験の結果から、発達は基本的に神経系の成熟によって規定されるとした。

010 ☑☑☑

ワトソン（Watson, J. B.）は、成育初期に与えられたある種の経験が、後年の生理的・心理的な発達に消しがたい行動を形成させる期間として、臨界期の存在を明らかにした。

011 ☑☑☑

学習の成立にとって必要な個体の発達的素地、心身の準備性のことをレジリエンスという。

012 ☑☑☑

発達段階とは、ある時期の心身の機能や構造が前後と異なるというような量的な変化を想定して区切ったものである。

007 → ①生態学的システム論（生態学的環境システム、生態学的発達理論ともいう）、②マイクロシステム、③メゾシステム、④エクソシステム。ブロンフェンブレンナーは、生態学的システム論を唱え、子どもを取り巻く環境を入れ子状のモデルとして示した。第1層はマイクロシステム、第2層はメゾシステム、第3層はエクソシステム、第4層はマクロシステムと呼ぶ。

008 ○ 環境閾値説は、ジェンセン（Jensen, A. R.）が唱えた、遺伝と環境が相互に影響し合うと考える相互作用説の1つである。

009 ○ ゲゼルの成熟説（成熟優位説）の説明である。一卵性双生児の階段登りの実験とは、1人には幼いうちから階段登りの訓練を行い、もう1人には何もしなかったところ、体の成熟に伴い、最終的には両者に違いはなくなったという内容である。

010 ✕ 臨界期を唱えたのは、ローレンツ（Lorenz, K.）である。臨界期は人の場合、敏感期、感受性期と呼ぶこともある。

011 ✕ レジリエンスではなく、レディネスである。ゲゼルの理論で、成熟に伴い、運動機能等の準備状態が整ってくることをいう。

012 ✕ 量的ではなく質的な変化を想定して区切ったものといえる。

第6章 保育の心理学

013
☑☑☑
ピアジェ（Piaget, J.）による感覚運動期では、偶然自分の指が口に触れ、吸ってみた子どもが、そのことに興味があるというように繰り返し同じことをすることは、第1次循環反応である。

014
☑☑☑
ピアジェによる感覚運動期では、偶然、起き上がりこぼしを足で蹴って音が出ると、繰り返し足で蹴って音を出すことは、第2次循環反応である。

015
☑☑☑
ピアジェによる感覚運動期では、テーブルの上にある積み木をつかみ、床に落としたあと、別の積み木を違うやり方で投げてみるなど、いろいろ試してみることは、第3次循環反応である。

016
☑☑☑
エリクソン（Erikson, E. H.）は、青年期を（　①　）の時代と呼んだ。この用語は、（　②　）やある種の社会的責任に猶予が認められる期間の意味で用いられている。この期間に青年は職業生活に必要な知識や技術を獲得するだけでなく、内省力が増し、自分を見つめ、積極的に（　③　）を行い、（　④　）の確立を模索するといわれている。

017
☑☑☑
ピアジェは、物や現象の一部に注意が集中し、同時にいくつかの側面に注意を向けることが難しいことを脱中心化と呼んだ。

018
☑☑☑
ピアジェは、特に幼児では自他未分化のため、自分の視点や経験にとらわれて、ものごとを判断してしまうと考えた。

019
☑☑☑
ピアジェは、幼児期には、遊びの活動に伴ってリズミカルに繰り返される独語（ひとり言）が多く発せられるが、それが思考機能をもつことを実証した。

013 ○

第1次循環反応は、自分の体を使った行為そのものに興味がある行動を指す（生後1〜4か月、感覚運動期の2段階目）。

014 ○

第2次循環反応は、目と手の協応などを含んだ、繰り返しの行動を指す（生後4〜8か月、感覚運動期の3段階目）。

015 ○

第3次循環反応は、手段を変化させて、その結果の違いを見るような能動的な行動を指す（生後12〜18か月、感覚運動期の5段階目）。

016 →

①モラトリアム、②経済的自立、③社会的役割実験、④アイデンティティ。エリクソンは、人生を8段階に分け、それぞれの段階に発達課題を設定した。青年期は5段階目にあたる。モラトリアムには「猶予期間」の意味があり、ここでは経済的自立や社会的責任を達成するまでの猶予期間を示す。アイデンティティを確立するために、様々な試行錯誤を行うが、これを「社会的役割実験」という。

017 ✕

脱中心化とは、他者の視点に立って捉えることができるようになることをいう。

018 ○

自己中心性は、ピアジェの前操作的段階の特徴の1つである。

019 ✕

ピアジェは独語（ひとり言）のことを自己中心的言語と呼んだ。ただ、言葉遊びそのものが思考機能をもつことの実証はしていない。

020
☑☑☑
発達に関して、子どもが活動を通して知識を構成していくという能動性を重視した構成主義として、ピアジェの発達理論があげられる。

021
☑☑☑
成長は身体面の形態・構造の量的変化を指すのに対して、発達は心理・人格面の質的変化を指すとされるが、その区別は厳密ではない。

022
☑☑☑
発達には個人差があり、それには2種類の個人差を理解する必要がある。1つは個人間差であり、もう1つは個人内差であり、一般に個人差というと後者を指すことが多い。

023
☑☑☑
エリクソンの発達理論において、生涯は8つの段階に区分され、各段階はその時期に達成されるべき発達課題をもち、それを乗り越えることにより次の段階に進むという過程をたどる。

024
☑☑☑
エリクソンの発達理論において、学童期から青年期にあたる第4段階と第5段階では、「自主性 対 罪悪感」、「同一性 対 同一性の混乱」の危機がある。

025
☑☑☑
エリクソンの発達理論において、青年期はアイデンティティを模索する時期であり、モラトリアムの時期としている。

026
☑☑☑
エリクソンの発達理論において、アイデンティティとは、自己の連続性と斉一性についての感覚であり、「自分とは何か」についての答えである。

027
☑☑☑
乳児期の危機は「信頼 対 不信」である。

020 ○ ピアジェの理論は、発生的認識論、認知発達理論として知られている。

021 ○ 設問のとおり、「成長」と「発達」の区別は厳密ではない。

022 ✕ 個人差は、個人間差を指すことが一般的である。個人内差とは、例えば言語の能力と運動能力の差など、個人の能力のバランスのことを指す。

023 ○ 人生を8段階に分けたこと、各段階に危機（心理社会的危機、あるいは発達課題ともいう）を示したことが、エリクソンの理論の特徴である。

024 ✕ 第4段階は「勤勉性 対 劣等感」である。小学校の勉強が始まり、多くのことを学ぶ時期である。「自主性 対 罪悪感」は第3段階の幼児期後期の危機である。

025 ○ 青年期は第5段階である。

026 ○ アイデンティティは、同一性あるいは自我同一性とも呼ばれている。

027 ○ 第1段階である乳児期では、基本的信頼感を得ることが最大のテーマである。

028
☑☑☑
「お誕生日にママとレストランに行って、ピザを食べたよ」と、久しぶりに会った人に言うことは、短期記憶といえる。

029
☑☑☑
「クレヨンと、のりと、はさみを出してね」と言われ、お道具箱の中から指示通りに持ってくることは、エピソード記憶といえる。

030
☑☑☑
保育所で読み聞かせしてもらった絵本の内容を他者に話すことは、記憶の再生といえる。

031
☑☑☑
おつかいを頼まれて、買うものを何度も声に出して忘れないように繰り返すことは、リハーサルといえる。

032
☑☑☑
「ご褒美に欲しい物を買ってもらえるから」「先生に褒めてもらえるから」など他の欲求を満たすための手段としてある行動を生じさせることを（ ① ）、「興味があるから」「面白いから」など行動自体を目的としてある行動を生じさせることを（ ② ）という。（ ② ）に基づく行動に対して外的な報酬を与えることによって、（ ② ）が低下することを（ ③ ）という。これは、「他者にコントロールされて行動している」「報酬のために行動している」と認識するようになり、（ ④ ）が損なわれるためである。

033
☑☑☑
ヒトの脳の発達は、可塑性（変化できる力）が強いため、認知・言語、社会・情緒的発達には、感受期（脳の発達に対して経験の影響が特に強い時期）は存在しない。

028 ✕	出来事についての記憶（「いつ」「どこで」などが含まれているような記憶）をエピソード記憶という。

029 ✕	比較的短い時間の記憶を短期記憶という。

030 ◯	何も手がかりがない状態で思い出すことを再生という。一方で、手がかり（ヒント）がある状態で思い出すことを再認という。

031 ◯	忘れないために、何度も復唱することをリハーサルという。

032 →	①外発的動機づけ、②内発的動機づけ、③アンダーマイニング現象、④自律性。動機づけとはいわゆる「やる気」のことで、モチベーションとも呼ばれる。子どもの知的好奇心は、内発的動機づけの考え方がもとになっているといえる。

033 ✕	例えば愛着形成、母国語の習得など、感受期があるといわれている。動物の研究例では、臨界期と定義されているが、ヒトの場合はその時期を逃しても致命的にはならないという考え方から、感受期あるいは敏感期と呼ばれている。

034
☑☑☑
環境的要因が種々のパーソナリティ要素の形成に影響を与える強さは、遺伝的要因より圧倒的に強い。

035
☑☑☑
月齢5か月の子どもが、見知らぬ人のかかわりに笑顔で応えた場合、無差別的愛着と推測され、愛着形成の問題を懸念する必要がある。

036
☑☑☑
子どもが幼児期までに聞いている言葉の数の総数は、環境によって大きな差が生じるが、この差は9、10歳での読字理解や言語テストの結果に影響を与える。

037
☑☑☑
アタッチメント（愛着）とは、自らが「安全であるという感覚」を確保しようとする個体の本性に基づいて、危機的状況あるいは潜在的な危機に備え、特定の対象への接近・接触を求め維持しようとする傾向と定義される。

038
☑☑☑
乳幼児と養育者の関係性は、乳幼児の社会・情緒的発達に影響を与える。

039
☑☑☑
養育者のもつ子どもについての認知、イメージ、表象は、子どもの親に対する行動のパターンには、ほとんど影響を与えない。

040
☑☑☑
保育士と乳幼児との関係性は、小学校、中学校での社会・情緒的発達に影響を与えない。

041
☑☑☑
新生児が、大人の話しかけに同期して自分の体を動かすクーイングと呼ばれる現象が報告されている。

042
☑☑☑
新生児が数人いる部屋で、一人が泣きだすと、ほかの新生児も泣きだすことがよくみられる。この現象は社会的参照と呼ばれる。

034
×
発達には遺伝的要因も環境的要因も関係している。どちらかが圧倒的に強いとはいえない。

035
×
見知らぬ人との区別がはっきりしてくるのは7〜8か月頃であり、5か月頃はまだ愛着関係の形成中といえる。

036
〇
言葉の発達は、話しかける量など、子どもを取り巻く環境の影響を受けやすい。

037
〇
アタッチメントとは、特定の人との間に形成される情緒的な絆のことをいう。この理論を唱えたのはボウルビィ（Bowlby, J.）である。

038
〇
乳幼児と養育者のかかわりは、発達に大きな影響を与える。

039
×
養育者のもつ子どもについての認知等は、子どもの親への行動パターンに影響を与える。

040
×
乳幼児期にかかわりのあった保育士との関係は、その後の人間関係にも影響を与えうる。

041
×
クーイングではなく、エントレインメントである。

042
×
社会的参照ではなく、情動伝染である。

043
☑☑☑
乳児の身体に比して大きな頭、丸みをもった体つき、顔の中央よりやや下に位置する大きな目、といった身体的特徴は幼児図式と呼ばれ、養育行動を引き出す効果があると考えられている。

044
☑☑☑
乳児は特定の人との間にアタッチメント（愛着）を形成し、不安や恐れの感情が生じるとその人にしがみつく、あるいはくっついていようとする。

045
☑☑☑
教育と心的機能の発達の相互作用に関する理論の中で（　①　）は、子どもが自力で課題を解決できる限界である（　②　）水準と、大人の援助や指導を受けることによって解決が可能となる（　③　）可能水準があるとした。この二つの水準の間の領域を（　④　）と呼んだ。教育的働きかけは、この範囲に対してなされなければ子どもの発達に貢献できないし、また、教育は（　④　）をつくり出すように配慮しなければならない。

046
☑☑☑
ボウルビィ（Bowlby, J.）によれば、アタッチメント（愛着）の発達には４つの段階があり、分離不安や人見知りがみられるのは最終段階である。

047
☑☑☑
子どもが周囲のものや人に自ら関わろうとして上手くいかない時、愛着関係のある保育士の存在は、子どもにとっての安全基地となる。

048
☑☑☑
エインズワース（Ainsworth, M. D. S.）はアタッチメント（愛着）の個人差を調べるために、ストレンジ・シチュエーション法を考案した。

049
☑☑☑
表象能力の発達によって、愛着対象に物理的に近接しなくても、そのイメージを心の拠り所として利用できるようになり、安心感を得られるようになる。

043
○

幼児図式について、ローレンツ（Lorenz, K.）は動物行動学の研究を行い、動物の幼少期には共通の特徴があることを示した。例えば身体に比べて大きな顔、丸みを帯びた顔や体つきなどである。

044
○

しがみついたり、くっついたりする行動は、愛着行動と呼ばれている。

045
→

①ヴィゴツキー、②現時点での発達、③潜在的な発達、④発達の最近接領域。ヴィゴツキーの理論である。ヴィゴツキーは、難しすぎず、簡単すぎない課題に接したときに、子どものモチベーションが高まると考えた。

046
×

ボウルビィによると、アタッチメント（愛着）の発達には4つの段階があり、そのうち分離不安や人見知りがみられるのは、3段階目あたりである。最終段階では愛着対象がそばにいなくても情緒的に安定が保てるようになる。

047
○

安全基地の存在があることで、安心して探索活動を行うことができるようになる。

048
○

回避型、安定型、アンビバレント型（抵抗型）の3つに分類し、さらにいずれにも分類できない無秩序型を追加した。

049
○

これは内的ワーキングモデルと呼ばれる。愛着対象となる人物を心の中にイメージとして描けるようになってくる。

050 新生児の視力では、周囲はぼんやりとしている。また焦点距離は20cm程度で、抱っこされたときには相手の顔がよく見える。

051 乳児期の最初のうちは、仰向けの姿勢の目の前で、がらがらを左右や上下方向に動かすと線として追視し、支え座りができる5か月頃には、円を描いて動くがらがらをなめらかに追視する。

052 生後1か月頃には、単色の単純な刺激と、同心円模様、新聞の一部、顔の絵といった複雑な刺激を対にして見せられると、より複雑な刺激、特に顔図形を好んで注視する。

053 生後4か月頃には、青、緑、黄、赤をそれぞれ異なる色として識別するようになる。

054 妊娠初期は、つわりなど心身両面で、適応していくことが必要となる時期であるため、自分自身に関心が向き、生活やキャリアへの不安が強まることが多い。

055 胎動を通して母性が目覚め、母親は胎児の心の状態やパーソナリティなどについて様々な想像をめぐらすことは、出産直後の赤ちゃんとの相互作用に影響を及ぼす。

056 乳幼児と接している時間が母親は長いことが多いので、育児に対する肯定的感情も否定的感情も同様に極めて高い。

057 妊娠そのものを喜ぶことができず、受け入れることができない母親は、生まれた後の子どもとの関係性や育児態度に深刻な影響をもたらす可能性が高い。

050 ○ 新生児の視力は0.01～0.1ぐらいで、焦点距離（ピント）は20cm程度といわれている。

051 ○ 追視とは動いている玩具や養育者などを目で追うことをいう。生後1～2か月ぐらいからできるようになるといわれている。

052 ✕ 人の顔を注視することは、生後5日以内の新生児でもみられる。ファンツの選好注視法の実験として、よく知られている。

053 ○ 生後4か月頃から色の識別ができるようになる。

054 ○ 妊娠初期は流産しやすく、ホルモンバランスも妊娠前と違ってくるなど、体調が不安定である。

055 ○ 安定期に入ると、胎動が感じられるようになり、これから親になるという実感も湧いてくるといわれている。

056 ✕ 個人差もあるが、肯定的感情も否定的感情も、極めて高いとは言い切れない。

057 ○ 望まない妊娠をした場合、出産後の育児態度に影響をもたらすといわれている。

058 ☑☑☑
相手の行動を観察し、その人の意図、期待、信念、願望などを理解するようになると、相手の行動を説明したり、予測したりするようになることを「心の理論」という。

059 ☑☑☑
文化的に規定され、ステレオタイプ化された知識で、日常的な出来事を理解したり解釈したりできるようになることを「オペラント学習」という。

060 ☑☑☑
内発的動機づけを構成する要素で、自分の知らないことに興味をもったり、興味をもったものを深く探究したりしようとすることを「知的好奇心」という。

061 ☑☑☑
ある行動をすると、特定の環境変化が引き続いて生じることに気づいて、その行動を繰り返し行うようになることを「スクリプト」という。

062 ☑☑☑
2歳頃になると、心の中に（ ① ）が形成され、直接経験していない世界について考えられるようになり、その場にいないモデルの真似をしたり、見立てる遊びをしたりする姿が見られる。

063 ☑☑☑
幼児には、自分の体験を離れて、他者の立場から見え方や考え方、感じ方を推測することが難しい（ ① ）がみられる。

064 ☑☑☑
幼児は、人が内面の世界を持っているということ、心あるいは精神を持っているということに気付きはじめ、その理解を（ ① ）と呼ぶ。

065 ☑☑☑
幼児の思考は、直接の知覚や行為に影響を受けやすく、例えば（ ① ）課題では、物の知覚が変化しても物の本質は変わらないということを考慮できず、見え方が変化すると数や量まで変化すると判断する。

相手の心の動きを理解したり、類推できるようになることを、心の理論の成立という。

もともと脚本という意味の、スクリプトという。例えば保育現場で、子どもが一日の流れを見通しをもって過ごせるようになることを、スクリプトの獲得という。

内発的動機づけは、知的好奇心が原動力となる。動機づけは「やる気」、あるいは「モチベーション」のことである。

ある行動の結果が、次の行動へつながるのは、オペラント学習という。例えば挨拶をしてほめられたことを経験し、自分から進んで挨拶をするようになるといったことである。

①表象。心の中にイメージを浮かべることができるようになる。

①自己中心性。他者の視点でとらえられるようになることを、「脱中心化」と呼ぶ。

①心の理論。4歳ぐらいに獲得できるといわれている。心の理論が獲得できたかどうかを調べる課題は誤信念課題と呼ばれる。

①保存。保存の概念には、数の保存、液体量の保存、長さの保存、重さの保存などがある。

066

☑☑☑

育児不安とは、親が育児に自信をなくし、育児の相談相手がいない孤立感や、何となくイライラするなど、育児へのネガティブな感情や育児困難な状態であることをいう。育児ノイローゼや育児ストレスという表現も用いられる。

067

☑☑☑

産後うつ病は、いわゆるマタニティブルーズと呼ばれるものであり、出産後急激に女性ホルモンが減少することによって情緒不安定になり、訳もなく涙が出る、不安感や抑うつ感などの精神症状、また不眠などを示す一過性の症状である。

068

☑☑☑

養護性（ナーチュランス）とは、「小さくて弱いものを見ると慈しみ育もうという気持ち」になる心の働きをいう。養護性は性別に限らず誰もが持っている特性である。

069

☑☑☑

親準備性とは、まだ乳幼児を育てた経験のない思春期・青年期の人の、子育てに関する知識や技能、子どもへの関心、親になる楽しみなど、親になるための心理的な準備状態や態度などをいう。

070

☑☑☑

低学年では、具体的な事物については論理的思考ができるようになる。また、不特定多数の聞き手を意識して発言することが求められるようになる。

071

☑☑☑

学校生活の中では、自己概念は現実的で複雑になるため、社会的比較をすることにより劣等感を抱いたり、自尊心が低下したりすることがある。

072

☑☑☑

学童期は、学年が上がるとともに記憶のための方略が多様化し、自分の思考を振り返るメタ認知能力が発達していく。

066
○

育児に対する負担感や不安感については、「育児不安」「育児ストレス」といった用語で概念化されている。

067
×

産後うつ病とマタニティブルーズは別のものである。マタニティブルーズは2週間程度で改善するといわれているが、産後うつ病はうつ病の1つであるため、長期化する場合は医療機関において治療が必要となる。

068
○

最近では「父性」「母性」という表現から、性別問わず持っている「養護性」という呼び方に置き換えられるようになってきている。

069
○

保育体験学習などを取り入れている高等学校もある。

070
○

学童期は児童期ともいわれ、小学校の6年間の時期である。ピアジェ（Piaget, J.）のいう具体的操作期に入る。

071
○

他者と比較するようになり、自分の評価を下げることがある。

072
○

メタ認知とは、自分の考え方や心の内を、自分で観察するという感覚、つまりモニタリングすることをいう。例えば試験勉強で、「私はこれを覚えていない」とわかることである。

073
☑☑☑
仲間関係の発達について、気に入らない他児を仲間はずれにする、悪いうわさ話を流すなど仲間関係を操作することによって相手を傷つける攻撃は関係性攻撃と呼ばれる。

074
☑☑☑
仲間関係の発達について、チャムグループでは、同じ持ち物を持つなど「互いが同じであること」を確認し合う行動がよくみられる。

075
☑☑☑
仲間関係の発達について、ピアグループは同性の同年齢集団であり、異なった考えをもつ者がいることも認め、互いの意見をぶつけ合うことができるような関係であるという特徴がある。

076
☑☑☑
学童期の発達として、善悪の判断が、行為の意図を重視する判断から、行為の結果を重視する判断へと移行する。

077
☑☑☑
学童期の発達として、ピアグループと呼ばれる小集団を形成する。この集団は、多くの場合、同性、同年齢のメンバーで構成され、強い閉鎖性や排他性をもち、大人からの干渉を極力避けようとする。

078
☑☑☑
学童期の発達として、保存概念を獲得し、外見的特徴や見かけに左右されずに、物事を論理的に考えて理解することができるようになっていく。

079
☑☑☑
エリクソン（Erikson, E. H.）は、学童期の心理社会的危機を「勤勉性 対 劣等感」としている。

073
○

関係性攻撃は間接的な攻撃行動である。

074
○

チャムグループは中学生頃にみられ、共通の趣味や関心でつながる仲間関係のことをいう。

075
✕

ピアグループは高校生頃からみられ、対象は異年齢、異性も含んでいる。同性の同年齢集団が特徴であるのはギャンググループである。

076
✕

ピアジェは道徳的判断の発達過程として、善悪の判断は、行為の結果を重視する判断から、行為の意図（つまり動機）を重視する判断へと移行すると述べた。動機よりも結果に基づいて物事の善悪を判断することは、道徳的実念論という。

077
✕

ピアグループではなく、ギャンググループを形成する。小学校中高学年頃は、ギャングエイジといわれる。

078
○

保存概念が獲得できるのは、ピアジェのいう具体的操作期にあたる。見かけにとらわれないで物事を判断したり、考えたりできるようになる。

079
○

エリクソンの示した8つの発達段階のうち、学童期は4段階目にあたる。学校の勉強に限らず、多くを学び吸収する勤勉性を習得する時期である。

080 ☑☑☑
知能には、加齢の影響を受けやすいものと受けにくいものがあり、結晶性知能は成人期以降減衰するが流動性知能は高齢期でも低下しにくい。

081 ☑☑☑
身体機能は、加齢に伴い程度の差はあるものの少しずつ低下する。聴覚では母音、低音域の音、ゆっくりしたテンポでの聞き取りづらさを感じる人が多くなる。

082 ☑☑☑
中年期では、女性は閉経を迎えてエストロゲンの分泌が低下することにより、更年期障害と呼ばれる諸症状が現れやすい。

083 ☑☑☑
エリクソン（Erikson, E. H.）は、中年期の心理・社会的危機を「親密性 対 孤独」としている。

084 ☑☑☑
中年期では、子どもの自立に伴い親役割の喪失が生じることで「空の巣症候群」が生じ、何をすればよいかわからなくなって無気力になったり、抑うつ状態になったりする場合がある。

085 ☑☑☑
中年期では、自分とは何者であるのかに悩み、様々なものに取り組んで、初めてアイデンティティを模索する。

086 ☑☑☑
高齢になると生理的予備能力が低下し、ストレスに対する脆弱性が亢進して（ ① ）を引き起こしやすくなる。この状態をフレイルという。フレイルは病気を意味するのではなく、老化の過程で生じる「（ ② ）や健康を失いやすい状態」で、(1) 体重減少、(2) 筋力低下、(3) 疲労感、(4) 歩行速度の低下、(5) 身体活動の低下のうち、3つ以上が該当する場合をいい、その予防が（ ③ ）の延伸にかかわる。健康、生存、生活満足感の3つが結合した状態を（ ④ ）という。

080 ✕

流動性知能と結晶性知能が逆である。高齢期でも低下しにくいのは結晶性知能である。

081 ✕

聞き取りづらくなるのは、子音、高音域、速いテンポである。

082 ◯

更年期を迎え、心身ともにバランスを崩しやすくなるといわれている。

083 ✕

エリクソンの発達段階では、中年期（7段階目）の心理・社会的危機は「生殖性（世代性）対 停滞」である。「親密性 対 孤独（孤立）」は成人期（6段階目）である。

084 ◯

空の巣症候群は、子育てに生きがいを感じていた親が、子どもが進学や就職で家を離れたことをきっかけに、うつ状態に陥ってしまう状態をいう。

085 ✕

アイデンティティの模索は青年期の位置づけである。エリクソンの発達段階では5段階目にあたる。

086 →

①不健康、②自立機能、③健康寿命、④サクセスフル・エイジング。サクセスフル・エイジングは、高齢期のネガティブな側面だけでなく、ポジティブな側面に注目した概念として使われている言葉である。

087
☑☑☑
乳児期、(①)を獲得すると、遊んでいたおもちゃを隠されて見えなくても存在していることを理解している。

088
☑☑☑
1歳半を過ぎ、自発的に表現できる単語数が50語を超えた頃に、急激に語彙が増える。これを語彙般化という。

089
☑☑☑
「ママ」は単語であるが、乳幼児の発話場面では状況に応じて「ママがいない」「ママのくつだ」のように、文と同じように様々な意味を相手に伝えている。これを一語文という。

090
☑☑☑
新生児が大人が話しかける言語の語、音節、音素の切れ目に同調してリズミカルに身体部位を動かすことは、外在的要因といえる。

091
☑☑☑
保育者が「○○どれ？」と目や口などの身体の部位をたずねたり、車や犬など絵に描かれているものをたずねたりすると、子どもは聞かれたものを指さすことができる。これを、応答の指差しという。

092
☑☑☑
子どもは、保育者が子どもの目の前でくまのぬいぐるみを揺らしながら「ほら、くまさんよ」と注意をひくと、そのぬいぐるみを見るようになる。これを、二項関係という。

093
☑☑☑
子どもは、指さしによって自分の思いを伝えることができるようになってくる。子どもが、犬を見つけた時「あ！」と声をあげて指さしをして、保育者に「見て」「見つけたよ」などの思いを伝えるようになる。

094
☑☑☑
乳幼児における言語の発達について、2か月頃から、機嫌のよい時に、喉の奥からやわらかい発声をすることをクーイングという。

087 →	①物の永続性。目の前からなくなっても、それが存在していることが理解できるようになるのが、「物の永続性」の獲得である。
088 ×	語彙般化ではなく、この時期は語彙の爆発期と呼ばれる。
089 ○	一語文は、1つの言葉で文と同じような機能を果たす言葉である。
090 ×	音に対する身体的反応は内在的要因である。同調して身体を動かすことを、エントレインメントという。
091 ○	たずねられたものに返答する指さしを応答の指差しという。
092 ○	子どもはぬいぐるみに注目している。つまり子どもとものとの二項関係となる。
093 ○	自分が訴えたいことを、指さしによって表そうとすることを、叙述の指差しという。
094 ○	鳩の鳴き声に似ていることから、クーイングと呼ばれている。

095 ☑☑☑
乳幼児における言語の発達について、6か月以降の乳児期後半に、「ババ」「ママ」のような子音と母音の連続である規準喃語を発するようになる。

096 ☑☑☑
乳幼児における言語の発達について、1歳頃になると、初めて意味のある言葉を発するようになるが、これをジャーゴンという。

097 ☑☑☑
乳幼児における言語の発達について、1歳半頃には、ものの名前を尋ねるようになるが、これを第二質問期という。

098 ☑☑☑
ヴィゴツキー（Vygotsky, L. S.）は、子どもは環境の中に埋め込まれている情報を見出しながら行動を起こしており、環境は子どもが関わるものにとどまらず、環境が子どもに働きかけていると指摘した。

099 ☑☑☑
ヴィゴツキーは、子どもの発達には、他者の援助がなくても独力で達成できる水準と、他者の援助があれば達成できる水準の2つがあり、他者との関わり合いの中で発達は促されていくと指摘した。

100 ☑☑☑
ヴィゴツキーは、子どものひとりごとは、他者に向かうコミュニケーションのための言葉が、自分に向かう思考のための言葉となっていく過程で現れると指摘した。

101 ☑☑☑
三項関係とは、「人―もの―自分」の三者のことを指す。

102 ☑☑☑
共同注意とは、自分と他者が、1つの共通した対象に注意を向けることである。

095
○

6か月以降になると、子音と母音が明瞭な聞き取りやすい規準喃語や、「ダダダダ」「ブブブブ」のような同じ音を反復する反復喃語が多く聞かれるようになる。

096
✕

設問は、初語の説明である。ジャーゴン（ジャルゴン）とは、言葉以前にあらわれる、母国語にリズムやイントネーションがそっくりの発声のことをいう。

097
✕

設問は、第一質問期（命名期）の説明である。第二質問期は幼児期後期にみられ、「どうして？」「なんで？」など、物事のしくみや因果を尋ねるようになる。

098
✕

環境が子どもに働きかけているという考え方は、ギブソン（Gibson, J. J.）のアフォーダンス理論である。

099
○

2つの水準の間を発達の最近接領域と呼ぶ。一人ひとりの領域を見きわめ、この領域に適切に働きかけることが大切だと考えた。

100
○

コミュニケーションの言葉を外言（がいげん）と呼び、思考の言葉を内言（ないげん）と呼ぶ。

101
○

乳児を抱いている母親が「わんわんだね」と指し示す場面において、母親、犬、乳児の三者の関係が三項関係にあたる。

102
○

共同注意とは、自分と他者が1つの共通した対象に注意を向けることであり、こうしたやりとりは言葉によるコミュニケーションの基礎となる。

103
☑☑☑

共鳴動作とは、目の前の人の表情や動作を真似する行動のことである。

104
☑☑☑

情動調整とは、自分の情動をコントロール（調整）することである。

105
☑☑☑

4～5名の子どもたちが砂山をつくり、「どうやってトンネルをつくる?」「ここ、押さえて」など言い合いながら川を掘っている様子を、並行遊びという。

106
☑☑☑

一人でかごに入っているお手玉をお玉ですくい上げては、鍋に移すことを繰り返している様子は、一人遊びという。

107
☑☑☑

ほかの子がしているのと同じように、かごに入ったお手玉をお玉ですくい鍋に移し始めた様子を、協同遊びという。

108
☑☑☑

「ピザです。ピザです」と言いながら、お手玉を配り歩いていた様子は、象徴遊びという。

109
☑☑☑

スピッツ（Spitz, R. A.）は、見慣れた人と見知らぬ人を区別し、見知らぬ人があやそうとすると視線をそらしたり、泣き叫ぶなど不安を示す乳児期の行動を「6か月不安」と呼んだ。

110
☑☑☑

乳児期の後半には、不安や困惑がある際に養育者の表情を確認し、自分の行動を決定するような社会的統制を行う。

103 ○ 共鳴動作とは、目の前の人の表情や動作を真似する行動のことで、無意識的に相手の行動を反復することである。

104 ○ 情動とは、喜び、悲しみ、怒りといった一時的で急激な感情のことをいう。

105 ✕ 設問は協同遊びの説明である。役割分担やルールなどがある、組織化された遊びの形を指す。

106 ○ 一人遊びとは、他児に影響されず、自分の遊びをしている状態を指す。

107 ✕ 設問は並行遊びの説明であり、平行遊びと表すこともある。例えば砂場で、それぞれが山をつくったり、トンネルを掘ったりしているなど、同じ場所で同じ遊びをしながらも交流はしていない状態を指す。

108 ○ 象徴遊びとは、積み木をバスに、葉っぱをお皿になど、ある物を別の何かに見立てる遊び方のことである。

109 ✕ 「6か月不安」ではなく、正しくは「8か月不安」である。いわゆる人見知りのことである。

110 ✕ 「社会的統制」ではなく、正しくは「社会的参照」である。乳児期の後半になると、信頼する他者の表情を見て、自分の行動を判断できるようになる。

111
☑☑☑

2〜3か月頃の乳児は、単色などの単純な刺激と人の顔の絵などの複雑な刺激を見せられると、特に顔の絵などを好んで注視する傾向にある。

112
☑☑☑

新生児は、周囲の刺激とは関係なく微笑む。これはあやされることによって生ずるのではなく、身体の生理的な状況によって生起する。

111
○

ファンツ（Fantz, R. S.）の選好注視法の実験として知られている。この実験において、人の顔が描かれている円盤をほかの絵に比べて長い間注視することが明らかになった。

112
○

これは新生児微笑（あるいは自発的微笑、生理的微笑）と呼ばれる。微笑はやがて、人に対して笑いかけるなど、社会的微笑へと変わっていく。

「保育の心理学」では、胎児期から老年期にいたるまでの心の発達について勉強するよ。

113 文部科学省の不登校の定義において、何らかの心理的、情緒的、身体的、あるいは社会要因・背景により、児童生徒が登校しないあるいはしたくともできない状況があげられている。

114 1歳以上3歳未満児では、排泄の自立のための身体的機能も整うので、便器での排泄に慣れ、自分で排泄ができるようになることを目指す。

115 反応性アタッチメント（愛着）障害は、心理的環境要因が主な原因と考えられる。

116 心的外傷後ストレス障害は、心理的環境要因が主な原因と考えられる。

117 自閉スペクトラム症は、心理的環境要因が主な原因と考えられる。

118 知的能力障害は、心理的環境要因が主な原因と考えられる。

119 児童虐待は、子どもの社会・情緒的発達に影響を与えるが、脳の実質に変化を与える（器質的問題を生じる）可能性はない。

120 児童が大切にしているものを、親が傷つけたり捨てたりするとおどすことは、心理的虐待である。

113 ○
不登校児童生徒の定義では、さらに「登校しないあるいはしたくともできない状況にあるため年間30日以上欠席した者のうち、病気や経済的な理由による者を除いたもの」と続いている。

114 ○
保育所保育指針第2章「保育の内容」の2「1歳以上3歳未満児の保育に関わるねらい及び内容」の（1）「基本的事項」のアに、「基本的な運動機能が次第に発達し、排泄の自立のための身体的機能も整うようになる」とされている。

115 ○
反応性アタッチメント（愛着）障害は、愛着形成が正常になされなかったときに生じる様々な問題のことで、主に反応性愛着障害と脱抑制性愛着障害に分類される。

116 ○
心的外傷後ストレス障害（PTSD）は、強いショックを受けたり、生命の危機にさらされるような出来事にあったことがきっかけで、心身に支障をきたすストレス障害である。

117 ×
自閉スペクトラム症は発達障害の1つである。脳機能障害が主な原因と考えられる。

118 ×
知的能力障害は、知的障害、精神遅滞とも呼ばれている。原因は出生前の染色体異常、出生後の外傷、このほか原因不明のものも含め、多岐にわたる。

119 ×
身体的虐待による頭部の外傷が考えられる。また、劣悪な養育環境により脳の発達が妨げられ、知的障害などの原因になる可能性も考えられる。

120 ○
恫喝するなど心理的外傷を与えることは心理的虐待である。

121 ☑☑☑ 児童の前で父親が母親に暴力をふるうことは、心理的虐待である。

122 ☑☑☑ 児童に自分自身を傷つけるよう強要することは、心理的虐待である。

123 ☑☑☑ 児童に他者の性的満足をもたらす行為にかかわるよう強要することは、心理的虐待である。

124 ☑☑☑ 常に幼児の衣服が汚れていることは、被虐待を疑わせる兆候である。

125 ☑☑☑ 幼児の痩せが目立ち、給食を大量に食べることは、幼児の被虐待を疑わせる兆候である。

126 ☑☑☑ 幼児に外傷として不自然な部位にあざがあることは、幼児の被虐待を疑わせる兆候である。

127 ☑☑☑ 「新版K式発達検査2020」は0歳児から成人までの測定が可能であり、「姿勢・運動領域」「認知・適応領域」「言語・社会領域」の3領域で構成されている。

128 ☑☑☑ ウェクスラー式の知能検査では、知的水準が同年齢集団の中でどのあたりに位置するかを表す偏差知能指数が用いられている。

121 ⭕

配偶者への暴力行為を見せることは心理的虐待である。

122 ⭕

心理的外傷を与える言動は心理的虐待である。

123 ❌

設問は性的虐待についての説明である。

124 ⭕

衣服の汚れが常にある状態は、ネグレクト（育児放棄）の可能性がある。

125 ⭕

食欲があるにもかかわらず、痩せているという状態は、栄養失調など食事情に問題があること（ネグレクト）が疑われる。

126 ⭕

あざは身体的虐待が疑われる。

127 ⭕

新版K式発達検査2020は、対面で実施する形式の発達検査である。

128 ⭕

偏差知能指数（偏差IQ）は単に知能指数（IQ）と呼ぶこともある。ウェクスラー式の知能検査には、幼児を対象としたWPPSI（ウィプシ）、児童を対象としたWISC（ウィスク）、成人を対象としたWAIS（ウェイス）の3種類がある。

129
☑☑☑

発達検査の中には、知能検査のように検査用具を用いて実際に子どもに実施する形式のものと、保護者などがつける質問紙形式のものがある。

130
☑☑☑

観察法について、観察したい行動の目録を作成し、その行動が生起すればチェックするやり方を時間見本法という。

131
☑☑☑

観察法について、観察する時間や回数を決めて、その間に生起する行動を観察することを行動目録法という。

132
☑☑☑

観察法について、観察対象となる人に、観察者が関わりながら観察することを関与観察、あるいは参加観察という。

133
☑☑☑

観察対象がありのままに生活や遊びをしている状況で観察を行う方法を、自然観察法という。

134
☑☑☑

条件や状況を操作・統制して観察を行う方法を、実験的観察法という。

135
☑☑☑

発達変化を捉えるために、同一の対象者を長期間にわたって調べる方法を、横断的方法という。

136
☑☑☑

調査したい事柄や目標はあるものの、具体的な質問は「○○について」というきっかけの質問に始まり、対象者の自由な語りを引き出すような面接を、非構造化面接という。

129
○

保護者などからの聞き取りを主体とする発達検査には、津守式乳幼児精神発達検査などがある。

130
×

設問は行動目録法の説明である。

131
×

設問は時間見本法の説明である。

132
○

観察者が関わりをもたず、ワンウェイミラー越しや、ビデオを通して観察する方法は、非参加観察法という。

133
○

対象者の行動に何も統制を加えず、生活空間内の日常をそのまま観察する方法を自然観察法という。

134
○

特定の行動や特定の場面での様子を観察する方法を実験的観察法という。

135
×

データ収集法として、横断的方法と縦断的方法があり、同一の集団について追跡調査し、異なる年齢時の測定結果を比較する方法を縦断的方法という。一方、横断的方法は、年齢の異なるいくつかの集団を同時期に調査して、その結果を比較する方法である。

136
○

面接法には3種類ある。あらかじめ質問項目が決められている方法を構造化面接という。会話の流れに沿って、柔軟に進めていくものを非構造化面接、あらかじめ質問項目は決められているものの、話の流れによっては変更が可能なものを半構造化面接という。

137 ☑☑☑ 外国籍家庭や外国にルーツをもつ家庭の場合は、日本語によるコミュニケーションが取りにくいこと、文化や習慣が異なることがあるため、日本の生活様式を積極的に取り入れ、早く適応していくよう配慮する必要がある。

138 ☑☑☑ 多胎児、低出生体重児、慢性疾患のある子どもの場合、保護者は子育てに困難や不安、負担感を抱きやすい状況にあることなどを考慮に入れ、子どもの生育歴や家庭状況に応じた支援をする必要がある。

139 ☑☑☑ 家庭を取り巻く問題に不安を感じている保護者は、その悩みを他者に伝えることができず、問題を抱え込む場合もあるが、家庭の状況や問題の把握はできないので、対応する必要はない。

140 ☑☑☑ 保護者に対しては、子どもの発達や行動の特徴、保育所での生活の様子を伝えるなどして子どもの状況を共有し、保護者の意向や思いを理解していく。

141 ☑☑☑ マタニティ・ブルーズの時期を過ぎても、不安、自信の低下、いらだちを訴える母親は少なくないが、産後の生理的現象が長引いているだけで、母親を取り巻く周囲の環境との関係は考慮しなくてもよい。

142 ☑☑☑ 育児不安の内容にかかわらず、保育所の機能や専門性を生かし、保育所の保護者支援はその保育所のみで対応する。

143 ☑☑☑ 育児不安を持つことが不適切な子育てというわけではなく、抱える育児不安の深刻度や緊急度、あるいはどのような経過や背景があるかに焦点をあてて考えるようにする。

137 ✗
日本の生活様式に適応できることも大切であるが、無理に日本の文化を押し付けるのではなく、その子どもの暮らしていた文化を尊重することが大切である。

138 ○
設問のとおり。なお、保育所保育指針第4章「子育て支援」には、子どもに障害や発達上の課題が見られる場合には、関連機関と連携し、保護者に対する個別の支援を行うよう努めることとされている。

139 ✗
保育所保育指針第4章「子育て支援」の2「保育所を利用している保護者に対する子育て支援」の（3）「不適切な養育等が疑われる家庭への支援」のアには、「保護者に育児不安等が見られる場合には、保護者の希望に応じて個別の支援を行うよう努めること」と記載されている。

140 ○
設問のとおり。

141 ✗
マタニティ・ブルーズは、出産直後から数日後までの間に、一時的に精神的に不安定になる状態をいう。2週間程度で改善するといわれてはいるが、周囲との関係を考慮しなくてもよいとは決していえない。

142 ✗
その保育所のみで対応するのではなく、地域の関連機関と連携していくことも視野に入れておくことが大切である（保育所保育指針第4章「子育て支援」参照）。

143 ○
一人ひとりのかかえる状況を考慮しながら対応することが必要である。

144

☑☑☑

保護者の育児態度が子どもへ影響するだけではなく、子どもの気質によって保護者も影響を受けるという相互作用で親子関係は成り立っていく。

145

☑☑☑

「結婚と家族をめぐる基礎データ」（令和4年3月 内閣府男女共同参画局）によると、「子どものいる離婚件数」は、「子どものいない離婚件数」よりも少ない。

146

☑☑☑

「ひとり親家庭の現状と支援施策について」（令和2年11月 厚生労働省子ども家庭局家庭福祉課）によると、近年ひとり親世帯は増加傾向にあり、ひとり親世帯になった理由は、母子世帯、父子世帯ともに「離婚」が最も多い。

147

☑☑☑

「令和3年度全国ひとり親世帯等調査結果報告」（厚生労働省）によると、父子世帯は、母子世帯に比べると、年収が高いものの、子どものいる全世帯の年間収入よりは低い。

148

☑☑☑

「令和3年度全国ひとり親世帯等調査結果報告」（厚生労働省）によると、ひとり親世帯の子どもについての悩みは、母子世帯、父子世帯ともに、「しつけ」が最も多く、次いで「教育・進学」となっている。

144 ○
気質とは、新生児がもともと持っている個人特性のことをいう。これに対し、性格とは、生まれた後に周りの影響を受けて形成されるものであり、二つの用語は区別されている。

145 ✕
「子どものいる離婚件数」が約6割で、「子どものいない離婚件数」よりも多くなっている。

146 ○
ひとり親世帯になった理由として、「離婚」が最も多く、約8割を占める。他の理由としては、死別、未婚などがある。

147 ○
父子世帯は606万円、母子世帯は373万円、子どものいる全世帯の年間収入は約814万円である。

148 ✕
母子世帯、父子世帯ともに、「教育・進学」が最も多く、次いで「しつけ」である。

図表まとめ▶ エリクソンの発達課題

乳児期	0〜1歳頃	信頼　対　不信
幼児期前期	1〜3歳頃	自律性　対　恥・疑惑
幼児期後期	3〜6歳頃	積極性（自主性、自発性）　対　罪悪感
児童期	6〜12歳頃	勤勉性　対　劣等感
青年期	12〜20歳頃	同一性（アイデンティティ、自我同一性）の確立　対　同一性の拡散（役割の混乱）
成人初期（成人期）	20〜30歳頃	親密性（親密、親密さ）　対　孤立
成人期（中年期、壮年期、成人後期）	30〜65歳頃	世代性（生殖性）　対　停滞（自己陶酔、自己吸収）
老年期（成熟期）	65歳頃〜	統合性　対　絶望（嫌悪）

図表まとめ▶ 虐待の種類

①身体的虐待	痛みや苦痛、または外傷の残る暴行、あるいは生命に危険のある暴行を加えること
②性的虐待	児童にわいせつな行為をすること、わいせつなものを見せること、あるいは児童にわいせつな行為をさせること
③心理的虐待	児童に対する著しい心理的外傷を与える言動や、著しく拒絶的な反応をすること。配偶者に対する暴力（DV）などに児童をさらして、極端な心理的外傷を与えたと思えるものも含む
④ネグレクト	衣食住や清潔さにおいて、健康状態を損なう放置をすること

第 7 章

子どもの保健

「子どもの保健」と「子どもの健康と安全」について学ぶ科目だよ。保育所保育指針の保健に関する部分もしっかり押さえよう。

フレーフレー

001
☑☑☑
疾病や傷害発生時、虐待などの不適切な養育が疑われる時などは、担任保育士の判断で直ちに保健所または児童相談所に届け出る必要がある。

002
☑☑☑
保育所に看護師等が配置されている場合、看護師は乳児への専門的対応を行う。

003
☑☑☑
保護者との関係を壊さないことを優先し、虐待の通告は控える。

004
☑☑☑
子どもへの虐待による死亡は、1歳未満が約半数を占める。

005
☑☑☑
妊婦健診や乳幼児健診を受診していない場合、子どもを虐待していることが多い。

006
☑☑☑
世界保健機関（WHO）憲章の前文にある健康の定義（官報訳）に、「健康とは、完全な（　①　）、（　②　）及び（　③　）福祉の状態であり、単に（　④　）又は病弱の存在しないことではない」とある。

007
☑☑☑
保育所保育指針第3章「健康及び安全」には、「保育所保育において、子どもの健康及び（　①　）は、子どもの（　②　）と（　③　）の基本であり、一人一人の子どもの健康の保持及び増進並びに（　①　）とともに、保育所全体における健康及び（　①　）に努めることが重要となる」とある。

008
☑☑☑
人口千人に対する出生数の割合を出生率という。

001 ✕ 児童相談所や保健所への届け出は、担任保育士の判断ではなく、園全体で状況を把握した後に行う。

 002 ✕ 看護師は、保育所全体の子どもの健康、職員の健康、保護者や家庭の健康と衛生を守る。

 003 ✕ 児童虐待の防止等に関する法律第6条では、虐待を受けたと思われる児童を発見した者に速やかな通告義務が課せられている。

 004 ○ 「こども虐待による死亡事例等の検証結果等について（第19次報告）」では、心中以外の虐待死の0歳児の占める割合は5割と報告されている。

 005 ○ 乳幼児健診の未受診の子どもたちをどのようにフォローするか、自治体の大きな課題となっている。

 006 → ①肉体的、②精神的、③社会的、④疾病。世界保健機関（WHO）憲章（1948年）では、前文において「健康とは、完全な肉体的、精神的及び社会的福祉の状態であり、単に疾病又は病弱の存在しないことではない」と定義している。

 007 → ①安全の確保、②生命の保持、③健やかな生活。保育所保育指針第3章「健康及び安全」の冒頭に記述されている。

 008 ○ 設問のとおり。人口千人に対する出生数の割合を出生率という。

009
☑☑☑

周産期死亡とは、妊娠満22週以後の死産と生後4週未満の新生児死亡を合わせたものをいう。

010
☑☑☑

乳児死亡は生後1年未満の死亡をいい、乳児死亡率は出生千対で表す。

011
☑☑☑

合計特殊出生率とは、15歳から49歳までの女性の年齢別出生率を合計したものである。

012
☑☑☑

児童虐待とは、法律上は保護者が監護する児童について行う身体的虐待、性的虐待、ネグレクト、心理的虐待という行為である。

013
☑☑☑

児童虐待について、家庭内におけるしつけとは明確に異なり、懲戒権などの親権によって正当化されない。

014
☑☑☑

児童虐待の通告の対象は、「児童虐待を受けたと思われる児童」である。

015
☑☑☑

保育所保育指針第1章「総則」の2「養護に関する基本的事項」のイ「情緒の安定」によると、一人一人の子どもが、自分の気持ちを安心して表すことができるようにする。

016
☑☑☑

保育所保育指針第1章「総則」の2「養護に関する基本的事項」のイ「情緒の安定」によると、一人一人の子どもが、くつろいで共に過ごし、心身の疲れが癒されるようにする。

009
×

周産期死亡とは、妊娠満22週以後の死産と生後1週未満の早期新生児死亡を合わせたものをいう。周産期死亡率の分子は、年間周産期死亡数で、分母は、年間の出生数と妊娠満22週以後の死産数を足した数である。

010
○

乳児期とは、1歳未満（1歳の誕生日の前日まで）を指す。

011
○

合計特殊出生率は、一人の女性が一生の間に産む子どもの数の目安であり、2.08を下回ると人口減少となるとされる。

012
○

児童虐待の種類は、身体的虐待、性的虐待、ネグレクト、心理的虐待の4種類である。

013
○

旧民法第822条は親権者の懲戒権を定めていたが、2022（令和4）年の民法の改正で同条は削除された。

014
○

2004（平成16）年の改正で「虐待を受けた児童」から「児童虐待を受けたと思われる児童」に改められた。

015
○

（ア）「ねらい」の②にあてはまる。

016
○

（ア）「ねらい」の④にあてはまる。

017
☑☑☑

保育所保育指針第1章「総則」の2「養護に関する基本的事項」のイ「情緒の安定」によると、保育士等との信頼関係を基盤に、一人一人の子どもが主体的に活動し、自発性や探索意欲などを高めるとともに、自分への自信を持つことができるよう、成長の過程を見守り、適切に働きかける。

018
☑☑☑

保育所保育指針第1章「総則」の2「養護に関する基本的事項」のイ「情緒の安定」によると、一人一人の子どもの置かれている状態や発達過程などを的確に把握し、子どもの欲求を適切に満たしながら、応答的な触れ合いや言葉がけを行う。

019
☑☑☑

不適切な養育の兆候が見られる場合には、児童福祉法等に基づき適切な対応を図る。

020
☑☑☑

地域社会から孤立した家庭は、そうでない場合に比べて、児童虐待が起こりやすい。

021
☑☑☑

児童虐待の発生予防のために、都道府県が実施主体となって「乳児家庭全戸訪問事業」が行われている。

022
☑☑☑

児童虐待の発生予防のためには、産前産後の心身の不調などに対応できるサービスが重要である。

017 ○ （イ）「内容」の③にあてはまる。

018 ○ （イ）「内容」の①にあてはまる。

019 ○ 児童虐待は、児童虐待の防止等に関する法律（児童虐待防止法）によって定義されている。ただし、児童福祉法第25条においてすべての国民の通告義務が定められている。

020 ○ 児童虐待は、核家族化が進んだうえに地域との関わりも希薄になったため、身近に相談する相手もなく、不安や悩みが募って生じることが多い。

021 ✗ 乳児家庭全戸訪問事業は、児童福祉法に基づく事業で、特別区を含む市町村が実施主体である。

022 ○ 産前産後の心身の不調に対応するサービスとして産前産後サポート事業と産後ケア事業があり、それぞれ市町村（特別区を含む）が実施している。

023

☑☑☑

生後30日未満の子どもを新生児という。

024

☑☑☑

出生時では通常、胸囲は頭囲より大きい。

025

☑☑☑

わが国では、2022（令和4）年の第1子出生時の母親の平均年齢は、30歳を超えている。

026

☑☑☑

精神運動機能発達に関して、生後2か月頃には、ほぼ半数の子どもが首がしっかりすわる。

027

☑☑☑

精神運動機能発達に関して、生後3～4か月頃には、ほぼ半数の子どもが両手を合わせて遊ぶことができる。

028

☑☑☑

精神運動機能発達に関して、生後6～7か月頃には、ほぼ半数の子どもが一人座りができる。

029

☑☑☑

精神運動機能発達に関して、生後9～10か月頃には、ほぼ半数の子どもが親指を使って小さなものをつかむ。

030

☑☑☑

精神運動機能発達に関して、生後12か月頃には、ほぼ半数の子どもが一人で安定した歩きをする。

031

☑☑☑

子どもの年齢が低いほど、新陳代謝はおだやかであるので、脈拍数は多く体温は高めである。

新生児とは生後28日未満の乳児である。乳児は新生児以降1歳未満、幼児は満1歳から小学校就学前まで、学童は小学校就学から卒業まで、生徒は中学校就学から卒業までをいう。

 出生時は胸囲より頭囲が大きく、出生後3か月頃から胸囲の方が少しずつ頭囲より大きくなる。新生児の頭囲の平均は32〜33cmである。

 第1子出産年齢は2011（平成23）年に30歳を超えた。初婚年齢が上昇するにつれ、第1子の出産年齢も上昇している。

 ほぼ半数の子どもが、首がしっかりすわるのは生後3〜4か月頃である。

025. ほぼ半数以上の子どもが両手を合わせて遊ぶほか、自分の手をじっと見つめる「ハンドリガード」というしぐさを始める。

027. 生後3〜4か月頃には、ほぼ半数以上の子どもが両手を合わせて遊ぶほか、自分の手をじっと見つめる「ハンドリガード」というしぐさを始める。

028. 生後6〜7か月頃には、ほぼ半数以上の子どもが一人座りが可能になる。

029. 生後9〜10か月頃には、ほぼ半数以上の子どもが親指、人差し指、中指で物をつかむことができるようになる。

030. ほぼ半数の子どもが安定した一人歩きができるようになるのは、1歳3か月頃である。

 子どもの年齢が低いほど、新陳代謝は高くなる。

第7章 子どもの保健

032
☑☑☑

乳幼児は成人と比べ、体重あたりの必要水分量や不感蒸泄量が多いため、脱水になりやすい。

033
☑☑☑

乳児の呼吸は幼児に比べて深くゆっくりである。

034
☑☑☑

体温には日内変動があるが、乳幼児期では不鮮明で、年長児になって鮮明となってくる。

035
☑☑☑

保育中に体調の変化が認められた場合は、嘱託医に連絡し指示を受けなければならない。

036
☑☑☑

嘔吐、下痢がある場合、水分補給をすると嘔吐や下痢の症状が悪化するため、水分補給は控えるほうがよい。

037
☑☑☑

頭を打った後に嘔吐をしたり、意識がぼんやりしているときは、横向きに寝かせてしばらく様子をみる。

038
☑☑☑

乳幼児期は脳神経系の発育が急速に進む時期である。乳児では（ ① ）の観察も行う。2歳未満の乳幼児はあおむけに寝かせ、2歳以上の幼児は座位または立位で計測する。計測者は一方の手で巻き尺の0点を持ち、他方の手で（ ② ）を確認して、そこに巻き尺をあてながら前に回す。（ ③ ）に巻き尺を合わせてその周径を1（ ④ ）単位まで読む。

032 ◯
不感蒸泄量とは、私たちが感じることなく皮膚や粘膜、呼気から蒸発する水分の量のことで、目に見える汗は有感蒸泄という。

033 ✕
呼吸数は、成人では16〜18回／分、幼児では20〜30回／分、乳児では30〜40回／分である。

034 ◯
体温には日内変動が認められ、一般的に夕方のほうが高い傾向である。ただし、乳幼児期では不鮮明である。

035 ✕
体調の変化がみられる場合は、まず保護者へ連絡をする。緊急時には嘱託医への連絡も必要となる。

036 ✕
脱水症状が懸念されるので、経口補水液などで水分補給を行う必要がある。

037 ✕
至急、保護者に連絡し、医療機関を受診させる。特に後頭部を打った場合は後遺症が生じる危険性がある。

038 →
①大泉門、②後頭結節、③眉と眉の間、④mm。大泉門とは、頭の左、右、前の三つの骨の隙間のことである。頭囲の計測では、片手で頭の後ろ側に巻き尺を通して、後頭部の一番出ているところ（後頭結節）に当て、眉間（眉と眉の間）から一周回るようにして、mm（ミリ）単位まで測る。

039　嚥下機能は、生後ほ乳をすることによって開始される。

☑☑☑

040　胎児期の血液の流れ、すなわち胎児循環との違いとして、生後の血液の循環には、肺循環がある。

☑☑☑

041　乳歯は生後石灰化が始まり、前歯は生後6〜8か月頃に生え始める。

☑☑☑

042　脳の機能は、胎児期から既に発達しており、出生時にはほぼ成熟している。

☑☑☑

043　乳児では膀胱に尿が溜まると、その刺激が脳で感知され、脳細胞の指令で排尿がおこる。

☑☑☑

044　新生児期の膀胱は未熟であり、1回の排尿量は少なく、排尿回数は1日5回程度である。

☑☑☑

045　尿がたまった感覚がある程度わかるようになるのは3歳頃である。

☑☑☑

046　生後6か月未満では、多くに1日2回以上の排便がある。

☑☑☑

嚥下機能は、羊水を飲み始める胎生10〜11週頃から開始される。

胎児循環とは、胎児期の血液の流れのことである。胎盤から酸素を供給するため胎児独自の三つの短絡経路（静脈管・動脈管・卵円孔）をもっている。肺呼吸とともに肺循環に変化する。

すべての乳歯は胎生7〜10週頃に歯胚形成が始まり、胎生4〜6か月頃に石灰化が始まる。

胎児の脳の形成が開始するのは、胎生18日頃からといわれており、胎生24週（6か月）くらいまでに、脳はぐんぐんと大きくなる。しかし、機能的には出産時は未熟な状態にある。

乳児期早期は、排尿反射を抑制する機能が未発達なために、膀胱に尿が溜まると反射的に排尿される。

新生児の場合、1回の量は5〜10mℓで1日当たり20回くらいである。授乳量などにより個人差はあるが、生後3か月までは1日当たり15〜20回くらいで、6〜12か月くらいになると10〜16回前後になる。

一般的に1歳半から2歳くらいになると、尿がたまった感覚がある程度自覚できるようになる。

生後1週間は1日平均4〜8回排便し、生後数か月間は、母乳栄養児の排便回数が1日平均3回であるのに対し、人工乳栄養児では約2回である。

047
☑☑☑
４歳以上では、ほとんどが便意を伴うようになり、排便が自立する。

048
☑☑☑
乳歯の生える順序は、下あごの前歯が最初に生えることが多いが、上あごからの場合もあり、生える順序で心配する必要はない。

049
☑☑☑
むし歯予防や永久歯の萌出のために、乳歯の場合は歯と歯の間に多少のすき間が開いている方が望ましい。

050
☑☑☑
食物を食べていない時の口中の酸度はpH6.5〜7.0くらいであるが、pHが上昇することにより、歯が侵されやすい状態になる。

051
☑☑☑
むし歯の発生には、歯垢中の細菌の存在が要因としてあげられるが、咀しゃくや唾液流出の状態も関係している。

047
○

2歳までに排便回数は減少し、1日2回をやや下回るようになる。4歳以降は、1日1回をやや超える程度で、大人と同じ頻度となる。

048
○

乳歯は、生後6か月ごろから生えはじめ、2～3歳までに上下合わせて20本が生えそろう。一般的には、下2本、上2本の順で、前歯が4本そろってから、その両隣りが生えてくる。

049
○

歯と歯の間にすき間があるのは、顎がきちんと成長している証拠でもある。

050
×

通常、口中のpHは6.5～7.0くらいの中性である。食事をすることにより、飲食物の酸や口腔内細菌が出す酸により、口中が酸性に傾く（pHが下がる）。酸性に傾いている時に歯が侵される危険性が高くなる。

051
○

むし歯発生の原因は「細菌（ミュータンス菌）」「糖質」「歯の質」の三つの要素がある。この三つの要素が重なった時、時間の経過とともにむし歯が発生する。咀しゃくの状態や唾液の量によって、口腔内の糖質量が変わる。

052 子どもの体調不良時には、保護者から預かった市販薬を飲ませる。

053 嘔吐とは、胃の内容物が勢いよく口から吐き出されることである。

054 ウイルスが原因で下痢をしている場合、下痢が治まれば便の中にウイルスは排出されなくなる。

055 発熱の場合、すぐに解熱薬を用いるのではなく、ひたい、首すじなどを冷やす。

056 頭を打った後に嘔吐をした場合、脳神経外科のある病院を受診する。

057 発しんでかゆみが強いときは、冷たいタオルで冷やすとよい。

058 せきがあるときは、安静になるように、仰向けで寝かせる。

059 「保育所におけるアレルギー対応ガイドライン（2019年改訂版）」（厚生労働省）では、「アトピー性皮膚炎の子どもの爪が長く伸びたままである場合、短く切ることを保護者に勧める」とされている。

保護者から預かって与薬できるのは、医師から処方された薬のみである。与薬にあたっては与薬依頼票が必要である。

胃の内容物を吐くことを嘔吐、赤ちゃんが授乳後に飲んだミルクが逆流して吐くことを吐き戻しという。

症状が治まっても便の中のウイルスは、1週間から最長1か月程度排出されるので、下痢が治っても感染に注意が必要である。

ひたい、首すじのほか、腋窩（脇の下）や鼠径部（脚の付け根）など太い血管が通るところを冷やすと効果的である。

意識がなかったり、嘔吐を繰り返したりするような場合は、直ちに救急車の要請が必要になることがある。頭を打った時の状況を踏まえて判断する必要がある。

クーリングは保冷剤等をタオルに包んだり、冷たいタオルを使用する。冷却シートは粘着部が皮膚に刺激を与え、かゆみが増強することがある。

せきがあるときは、身体を起こし、前かがみの姿勢をとらせて背中をさするなどの対応をすると楽になる。寝るときは頭と上半身を少し高めにすると、呼吸がしやすくなる。

アトピー性皮膚炎は、皮膚にかゆみのある湿疹が出たり治ったりすることを繰り返す疾患である。爪はこまめに切って丸めておき、多少掻いても皮膚が傷つかないようにする。

060 「保育所におけるアレルギー対応ガイドライン（2019年改訂版）」（厚生労働省）では、「食物アレルギー児それぞれのニーズに細かく応えるため、食物除去は様々な除去法に対応する」とされている。

061 「保育所におけるアレルギー対応ガイドライン（2019年改訂版）」（厚生労働省）では、「アレルギー疾患を有する子どもの対応法に関しては、個人情報の保護を優先し職員間での共有は控える」とされている。

062 心肺蘇生について、胸骨圧迫50回に対して人工呼吸を2回行う。

063 心肺蘇生について、呼吸が回復した場合は、AEDの電極パッドを外し、AEDの電源を切る。

064 心肺蘇生について、小児用電極パッドがない時は、大人用電極パッドを、それが重ならないように使用する。

065 けいれんは、全身または体の一部の筋肉が、意志とは関係なく発作的に収縮することをいう。

066 全身の筋肉が強ばって突っ張ったけいれんを間代性けいれんという。

067 乳児は幼児に比較して、けいれんを起こすことは少ない。

060 ✕	ガイドラインにおいて、「食物アレルギーを有する子どもへの食対応については、安全への配慮を重視し、できるだけ単純化し、「完全除去」か「解除」の両極で対応を開始することが望ましい」とされている。
061 ✕	ガイドラインにおいて、「それぞれの子どものアレルギー疾患に対応して生活管理指導表を基に、保育所での生活における配慮や管理（環境や行動、服薬等の管理等）や食事の具体的な対応（除去や環境整備等）について、施設長や担当保育士、調理員などの関係する職員と保護者が協議して対応を決める」とされている。
062 ✕	AEDの準備ができるまでに、胸骨圧迫（心臓マッサージ）30回に対して人工呼吸を2回行う。
063 ✕	救急隊が来るまでは、AEDの電極パッドは外さず、電源も切らない。
064 ○	電極パッドの子ども用と大人用は、大きさが違うだけなので、重ならないように使用する。
065 ○	けいれんはてんかん以外にも高熱、感染症、電解質異常、薬物、頭蓋内病変（腫瘍、外傷、低酸素症など）によって引き起こされる症状の1つである。
066 ✕	間代性けいれんは筋肉が緊張と弛緩を繰り返す。動きは手足をバタバタさせたり、顎をガクガクふるえさせたりする。
067 ✕	幼児と比較して乳児が少ないとはいえない。熱性けいれんは5、6か月〜6歳くらいに発症し、そのうち2歳までの発症が約6割を占める。

068
☑☑☑
体温には日内変動がある。発熱時も朝方に上昇し、夕方から夜間に下がることが多い。

069
☑☑☑
発熱が続くと、食欲が低下して水分も摂らなくなることがある。

070
☑☑☑
発熱時には、不感蒸泄も盛んになって体の水分が奪われ、脱水に陥りやすくなる。

071
☑☑☑
過換気症候群には、身体的誘因と心理的誘因がある。

072
☑☑☑
過換気症候群に対し、ペーパーバッグ法は簡便で安全な方法である。

073
☑☑☑
過換気症候群の症状として、空気が吸えない感じ、胸痛、動悸、悪心、嘔吐、手足のしびれ、けいれん、意識消失などがある。

074
☑☑☑
過換気症候群は、思春期から20歳代の女性に多くみられる。

075
☑☑☑
過換気症候群では、呼吸が速くなることにより血液が酸性に傾くことによって、様々な症状が発現する。

076
☑☑☑
嘔吐した子どもにうがいをさせると嘔吐を誘発させるので、うがいができる子どもの場合でも、うがいをさせない。

発熱時は朝方に下がって、昼頃から上がりだし、夜は高熱になるという日内変動がある。

高熱時はエネルギーをたくさん使うので、口当たりがよく、たんぱく質やエネルギーの高い食品を摂るようにする。脱水時の水分補給は経口補水液が有効である。

不感蒸泄とは皮膚、粘膜、呼気などから失っている水分のことである。発熱時には体温が1℃上昇すると、不感蒸泄量は15％増加するといわれている。

身体的誘因は運動後の呼吸の乱れによって起こり、心理的誘因は精神的なストレスやパニック障害によって起こる。両方の誘因のメカニズムはほとんど同じである。

以前はペーパーバッグ法が行われていたが今は推奨されていない。過換気症候群は不安からくる過呼吸で、気持ちを落ち着けて、呼吸を整えることが大切である。

設問の症状に加えて、「死んでしまうのでは」と恐怖を感じてパニックを起こし、状態はますます悪化する。

思春期から20歳代の女性に最も多くみられるが、男女問わずあらゆる年齢に起こる。

過呼吸状態になると血液が正常よりもアルカリ性に傾く。血液がアルカリ性に傾くと血管の収縮が起き、手足のしびれや筋肉のけいれんが起きる。

嘔吐したものの臭いが再び吐き気を誘うことがあるが、数回に分けて少量の冷水でブクブクうがいをするなど工夫するとよい。

077
☑☑☑

嘔吐した子どもを寝かせる場合には、嘔吐物が気管に入らないように体を仰向けにして寝かせる。

078
☑☑☑

免疫が外から体内に入る物質を異物として認識し排除する仕組みの中で、自分自身を攻撃する状態を作り出すことをアレルギー反応と呼ぶ。

079
☑☑☑

アナフィラキシーショックは、食物アレルギーのある人に起こり、呼吸器や消化器など複数のアレルギー反応が起こるが、血圧低下など循環器の症状は起こらない。

080
☑☑☑

食物アレルギーのある子どもには、必ずエピペン®が処方されている。

081
☑☑☑

食物アレルギーの場合、血液検査で特異的及び非特異的IgEを測定するが、アレルゲンとなる食物摂取制限の決め手にはならない。

077
×
吐き気や嘔吐の後は、嘔吐物が気管に入らないよう、上半身を少し高めにして横向きに寝かせる。

078
○
アレルギーとは、食物や薬剤、花粉、ほこりなど、通常は体に大きな害を与えない物質に対して、過剰な免疫反応が引き起こされることである。

079
×
アナフィラキシーは、アレルギー反応でも特に重篤な状態であり、「アレルゲンなどの侵入により複数の臓器に全身性にアレルギー症状があらわれて生命に危機を与え得る過敏反応」と定義されている。アナフィラキシーショックは、全身性のアレルギー反応が引き起こされ、血圧の低下や意識状態の悪化が出現した状態を指す。

080
×
エピペン® はアナフィラキシーの症状が出た時に使用し、症状が悪くなるのを抑えるための補助治療剤である。食物アレルギーだけに処方されるわけではない。また、食物アレルギーでも処方されないこともある。

081
○
血液検査による「IgE抗体」測定は、個別の食物（アレルゲン）の「IgE抗体」の量を測る検査である。しかし、値が高いからといってその食べ物への症状が出るわけではなく、この検査値だけで食物アレルギーの確定診断を行うことはできない。

082
☑☑☑

3歳時点での発話が、単語5～6語で、二語文の表出がみられない場合には、言語発達の遅れを疑う。

083
☑☑☑

選択性緘黙は、言語能力が正常であるにもかかわらず、家庭、保育所等どのような場面でも話をしない。

084
☑☑☑

吃音は、大半は6歳までにみられる。

085
☑☑☑

幼児期に吃音がある場合、成人になって言語能力が低い状態が続く。

086
☑☑☑

音声チック症では、わいせつな言葉や社会的に受け入れられない言葉を発することがある。

087
☑☑☑

乳幼児突然死症候群（SIDS）は、生後3か月前後に多い。

088
☑☑☑

乳幼児突然死症候群（SIDS）の予防のため、寝かせるときはうつぶせ寝にする。

089
☑☑☑

乳幼児突然死症候群（SIDS）の予防のため、同居の家族等がたばこを吸わないようにする。

090
☑☑☑

乳幼児突然死症候群（SIDS）に関して、保育所では、乳児部屋は保育者が常駐し、定期的に呼吸などをチェックする。

082 ○ 子どもが最初に発する言葉を初語といい、およそ1歳前後にみられる。2歳半頃になると、二語文がみられるようになり、3〜4歳頃になると、語彙数は1500〜3000までに増加し、日常的な話し言葉がほとんど完成する。

083 × 選択性緘黙とは、言語能力が正常であるにもかかわらず、選択された特定の場面や人に対して話すことができない状態をいう。場面緘黙とも呼ばれる。

084 ○ 吃音とは、話し言葉が滑らかに出ない発話障害の1つである。

085 × 約7割が幼児期のうちに自然に治るといわれている。

086 ○ 音声チックは、わいせつな言葉や社会的に容認し難い言葉をいけないとわかっているのに言ってしまう（汚言症）などの症状がある。

087 ○ 乳幼児突然死症候群（SIDS）は、乳児期の死亡原因の第4位である（2022（令和4）年）。時期は生後3か月前後に多い。

088 × うつぶせ寝、あおむけ寝のどちらでも発症するが、寝かせるときにうつぶせに寝かせたときのほうがSIDSの発症率が高いということがわかっている。

089 ○ 両親がともに喫煙する場合は、喫煙しない場合の約4.7倍もSIDSの発症率が高いという報告がある（1997年厚生労働省）。

090 ○ 0歳児には、子ども3人に対して保育士1人を配置することが法律で決められている。

091
☑☑☑
「保育所における感染症対策ガイドライン（2018年改訂版）」（厚生労働省）によると、接触によって体の表面に病原体が付着しただけで感染は成立する。

092
☑☑☑
「保育所における感染症対策ガイドライン（2018年改訂版）」（厚生労働省）によると、遊具を直接舐めるなどの例外もあるが、多くの場合は病原体の付着した手で口、鼻又は眼をさわることによって、体内に病原体が侵入して感染が成立する。

093
☑☑☑
流行性耳下腺炎の病原体は、ムンプスウイルスである。

094
☑☑☑
咽頭結膜熱の病原体は、アデノウイルスである。

095
☑☑☑
伝染性紅斑の病原体は、コクサッキーウイルスである。

096
☑☑☑
消毒を行うときは子どもを別室に移動させ、消毒を行う者はマスク、手袋を使用する。

097
☑☑☑
血液や嘔吐物、下痢便等の有機物は汚れを十分に取り除いてから、消毒を行う。

098
☑☑☑
消毒薬は使いやすいように希釈しておき、1週間に1度交換する。

091 ✕
病原体が体内に侵入して、生体内で定着・増殖し、寄生した場合を感染という。

092 ◯
体内に病原体を取り込まないよう、手洗い、うがい、マスク等の着用は感染予防に効果的である。

093 ◯
流行性耳下腺炎はムンプスウイルスが病原体である。感染経路は飛沫感染、接触感染で、潜伏期間は2〜3週間である。発熱しないこともある。

094 ◯
咽頭結膜熱はアデノウイルスが病原体で夏風邪の1つである。感染力の強いのが特徴で、感染経路は飛沫感染、接触感染、経口感染で、潜伏期間は2〜14日である。有効な治療法やワクチンはまだない。

095 ✕
伝染性紅斑はヒトパルボウイルスが病原体である。感染経路は飛沫感染、経口感染、接触感染で、感染力は強くなく、発疹を認める頃にはほとんど感染しなくなる。コクサッキーウイルスはヘルパンギーナの病原体である。

096 ◯
消毒の際には、風向きを確認することも大切である。消毒後、一定時間はその部屋に入らないようにする。

097 ◯
血液や汚物などの有機物には、病原体が含まれているため、取り除く作業には、細心の注意を払う。また、取り除いた汚物は必ずビニール袋に入れて密封し、内容を明記する。

098 ✕
消毒薬は、時間が経つと劣化するため、毎回、希釈して使用する。

099
☑☑☑
「保育所における感染症対策ガイドライン（2018年改訂版）」（厚生労働省）によると、今朝の体温が37.2℃でいつもより高めであるが、食欲があり機嫌も良い場合は、子どもが登園を控えるべき状況である。

100
☑☑☑
「保育所における感染症対策ガイドライン（2018年改訂版)」（厚生労働省）によると、昨夜の体温は38.5℃で解熱剤を1回服用し、今朝の体温は36.8℃で平熱である場合は、子どもが登園を控えるべき状況である。

101
☑☑☑
「保育所における感染症対策ガイドライン（2018年改訂版)」（厚生労働省）によると、伝染性膿痂疹と診断され、掻き壊して浸出液が多くガーゼで覆いきれずにいる場合は、子どもが登園を控えるべき状況である。

102
☑☑☑
「保育所における感染症対策ガイドライン（2018年改訂版)」（厚生労働省）によると、夜間は咳のために起き、ゼーゼーという音が聞こえていたが、今朝は動いても咳はない場合は、子どもが登園を控えるべき状況である。

103
☑☑☑
「保育所における感染症対策ガイドライン（2018年改訂版)」（厚生労働省）によると、昨日から嘔吐と下痢が数回あり、今朝は食欲がなく水分もあまり欲しがらない場合は、子どもが登園を控えるべき状況である。

104
☑☑☑
川崎病は、ヒトパルボウイルスによっておこる感染症である。

105
☑☑☑
乳児では、結核に感染すると粟粒結核などの重篤な病気になりやすい。

099
×

ガイドラインでは、朝から37.5℃以上の熱があり、元気がなく機嫌が悪い、食欲がなく朝食・水分が摂れていないなど全身症状がある場合は、登園を控えるよう伝えるとされている。

100
○

ガイドラインでは、24時間以内に38℃以上の熱が出た場合や、または解熱剤を使用している場合は、登園を控えるよう伝えるとされている。

101
○

伝染性膿痂疹（とびひ）の主な感染経路は接触感染である。ガイドラインでは、患部を覆えない場合や浸出液が多く他児への感染のおそれがある場合、かゆみが強く、患部を掻いてしまう場合は、登園を控えるよう伝えるとされている。

102
×

ガイドラインでは、夜間しばしば咳のために起きる、ゼイゼイ音、ヒューヒュー音や呼吸困難がある、呼吸が速い、少し動いただけで咳が出るなどの症状がみられる場合は登園を控えるよう伝えるとされている。

103
○

ガイドラインでは、24時間以内に複数回の嘔吐や下痢（水様便）があり、食欲がなく、水分もほしがらない、機嫌が悪く元気がない、顔色が悪くぐったりしているなどの症状がみられる場合は登園を控えるよう伝えるとされている。

104
×

川崎病は、約1万5000人／年の乳幼児が罹る原因不明の後天性の疾患で、感染症ではない。ヒトパルボウイルスは、一般的にはリンゴ病と呼ばれている感染症を引き起こすウイルスである。

105
○

乳児の結核は、成人に比べて病状の進展が速く、感染後、2〜3か月で発症する。免疫力が低い乳児の場合は、肺内での増殖が続くため重篤化しやすい。

106
☑☑☑

MRSA感染症とは、ペニシリン製剤が無効であるブドウ球菌によっておこる感染症である。

107
☑☑☑

百日咳に罹患すると、特有の連続性、発作性の咳（スタッカート）がみられ、夜間に特にひどい。

108
☑☑☑

突発性発疹は、インフルエンザ菌によっておこる感染症である。

109
☑☑☑

生ワクチンの接種回数は、すべて1回に限られる。

110
☑☑☑

生ワクチンは、液性免疫と細胞性免疫の両方が期待できる。

111
☑☑☑

注射生ワクチンを接種した日から次の注射生ワクチン接種を行うまでの間隔は、27日以上あける。

112
☑☑☑

生ワクチンは、妊婦に対しても接種することができる。

106
○

MRSAは、メチシリン耐性黄色ブドウ球菌のことで、人の鼻の中などに常在している。ただし、早産の未熟新生児など免疫力が十分に備わっていない場合、感染すると、敗血症・肺炎・髄膜炎など致死的な病気を引き起こす。

107
○

百日咳は、特有な咳が特徴で、連続性、発作性の咳が長期に続く。夜間眠れないほどの咳がみられることや、咳とともに嘔吐することもある。

108
×

突発性発疹は、ヒトヘルペスウイルスによる感染症で、生後6か月〜2歳頃によくみられる。

109
×

生ワクチンであるBCG、麻疹、風疹などの接種回数は、複数回である。

110
○

生ワクチンは、細胞性免疫（侵入した病原体を細胞ごと破壊する）が主体となって防御する病原体に働くと考えられているが、液性免疫にも効果がある。

111
○

2020（令和2）年10月1日から、異なるワクチンの接種間隔について、注射生ワクチン同士を接種する場合は27日以上あける制限は維持しつつ、その他のワクチンの組み合わせについては、一律の日数制限は設けないことになった。

112
×

生ワクチンは、胎児への影響を考慮し、全妊娠期間を通じて原則として接種はできない。

113 ☑☑☑
ひとりの子どもに自閉スペクトラム症と注意欠如・多動症が同時に診断されることはない。

114 ☑☑☑
すべての子どもの1％ほどに発達障害があると考えられる。

115 ☑☑☑
発達障害のある子に対しては、医師の診断を待って支援を開始するべきである。

116 ☑☑☑
発達障害のある子どもに対しても、定型発達児と支援を同一にすることが望ましい。

117 ☑☑☑
発達障害のある子は、養育者の育て方によって社会的な適応状態は変化しない。

118 ☑☑☑
注意欠如・多動症の子どもが、多くの子どもと楽しく過ごせるように、大テーブルを複数の子どもで使用するようにした。

119 ☑☑☑
注意欠如・多動症の子どもが注意散漫にならないように、繰り返し大きな声で指示を出した。

120 ☑☑☑
注意欠如・多動症の子どもは、目的とは違ったものに注意が奪われやすいので、必要な教材や道具は活動の前に準備した。

121 ☑☑☑
注意欠如・多動症の子どもに対して、やるべきこと、予定、規則を視覚的に示すようにした。

113 ✕
ひとりの子どもでも、自閉スペクトラム症の特徴と注意欠如・多動症の特徴を併せ持っている場合があり、同時に診断されることがある。

114 ✕
文部科学省が令和4年に実施した「通常学級に在籍する発達障害の可能性のある特別な教育的支援を必要とする児童生徒に関する調査」の結果では8.8％程度の割合としている。

115 ✕
診断されていなくても、発達障害が疑わしい場合は早期からの支援が求められている。

116 ✕
障害のある子どもも、定型発達児も一人ひとりに合わせた支援が求められる。

117 ✕
養育者の対応によって子どもの適応能力は変わる可能性がある。ソーシャルスキルトレーニングによっても適応能力は変化する。

118 ✕
注意欠如・多動症の子どもは大勢の中では落ち着かなくなるため、落ち着ける環境を用意する。

119 ✕
指示は子どもの耳元でゆっくり理解しやすい言葉で話しかける。大きな声で話しかけることは逆効果である。

120 ◯
目の前のものに気持ちを奪われやすいので、必要なものだけを使用する時に用意することは効果的である。

121 ◯
活動の見通しが立つと行動がしやすいので、前もって予定などを絵カード等で示すと、落ち着いて行動できるようになる。

122 ☑☑☑ 自閉スペクトラム症（ASD）では、「こだわり」の対象に選択的に没頭する。

123 ☑☑☑ 強迫性障害では、「こだわり」に対して不安や苦痛あるいはそうせざるを得ない感覚を伴わない。

124 ☑☑☑ 摂食障害の「こだわり」の対象は、体重や食べ物、体型である。

125 ☑☑☑ うつ病では、悲観的・抑うつ的な考えに過剰にとらわれる。

126 ☑☑☑ 医療的ケア児とは、日常生活や社会生活を営むために、恒常的に喀痰吸引や経管栄養などの医療的ケアが必要な児童のことをいう。

127 ☑☑☑ 医療的ケア児には、歩ける児から寝たきりの重症心身障害児まで含まれる。

128 ☑☑☑ 医療的ケア児を保育所で預かる場合は、看護師または研修を受けた保育士を配置しなければならない。

129 ☑☑☑ 医療的ケア児を保育所で預かる場合は、安全を考慮しできるだけ別室保育をすることが望ましいとされている。

122 ○
ASDには、変化を認めにくく、マイルールにこだわり、それを繰り返すなどの特徴がある。脳障害の特性によって「こだわり」の特性も異なる。

123 ✕
強迫性障害は、「手が危険なウイルスで汚染されている」という感覚を持つ強迫観念と、強い不安に駆り立てられ、何時間も手洗いを続けたりする強迫行為とが見られる。不安や苦痛に対して何かをせざるを得ない感覚を持つのが強迫性障害の特色である。

124 ○
摂食障害は、体重や体型に関する「こだわり」から極端な食生活をする障害である。

125 ○
「こだわり」の強い性格の人がうつになりやすいと考えられている。その「こだわり」は、悲観的であり最悪の場合は自死に至ることもある。

126 ○
医療的ケア児は医学の進歩を背景として、NICU（新生児特定集中治療室）等に長期入院した後、引き続き、人工呼吸器や胃ろう等を使用し、喀痰吸引や経管栄養などの医療的ケアが日常的に必要な児童が多く含まれる。

127 ○
全国で約2万人の（在宅）医療的ケア児がいると推定されており、その状況は多様である。

128 ○
医療的ケア担当の看護師や登録認定を受けた保育士等が医師の指示に基づいて実施する。

129 ✕
保育所で受け入れることのできる医療的ケア児は、病状や健康状態が安定していて、子ども同士の関わりの中で過ごせることとされており、別室保育の必要はない。

130
☑☑☑

保育所で、冷房を使用するときは、外気温との差を摂氏5度以内に保つことが望ましい。

131
☑☑☑

保育所で、仰向けで乳児を寝かせるときは、蛍光灯の真下は避ける。

132
☑☑☑

保育所で、感染症が流行しているときは、一日1回保育室の換気を行う。

133
☑☑☑

保護者の意識や経済力によって、子どもの身体活動量の二極化の傾向が現れている。

134
☑☑☑

幼児の睡眠に関する統計によると、低年齢児のほうが年長児に比べて、就寝時刻が遅い傾向がある。

135
☑☑☑

新生児は授乳リズムに応じて睡眠覚醒を繰り返しているが、月齢とともに次第に昼夜の区別が可能になる。

136
☑☑☑

乳児は浅い眠りの時に夜泣きしやすい。

137
☑☑☑

成長ホルモンは、入眠時、ノンレム睡眠の最も深い時に比較的多く分泌される。

138
☑☑☑

睡眠リズムの調節と免疫機能の向上作用をもつメラトニンは、日中に比較的多く分泌される。

130 ○	保育室の適温は、夏季26〜28℃、冬季20〜23℃、外気温との差は5℃以内、湿度60%前後が望ましい条件とされている。
131 ○	視覚への悪影響が考えられるため、蛍光灯の真下は避ける。なお、室内照度は床面において200ルクス以上が望ましいとされている。
132 ✕	保育室の換気は1〜2時間おきに1回5分程度、窓を開けて空気の入れ替えを行う。
133 ○	保護者の学歴の差異、生活圏の差異、母子家庭や低所得の問題等により、子どもたちの身体活動量や能力（学力）等に不平等（格差）が生まれてきている。
134 ○	年長児に比べて、低年齢児は親の仕事の関係で寝かしつける時間が遅くなってしまったり、なかなか寝ついてくれなかったり等の理由で就寝時間が遅くなる傾向がある。
135 ○	新生児は、3〜4時間の授乳リズムに合わせて睡眠と覚醒を繰り返すが、生後2か月頃から昼夜を認識することができるようになる。
136 ○	睡眠中は、レム睡眠（浅い眠り）とノンレム睡眠（深い眠り）を繰り返している。乳児はレム睡眠の時に夜泣きをしやすい。
137 ○	成長ホルモンは、ノンレム睡眠（深い眠り）の午後10時頃から深夜2時頃が最大の分泌時間とされている。
138 ✕	メラトニンは、朝日を浴びてから約15時間後に分泌されるといわれている。つまり午前7時に起きると午後10時頃に分泌される。また、メラトニンには、睡眠リズムの調整作用はあるが、免疫機能の向上作用はない。

139
☑☑☑
自閉症や情緒障害などで生体リズムが乱れることがあるが、特に睡眠リズムを改善させる必要はない。

140
☑☑☑
事業所内保育事業については、「教育・保育施設等における事故防止及び事故発生時の対応のためのガイドライン」の対象としていない。

141
☑☑☑
病児保育事業については、「教育・保育施設等における事故防止及び事故発生時の対応のためのガイドライン」の対象としていない。

142
☑☑☑
学校環境衛生基準によると教室の音は、窓を閉めている状態で等価騒音レベルがLAeq50dB以下であることが望ましいとされている。目安としては「普通に会話できる」状態である。

143
☑☑☑
蚊の発生予防対策として、水が溜まるような空き容器や植木鉢の皿、廃棄物等を撤去するなど、蚊の幼虫（ボウフラ）が生息する水場をなくすようにする。

144
☑☑☑
保育室内のドアノブや手すりの消毒は、0.02％（200ppm）の次亜塩素酸ナトリウムか、濃度70％〜80％の消毒用エタノールを状況に応じて使用する。

145
☑☑☑
保育所における事故の応急処置として、捻挫をしたので、痛がる部位をよくもんだ。

| 139 ✕ | 睡眠不足や睡眠リズムの乱れが生じると、日中の眠気や体調不良、情緒不安定を招き、学業への支障を来すという報告も多い。睡眠リズムの改善は大切である。 |

| 140 ✕ | 事故防止ガイドラインは、特定地域型保育事業（小規模保育、家庭的保育、居宅訪問型保育、事業所内保育）を対象としている。 |

| 141 ✕ | 事故防止ガイドラインは、地域子ども・子育て支援事業（子どもを預かる事業に限る。一時預かり事業、延長保育事業、病児保育事業）を対象としている。 |

| 142 ◯ | 学校環境衛生基準では、教室内の等価騒音レベルは、窓を閉めているときはLAeq50dB（デシベル）以下、窓を開けているときはLAeq55dB以下であることが望ましいとされている。 |

| 143 ◯ | 学校環境衛生予防基準では、予防策の具体的対応として、「防火用水槽、池、水たまり、下水道、雑排水槽等で、幼虫（ボウフラ）の発生の有無及びその程度について調べる」が挙げられている。 |

| 144 ◯ | ドアノブや手すりの消毒には、「消毒用エタノール（アルコール）」「次亜塩素酸ナトリウム」「界面活性剤」での拭き取りが有効である。消毒用エタノールの場合、「濃度が70％〜95％のものが望ましい、ただし60％台でも一定の効果がある」（厚生労働省）とされている。 |

| 145 ✕ | 捻挫や骨折の疑いのある場合、①患部が骨折していないかを確認する、②腫れが強かったり、赤くなっているのであれば、氷水や保冷剤で冷やす、③子どもが動かしにくそうにしたり、痛みが強い場合には副木を当てて、三角巾で固定し受診する。 |

146 保育所における事故の応急処置として、犬に咬まれたので、傷口を流水で洗い、医師の診察を受けた。

147 保育所における事故の応急処置として、蜂に刺され、子どもが痛がるので無理に針を抜かず、医師の診察を受けた。

148 保育所における事故の応急処置として、誤って熱湯を子どもの手の甲にかけてしまったので、すぐに冷水をかけた。

149 保育所の避難訓練の実施については、（ ① ）で義務付けられ、「児童福祉施設の設備及び運営に関する基準」（昭和23年厚生省令第63号）第6条第2項において、少なくとも（ ② ）1回は行わなくてはならないと規定されている。避難訓練は、（ ③ ）が実践的な対応能力を養うとともに、子ども自身が発達過程に応じて、災害発生時に取るべき行動や態度を身に付けていくことを目指して行われることが重要である。

150 保育所保育指針第3章「健康及び安全」の4「災害への備え」の(2)「災害発生時の対応体制及び避難への備え」によると、火災や（ ① ）などの災害の発生に備え、緊急時の対応の具体的内容及び手順、職員の役割分担、避難訓練計画等に関するマニュアルを作成すること、定期的に（ ② ）を実施するなど、必要な対応を図ること、災害の発生時に、保護者等への連絡及び子どもの引渡しを円滑に行うため、日頃から保護者との（ ③ ）に努め、連絡体制や引渡し方法等について確認をしておくこととされている。

146
○

咬みつき傷はそのままにしていると痕が残るため、水道から水を流しっぱなしにして5分から10分程度、洗浄する。患部をすぐに冷却し、いち早く出血を止めることが重要である。

147
○

無理に針を抜かず、流水でよく洗って冷やす。アレルギー反応によるショック症状が少しでも見られたら、救急車を呼んで受診する。

148
○

水道水でかまわないのですぐに冷やすことが大切である。

149
→

①消防法、②月、③全職員。保育所の避難訓練については、消防法第36条（防災管理定期点検報告）に基づく実施が義務付けられている。また、児童福祉施設の設備及び運営に関する基準において、避難・消火訓練は、少なくとも毎月1回は行わなければならないとされている。

150
→

①地震、②避難訓練、③密接な連携。保育所保育指針第3章の4「災害への備え」に示されている。

151 保育所保育指針では、保健計画の策定が義務付けられている。

152 保健計画の評価には、客観的に確認できるよう健康診断に関する法令などを活用する。

153 母子健康手帳は妊娠の届け出をした者に交付されるもので、妊娠・出産や育児期の母子の健康記録のほか、必要な情報が掲載されている。

154 母子保健法では、乳幼児健康診査を受けた場合、保護者は母子健康手帳に必要事項の記載を受けなければならない。また、それを保育所入所時には持参することが義務付けられている。

155 生後4か月までの乳児家庭全戸訪問事業は、育児不安への相談、養育環境の把握等のために行われている児童福祉法による事業であり、保育士も訪問ができる。

156 保育所で発育・発達等の健康状態について気がかりなことがある場合は、乳幼児健診の前に市町村に連絡し情報交換をすることがある。

157 地域保健法による保健所は、都道府県や指定都市など広域・専門的サービスを行い、市町村の保健センターは住民に身近な保健サービスを提供している。

151 ◯
保育所保育指針によると、「子どもの健康に関する保健計画を全体的な計画に基づいて作成し、全職員がそのねらいや内容を踏まえ、一人一人の子どもの健康の保持及び増進に努めていくこと」とされている。

152 ◯
健康診断は、児童福祉施設の設備及び運営に関する基準第12条の規定に基づき、学校保健安全法の規定に準じて、身長及び体重、栄養状態や脊柱及び胸郭の疾病及び異常の有無、四肢の状態等の項目について行われる。

153 ◯
母子健康手帳の内容は、妊娠や出産の経過から、小学校入学前までの子どもの健康状態、発育、発達、予防接種などの記録といった全国的に共通している部分と、妊娠中の注意点など、市区町村の任意で書かれる部分がある。

154 ✕
母子健康手帳の記載は、保健センターが記載する箇所、保護者の任意記載箇所などがある。保育所への提示義務はない。

155 ◯
「こんにちは赤ちゃん事業」と呼ばれ、子育てに関する様々な不安や悩みに、子育ての専門家が対応する制度である。

156 ◯
市町村保健センターは、1歳6か月児、3歳児健診以外にも、母子交流支援・育児サークル育成支援など多種の方法によって母子保健を支えている。

157 ◯
地域保健法は地域住民の健康増進を図ることを目的とする法律で、市町村保健センターについても規定されている。

158
☑☑☑
児童福祉法による保育所等訪問支援は、障害児通所支援の一つである。

159
☑☑☑
保育所保育指針第3章「健康及び安全」の（2）「健康増進」によると、子どもの心身の健康状態や（ ① ）等の把握のために、（ ② ）等により定期的に（ ③ ）を行い、その結果を記録し、保育に活用するとともに、（ ④ ）が子どもの状態を理解し、日常生活に活用できるようにすること。

160
☑☑☑
乳幼児健康診査は、全て法律に基づき市区町村において定期健康診査として実施されている。

161
☑☑☑
「令和4年度地域保健・健康増進事業報告の概況」（令和6年3月厚生労働省）によると、日本における乳幼児健康診査の受診率は、年月齢を問わず70%前後である。

162
☑☑☑
乳幼児健康診査は疾病の異常や早期発見のために重要であり、必要に応じて、子育て支援対策が講じられる。

163
☑☑☑
保育所では、入所時健康診断及び少なくとも1年に2回の定期健康診断を行うことと、「母子保健法」に定められている。

164
☑☑☑
保育所における定期健康診断や入所時健康診断は、定型的な業務なので実施後の評価は行わない。

158
○

保育所等訪問支援とは、保育所等を現在利用中の障害児、または今後利用する予定の障害児が、保育所等における集団生活の適応のための専門的な支援を必要とする場合に、訪問支援を実施することにより、保育所等の安定した利用を促進することを目的としている。

159
→

①疾病、②嘱託医、③健康診断、④保護者。保育所で行う定期健診は、入所して1か月以内に行われる入所児健診、5〜6月に行われる前期健診、9〜10月に行われる後期健診、多数の園児が短期に病気に罹った場合や食中毒の発生時、大きな災害や事件を経験した場合に行われる臨時健診がある。

160
×

乳幼児健康診査については、母子保健法により、市町村において「1歳6か月児」及び「3歳児」に対する健康診査の実施が義務付けられている。3〜6か月児健康診査及び9〜11か月児健康診査は全国的に行われているが、任意である。

161
×

乳幼児健康診査の受診率は、「1歳6か月児」及び「3歳児」は90％を超えている。

162
○

乳幼児健康診査で取り扱う健康課題は、栄養の改善や股関節脱臼など疾病の早期発見、子ども虐待の未然防止などにも重要な役割を担っている。

163
×

保育所での健康診断の実施は、児童福祉施設の設備及び運営に関する基準第12条によって入所時健康診断、年に2回の定期健康診断及び臨時健康診断が義務づけられている。

164
×

健康診断実施後の評価は、「職員間での情報共有」及び「健康管理に対しての保護者への情報発信」の観点から大切である。

図表まとめ▶ 原始反射

反射名	特徴	発現時期	消失時期
モロー反射	大きな音やびっくりしたときに、両手を広げて抱きしめるような動き	出生時	4か月頃
探索反射	口のまわりに触れるとそちらに顔を向けて乳首を探す動き	出生時	4か月頃
吸啜反射	口唇に触れると乳を吸おうとする動き	出生時	4か月頃
緊張性頸反射	頭を一方向に向けると、顔の向いた側の手は伸び、反対側の手足は曲がっている姿勢をとる動き	出生時	5か月頃
バビンスキー反射	足の裏を刺激すると、足の指を扇状に広げる動き	出生時	24か月頃
歩行反射	身体を支えて足を床につけると、両足を交互に屈曲伸展する動き	出生時	1か月頃
把握反射	手に触れるものをつかもうとする動き	出生時	3、4か月

図表まとめ▶ 感染症後の登園の目安

感染症名	登園の目安
麻疹	解熱後3日を経過
インフルエンザ	発症後5日、かつ解熱後2日（幼児は解熱後3日）を経過
水痘	すべての発疹が痂皮化している
咽頭結膜熱	発熱、充血等の主な症状が消失後2日を経過
流行性耳下腺炎	耳下腺、顎下腺、舌下腺腫脹が発現後、5日を経過し、全身状態が良好な状態になっている

第 **8** 章

子どもの食と栄養

食と栄養に関する内容
が広く出題されるよ。
「平成27年度乳幼児栄
養調査」「授乳・離乳
の支援ガイド」「食育
基本法」なども押さえ
よう。

001 ☑☑☑
「孤食」は、食事を一人で食べることをいう。

002 ☑☑☑
「個食」は、家族が同じ食卓についても別々のものを食べることをいう。

003 ☑☑☑
「固食」は、固いものばかり食べることをいう。

004 ☑☑☑
「粉食」は、パン・麺など粉からつくられたものばかり食べることをいう。

005 ☑☑☑
「子食」は、保護者が食べさせることをいう。

006 ☑☑☑
「令和元年国民健康・栄養調査」（厚生労働省）によると、「1－6歳」「7－14歳」「15－19歳」の3つの年齢階級別で乳類の摂取量（平均値）を比較すると、男女とも最も多いのは「7－14歳」である。

007 ☑☑☑
「令和元年国民健康・栄養調査」（厚生労働省）によると、「1－6歳」における脂肪エネルギー比率（%）（平均値）は、男女とも20～30%の範囲内である。

008 ☑☑☑
「令和元年国民健康・栄養調査」（厚生労働省）によると、「1－6歳」における炭水化物エネルギー比率（%）（平均値）は、男女とも55%を超えている。

009 ☑☑☑
「令和元年国民健康・栄養調査」（厚生労働省）によると、「1－6歳」における食塩相当量（g／日）（平均値）は、3g以下である。

001 ○
「孤食」は、食事を一人で（孤独に）食べることをいう。一人での食事のため、偏食になりがちで、コミュニケーション能力も乏しくなってしまうともいわれている。

002 ○
設問のとおり。

003 ×
「固食」は、好きな同じメニューばかり食べることをいう。栄養バランスが偏りがちになってしまう。

004 ○
「粉食」は、パン・麺など小麦粉からつくられたものばかり食べることをいう。小麦粉製品は栄養バランスの崩れだけでなく、咀嚼力の低下にもつながりやすい。

005 ×
「子食」は、子どもだけで食べることをいう。偏食の問題だけでなく、テーブルマナーや挨拶などを学ぶ機会が減ってしまう。

006 ○
設問のとおり。

007 ○
「1−6歳」における脂肪エネルギー比率（%）（平均値）は、男性29.2%、女性28.2%と男女とも20〜30%の範囲内である。

008 ○
「1−6歳」における炭水化物エネルギー比率（%）（平均値）は、男性56.4%、女性57.7%と男女とも55%を超えている。

009 ×
「1−6歳」における食塩相当量（g／日）（平均値）は、5.2gである。

010 ☑☑☑
「令和元年国民健康・栄養調査」（厚生労働省）によると、20〜29歳の女性の肥満者（BMI ≧ 25kg／㎡）の割合は、成人男女の年齢層の中で最も高い。

011 ☑☑☑
20〜29歳の女性では、妊娠前の体格が「低体重（やせ）」や「ふつう」であり、妊娠中の体重増加量が7kg未満の場合には、低出生体重児を出産するリスクが高くなるといわれている。

012 ☑☑☑
「令和元年国民健康・栄養調査」（厚生労働省）によると、20〜29歳の女性のうち運動習慣のある者の割合は、成人女性の他の年齢層の中で最も高い。

013 ☑☑☑
「令和元年国民健康・栄養調査」（厚生労働省）によると、20〜29歳の女性の野菜摂取量の平均値は、成人女性の他の年齢層の中で最も高い。

014 ☑☑☑
「令和4年度食料需給表」（農林水産省）によると、令和4年度の日本の食料自給率は供給熱量ベースで50%を上回っている。

015 ☑☑☑
「第4次食育推進基本計画」（令和3年：農林水産省）によると、若い世代（20歳代及び30歳代）は、朝食欠食の割合が依然として高く、令和2年度は20%を超えている。

016 ☑☑☑
「令和元年国民健康・栄養調査」（厚生労働省）によると、男性の肥満（BMI25以上）の割合は、40歳代が最も高い。

010
×

最も低い。肥満者（BMI ≧ 25kg ／㎡）の割合は男性33.0%、女性22.3%であり、この10年間でみると、男女とも有意な増減はみられない。20歳代女性の肥満の割合は8.9%である。

011
○

妊娠前の体格が「低体重（やせ）」や「ふつう」であり、妊娠中の体重増加量が7kg未満の場合には、2500g未満の低出生体重児を出産するリスクが高くなるといわれている。

012
×

運動習慣のある者の割合は、男性で33.4%、女性で25.1%であり、この10年間でみると、男性では有意な増減はなく、女性では有意に減少している。年齢階級別にみると、その割合は、男女ともに70歳以上で最も高い。反対に、男性では40歳代、女性では30歳代で最も低い。

013
×

最も高いのは60歳代である。野菜摂取量の平均値は280.5gで、男女別にみると男性288.3g、女性273.6gである。

014
×

2022（令和4）年度の日本の食料自給率は、供給熱量ベースで50%を上回らず、38%である。

015
○

20歳代及び30歳代の若い世代は、朝食欠食の割合が依然として高く、加えて、次世代に食育をつなぐ大切な担い手でもあるため、朝食欠食を減らすことを目標としている。具体的には、令和2年度の若い世代の朝食欠食率は21.5%となっているため、令和7年度までに15%以下とすることを目指している。

016
○

男性の肥満の割合は40歳代で39.7%と最も高い。

017 ☑☑☑
「令和5年度食育白書」（農林水産省）によると、朝食または夕食を家族と一緒に食べる「共食」の回数は週9.6回である。

018 ☑☑☑
「令和元年国民健康・栄養調査」（厚生労働省）によると、食習慣改善の意思について、「関心はあるが改善するつもりはない」と回答した者の割合が、男女ともに最も高かった。

019 ☑☑☑
「令和元年国民健康・栄養調査」（厚生労働省）によると、健康食品を摂取している目的について、20歳代女性で「たんぱく質の補充」と回答した者の割合が最も高かった。

020 ☑☑☑
「令和元年国民健康・栄養調査」（厚生労働省）によると、食塩摂取量の平均値は、男女とも60歳代で最も高かった。

021 ☑☑☑
「令和元年国民健康・栄養調査」（厚生労働省）によると、野菜摂取量の平均値は、男女ともに20～40歳代で少なく、60歳以上で多かった。

017
○
2025（令和7）年度の「共食」の目標は週11回以上である。「共食」とは一人ではなく家族などだれかと一緒に食べることをいう。

018
○
食習慣改善の意思について、「関心はあるが改善するつもりはない」と回答した者の割合が、男女ともに最も高かった。

019
✕
健康食品を摂取している目的について、20歳代男性で「たんぱく質の補充」、20歳代女性で「ビタミンの補充」と回答した者の割合がそれぞれ最も高かった。

020
○
20歳以上の男女の食塩摂取量の平均値は10.1 g で、60歳代男性が11.5 g、60歳代女性が10.0 g と男女とも60歳代が最も高かった。

021
○
20歳以上の男女の野菜摂取量の平均値は280.5 g で、男女ともに20〜40歳代で少なく、60歳以上で多かった。

022
☑☑☑

果糖（フルクトース）は、単糖類である。

023
☑☑☑

ブドウ糖（グルコース）は、ショ糖、乳糖、麦芽糖などの構成成分である。

024
☑☑☑

アミロペクチンはブドウ糖が直鎖状に結合したものである。

025
☑☑☑

ブドウ糖（グルコース）は血液中に存在する。

026
☑☑☑

唾液に含まれる（ ① ）は、でんぷんを加水分解する酵素である。

027
☑☑☑

中性脂肪の消化は、主に膵液中の（ ① ）の作用により小腸で行われる。

028
☑☑☑

二糖類の麦芽糖は、小腸粘膜において（ ① ）によって分解される。このような消化を（ ② ）消化という。

029
☑☑☑

たんぱく質を構成するアミノ酸のうち、食事から摂取しなければならないアミノ酸を（ ① ）という。

022
○
果糖は、単糖類である。ほかに、ブドウ糖（グルコース）、ガラクトースも単糖類に分類される。

023
○
ブドウ糖（グルコース）は、ショ糖（スクロース）、乳糖（ラクトース）、麦芽糖（マルトース）などの構成成分である。

024
✕
直鎖状に結合したものはアミロースである。アミロペクチンは分枝状に結合したものである。もち米はアミロペクチン100％、うるち米はアミロペクチン80％とアミロース20％で構成されている。

025
○
ブドウ糖は血液中に存在し、血液中に血糖として約0.1％に維持されている。

026
→
①アミラーゼ。分解生成物はデキストリン、麦芽糖などである。

027
→
①リパーゼ。分解生成物は脂肪酸、モノグリセリドなどである。

028
→
①マルターゼ、②膜。その他、小腸の消化酵素としてはスクラーゼ、ラクターゼなどがある。

029
→
①必須アミノ酸。バリン、ロイシン、イソロイシン、スレオニン、メチオニン、フェニルアラニン、トリプトファン、リジン、ヒスチジンの9種類（乳幼児にはアルギニンも含まれる）。

030
☑☑☑
たんぱく質は1gあたり、約（　①　）kcalのエネルギー
を生じる。

031
☑☑☑
飽和脂肪酸は、バター、牛脂、豚脂などの動物性食品の
油脂に多く含まれる。

032
☑☑☑
不飽和脂肪酸は、細胞膜の構成成分となる。

033
☑☑☑
コレステロールは、性ホルモンやステロイドホルモンの
材料になる。

034
☑☑☑
トランス脂肪酸は、マーガリン、ショートニング等に含
まれている。

035
☑☑☑
食品に含まれる脂質の大部分は複合脂質である。

036
☑☑☑
たんぱく質は、炭素（C）、酸素（O）、水素（H）のみ
で構成されている。

037
☑☑☑
たんぱく質は、アミノ酸からなり、そのアミノ酸は100
種類以上存在する。

030
→

①4。たんぱく質、糖質は1gあたり約4kcal、脂質は1gあたり約9kcalのエネルギーを生じる。

031
○

飽和脂肪酸は、脂肪酸のうち二重結合をもたない脂肪酸のことである。バター、牛脂、豚脂などの動物性食品の油脂に多く含まれる。

032
○

不飽和脂肪酸は、二重結合をもつ脂肪酸のことである。細胞膜の構成成分となる。

033
○

HDLコレステロールは、体の隅々から余分なコレステロールを肝臓に運ぶ。一方、LDLコレステロールは、コレステロールを体の隅々に運び、増えすぎると動脈硬化を促進させてしまうため、「悪玉コレステロール」とも呼ばれている。

034
○

設問のとおり。

035
✕

食品に含まれる脂質の大部分は単純脂質である。

036
✕

たんぱく質は、炭素（C）、酸素（O）、水素（H）、約16％の窒素（N）で構成されている。

037
✕

たんぱく質は、アミノ酸からなり、そのアミノ酸は20種類存在する。

038
☑☑☑

食品の必須アミノ酸含有量のうち、最も高い必須アミノ酸を第一制限アミノ酸という。

039
☑☑☑

たんぱく質は、糖質や脂質が不足した場合にエネルギーとして利用される。

040
☑☑☑

精白米のアミノ酸スコアは100である。

041
☑☑☑

脂質を構成する脂肪酸は、窒素を含む。

042
☑☑☑

脂質は、エネルギー源として利用され、1gあたり9kcalを供給する。

043
☑☑☑

魚油に多く含まれる多価不飽和脂肪酸は、動脈硬化と血栓を防ぐ作用がある。

044
☑☑☑

リノール酸は、飽和脂肪酸である。

045
☑☑☑

炭水化物には、ヒトの消化酵素で消化されやすい（　①　）と消化されにくい（　②　）がある。（　①　）は、1gあたり（　③　）kcalのエネルギーを供給し、一部は、肝臓や筋肉でエネルギー貯蔵体である（　④　）となって体内に蓄えられる。

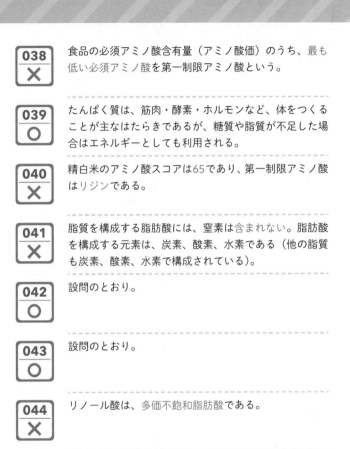

038 ✗ 食品の必須アミノ酸含有量（アミノ酸価）のうち、最も低い必須アミノ酸を第一制限アミノ酸という。

039 ○ たんぱく質は、筋肉・酵素・ホルモンなど、体をつくることが主なはたらきであるが、糖質や脂質が不足した場合はエネルギーとしても利用される。

040 ✗ 精白米のアミノ酸スコアは65であり、第一制限アミノ酸はリジンである。

041 ✗ 脂質を構成する脂肪酸には、窒素は含まれない。脂肪酸を構成する元素は、炭素、酸素、水素である（他の脂質も炭素、酸素、水素で構成されている）。

042 ○ 設問のとおり。

043 ○ 設問のとおり。

044 ✗ リノール酸は、多価不飽和脂肪酸である。

045 → ①糖質、②食物繊維、③4、④グリコーゲン。脂質は1gあたり9kcal、たんぱく質は1gあたり4kcalのエネルギーを供給する。

046
☑☑☑

ビタミンAは、皮膚や目・鼻・のど・胃腸等の粘膜を正常に保ち、欠乏すると夜盲症の原因となる。

047
☑☑☑

ビタミンB_1は、糖質代謝を促進し、欠乏すると脚気の原因となる。

048
☑☑☑

ビタミンCは、コラーゲンの生成と維持に関与し、欠乏すると壊血病の原因となる。

049
☑☑☑

ビタミンDは、カルシウムの吸収を促進し、欠乏するとくる病の原因となる。

050
☑☑☑

リン（P）は、糖質、脂質、たんぱく質の代謝に関与する。

051
☑☑☑

ナトリウム（Na）は、体液の浸透圧調整に関与する。

052
☑☑☑

鉄（Fe）は、ヘモグロビンの成分である。

053
☑☑☑

ビタミンDは、小腸からのカルシウム吸収を促進し、欠乏すると小児ではくる病、成人では骨軟化症の発症リスクが高まる。

054
☑☑☑

ビタミンKは、皮膚や細胞のコラーゲンの合成に必須で、欠乏すると血管がもろくなる。

046 ○
ビタミンAの生理作用には、網膜の光感受性に関与し、視覚作用をもつ働きがある。欠乏症は夜盲症である。

047 ○
ビタミンB₁は糖質の代謝にかかわる。欠乏症は脚気である。

048 ○
ビタミンCはコラーゲンの生成と維持、抗酸化作用にかかわる。欠乏症は壊血病である。

049 ○
設問のとおり。

050 ○
加工食品の添加物にも使用されており、摂りすぎに注意が必要である。

051 ○
ナトリウムの過剰症は高血圧症である。

052 ○
鉄の欠乏症は鉄欠乏性貧血である。鉄にはヘム鉄と非ヘム鉄があり、ヘム鉄のほうが吸収率が高い。

053 ○
設問のとおり。

054 ✕
設問はビタミンCの説明である。ビタミンCは、皮膚や細胞のコラーゲンの合成に必須で、欠乏すると血管がもろくなる。欠乏症は壊血病である。

055 ☑☑☑

ビタミンCは、血液凝固因子の活性化に必要なビタミンで、母乳栄養児は欠乏に陥りやすい。

056 ☑☑☑

葉酸は、受胎の前後に十分量を摂取すると、胎児の神経管閉鎖障害のリスクを低減できる。

057 ☑☑☑

マグネシウム（Mg）の過剰症として、下痢があげられる。

058 ☑☑☑

カリウム（K）は、浸透圧の調節に関わり、野菜類に多く含まれる。

059 ☑☑☑

ナトリウム（Na）の欠乏症として、胃がんがあげられる。

060 ☑☑☑

カルシウム（Ca）は、骨ごと食べられる小魚に多く含まれる。

061 ☑☑☑

鉄（Fe）の過剰症として、貧血があげられる。

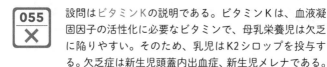

055 ✕
設問はビタミンKの説明である。ビタミンKは、血液凝固因子の活性化に必要なビタミンで、母乳栄養児は欠乏に陥りやすい。そのため、乳児はK2シロップを投与する。欠乏症は新生児頭蓋内出血症、新生児メレナである。

056 ◯
葉酸は妊娠前からの摂取が推奨されている。

057 ◯
マグネシウムの生理作用は骨の成分、神経伝達に関わる。マグネシウムは豆類や種実類に多く含まれる。

058 ◯
カリウムは野菜類のほか、果実類にも多く含まれる。

059 ✕
ナトリウムの過剰症として、高血圧や胃がんがあげられる。普段の食事では不足することはない。

060 ◯
カルシウムは骨ごと食べられる小魚のほか、牛乳にも多く含まれる。欠乏症は小児ではくる病、成人では骨粗しょう症などがあげられる。

061 ✕
鉄の欠乏症として、貧血があげられる。鉄はレバーや赤身の肉、ほうれん草などに多く含まれる。

062
☑☑☑

「日本人の食事摂取基準（2020年版）」（厚生労働省）は、健康増進法に基づき、国民の健康の保持・増進、生活習慣病の予防のために参照するエネルギー及び栄養素の摂取量の基準を示すものである。

063
☑☑☑

「日本人の食事摂取基準（2020年版）」（厚生労働省）では、エネルギー収支バランスの維持を示す指標として、体格（BMI：body mass index）が採用されている。

064
☑☑☑

「日本人の食事摂取基準（2020年版）」（厚生労働省）では、年齢区分は1〜17歳を小児、18歳以上を成人とする。

065
☑☑☑

「日本人の食事摂取基準（2020年版）」（厚生労働省）は、10年ごとに見直しがなされ、改定される。

066
☑☑☑

「日本人の食事摂取基準（2020年版）」（厚生労働省）では、栄養素の指標として、「推定平均必要量」「推奨量」「目安量」「耐容上限量」「目標量」の5種類が設定されている。

067
☑☑☑

「日本人の食事摂取基準（2020年版）」（厚生労働省）では、基本的に健康な個人及び集団を対象としている。

062
○

エネルギー必要量や炭水化物、たんぱく質、脂質などの摂取量の基準を示している。

063
○

BMIは、体重（kg）を身長の2乗（㎡）で割って算出される。

064
○

年齢区分は1～17歳を小児、18歳以上を成人とする。

065
✕

5年ごとに見直しがなされ、改定される。2020年版は、2020年から2024年の5年間使用される。

066
○

「推定平均必要量」とは摂取不足の回避を目的として設定されたもので、半数の人が必要量を満たす量。「推奨量」とは推定平均必要量を補助する目的として設定されたもので、ほとんどの人が充足している量。「目安量」とは十分な科学的根拠が得られず、推定平均必要量と推奨量が設定できない場合に設定された量。「耐容上限量」とは過剰摂取による健康障害の回避を目的として設定された量。「目標量」とは生活習慣病の発症予防のために現在の日本人が当面の目標とすべき摂取量として設定された量である。

067
○

設問のとおり、基本的に健康な個人及び集団を対象としている。

068 ☑☑☑
カルシウムが主な栄養素となる食品は牛乳、乳製品、海藻、小魚である。

069 ☑☑☑
カロテンが主な栄養素となる食品は緑黄色野菜である。

070 ☑☑☑
脂肪性エネルギーが主な栄養素となる食品は油脂である。

071 ☑☑☑
主食には、肉、魚、卵、大豆及び大豆製品などを主材料とするたんぱく質を多く含む料理が含まれる。

072 ☑☑☑
食品の賞味期限とは、おいしく食べることができる期限であり、この時期を過ぎるとすぐに食べられないということではない。

073 ☑☑☑
「食事バランスガイド（平成17年）」（厚生労働省・農林水産省）のコマの中では、一日分の料理・食品の例を示している。

074 ☑☑☑
「食事バランスガイド（平成17年）」（厚生労働省・農林水産省）において、食事の提供量の単位は、SV（サービング）である。

075 ☑☑☑
「食事バランスガイド（平成17年）」（厚生労働省・農林水産省）によると、主菜のグループには、ごはん、食パン、うどんなどが含まれる。

076 ☑☑☑
「食事バランスガイド（平成17年）」（厚生労働省・農林水産省）によると、果物のグループには、お茶や水も含まれる。

068 ○ カルシウムは基礎食品群の第2群に分類され、主に体をつくるもととなる。

069 ○ カロテンは、基礎食品群の第3群に分類され、主に体の調子を整えるもととなる。

070 ○ 脂肪性エネルギーは、基礎食品群の第6群に分類され、主に体を動かすエネルギーのもととなる。

071 ✕ 主食には、ごはん、パン、麺、パスタなどを主材料とする炭水化物を多く含む料理が含まれる。

072 ○ 賞味期限は、スナック菓子、缶詰など比較的劣化しにくい食品に表示される。

073 ○ コマの中では、一日分の料理・食品の例を示している。想定エネルギー量は一日2200 ± 200kcalである。

074 ○ 食事の提供量の単位はSV（サービング）である。基本形での摂取の目安は、主食は5〜7つ（SV）、副菜は5〜6つ（SV）、主菜は3〜5つ（SV）、牛乳・乳製品は2つ（SV）、果物は2つ（SV）である。

075 ✕ 主菜ではなく、主食である。主菜は、肉、魚、卵、大豆料理などが含まれる。

076 ✕ お茶や水は果物のグループではなく、コマの軸として表されている。

077
☑☑☑
「食生活指針」（平成28年一部改正：農林水産省）に、「家族の団らんや人との交流を大切に、また、食事づくりに参加しましょう」と記されている。

078
☑☑☑
「食生活指針」（平成28年一部改正：農林水産省）に、「穀類を毎食とって、糖質からのエネルギー摂取を適正に保ちましょう」と記されている。

079
☑☑☑
「食生活指針」（平成28年一部改正：農林水産省）に、調理や保存を上手にして、食べ残しのない適量を心がけましょう」と記されている。

080
☑☑☑
献立は、一般にご飯と汁物（スープ類）に主菜と副菜1〜2品をそろえると、充実した内容で、栄養的にも優れた献立となる。

081
☑☑☑
主菜には、肉、魚、卵、大豆および大豆製品などを主材料とするたんぱく質を多く含む料理が含まれる。

082
☑☑☑
副菜には、野菜、いも、きのこ、海藻などを主材料とする料理などが含まれる。

083
☑☑☑
汁物の食塩の基準濃度は、一般に4〜5％である。

084
☑☑☑
人日（じんじつ）の節句は、七草の節句ともいい、くず、ききょう、ふじばかま、おみなえし、なでしこ、はぎ、おばなの七草を入れた粥（かゆ）を食べる。

085
☑☑☑
上巳（じょうし/じょうみ）の節句は、桃の節句ともいい、女児の成長を祝い、桃の花、白酒、ひなあられ、菱餅などをひな壇にそなえる。

| 077 〇 | 「食事を楽しみましょう」という項目のうちの1つである。ほかに、「毎日の食事で健康寿命をのばしましょう」などがある。 |

| 078 〇 | 「ごはんなどの穀類をしっかりと」という項目のうちの1つである。ほかに、「日本の気候・風土に適している米などの穀類を利用しましょう」がある。 |

| 079 〇 | 「食料資源を大切に、無駄や廃棄の少ない食生活を」という項目の1つである。ほかに、「賞味期限や消費期限を考えて利用しましょう」などがある。 |

| 080 〇 | 献立を立てる際には、栄養バランスだけでなく、調理法や色彩にも偏りがないように気をつける。 |

| 081 〇 | 設問のとおり。 |

| 082 〇 | 設問のとおり。 |

| 083 ✕ | 汁物の食塩の基準濃度は、一般に0.8％程度である。幼児は0.5％程度とさらに低めである。 |

| 084 ✕ | 人日の節句（1月7日）では、せり、なずな、ごぎょう、はこべら、ほとけのざ、すずな、すずしろの七草を入れた粥を食べる。 |

| 085 〇 | 上巳の節句は3月3日である。 |

086
端午（たんご）の節句では、男児の成長を祝い、ちまき、柏餅などを食べる。
☑☑☑

087
重陽（ちょうよう）の節句では、かぼちゃ、小豆粥（あずきがゆ）などを食べる。
☑☑☑

088
「家庭でできる食中毒予防の6つのポイント」（厚生労働省）によると、表示のある食品は、消費期限などを確認し、購入する。
☑☑☑

089
「家庭でできる食中毒予防の6つのポイント」（厚生労働省）によると、食中毒予防の三原則は、食中毒菌を「付けない、増やさない、やっつける（殺す）」である。
☑☑☑

090
「家庭でできる食中毒予防の6つのポイント」（厚生労働省）によると、購入した肉・魚は、水分のもれがないように、ビニール袋などにそれぞれ分けて包み、持ち帰る。
☑☑☑

091
「家庭でできる食中毒予防の6つのポイント」（厚生労働省）によると、残った食品は、早く冷えるように浅い容器に小分けして保存する。
☑☑☑

092
「家庭でできる食中毒予防の6つのポイント」（厚生労働省）によると、冷蔵庫は、15℃以下に維持することが目安である。
☑☑☑

086
○

端午の節句は5月5日である。

087
×

かぼちゃ、小豆粥などを食べるのは冬至である。重陽の節句（9月9日）は、栗ご飯、菊酒などを食べたり飲んだりする。

088
○

「家庭でできる食中毒予防の6つのポイント」（厚生労働省）に記載されている。

089
○

「家庭でできる食中毒予防の6つのポイント」（厚生労働省）に記載されている。

090
○

「家庭でできる食中毒予防の6つのポイント」（厚生労働省）に記載されている。

091
○

「家庭でできる食中毒予防の6つのポイント」（厚生労働省）に記載されている。

092
×

冷蔵庫は10℃以下、冷凍庫は−15℃以下に維持することが目安である。

093 ☑☑☑
妊娠中は非妊娠時に比べ、母体の組織増加、胎児や胎盤を維持するためのカルシウムの必要量が増加するため、「日本人の食事摂取基準（2020年版）」（厚生労働省）では、カルシウムの付加量が設定されている。

094 ☑☑☑
ビタミンAは、胎児の発達に必須の因子であるため、「日本人の食事摂取基準（2020年版）」（厚生労働省）では、妊娠初期から付加量が設定されている。

095 ☑☑☑
妊娠中は非妊娠時に比べ、母体の組織増加、胎児や胎盤を維持するためのナトリウムの必要量が増加するため、「日本人の食事摂取基準（2020年版）」（厚生労働省）では、食塩相当量に付加量が設定されている。

096 ☑☑☑
リステリア食中毒の原因となるため、妊娠中に避けたほうがよい食べ物として、加熱殺菌していないナチュラルチーズ、肉や魚のパテ（すりつぶして調味した生肉や生魚）、生ハム、スモークサーモンがあげられている。

097 ☑☑☑
妊娠後期には神経管閉鎖障害発症リスク低減のために、鉄を十分摂取することが必要である。

098 ☑☑☑
妊娠期における推奨体重増加量は、非妊娠時の体格区分別に示されている。

099 ☑☑☑
「日本人の食事摂取基準（2020年版）」（厚生労働省）では、推定エネルギー必要量の妊婦の付加量は、初期、中期、後期とも＋250kcalである。

100 ☑☑☑
妊娠初期にビタミンCを過剰摂取すると、胎児の奇形発生率が高くなる。

妊娠中のカルシウムの付加量は設定されていない。カルシウムは胎児にとっても必要な栄養素だが、妊娠中は吸収率が上がるため、付加量は 0 である。

ビタミン A は、妊娠初期、中期には設定されていないが、妊娠後期から付加量が設定されている。

妊娠中のナトリウム（食塩相当量）の付加量は設定されていない。

妊娠中は感染しやすいので十分な注意が必要である。

神経管閉鎖障害発症リスク低減のために、摂取すべき栄養素は葉酸である。また、妊娠後期ではなく、妊娠前から妊娠初期に十分摂取することが必要である。

妊娠時の BMI 別に、BMI18.5 未満は 12 〜 15kg、18.5 以上 25.0 未満は 10 〜 13kg、25.0 以上 30.0 未満は 7 〜 10kg、30.0 以上は個別対応と示されている。

推定エネルギー必要量の妊婦の付加量は、初期 + 50kcal、中期 + 250kcal、後期 + 450kcal である。

ビタミン C ではなく、ビタミン A である。妊娠初期にビタミン A を過剰摂取すると、胎児の奇形発生率が高くなる。

101 イワシは食物連鎖によって水銀を多く含むので、妊娠中は食べる際に注意が必要である。

☑☑☑

102 「妊娠前からはじめる妊産婦のための食生活指針」（令和3年：厚生労働省）に、「不足しがちなビタミン・ミネラルを、「（　①　）」でたっぷりと」と記されている。

☑☑☑

103 「妊娠前からはじめる妊産婦のための食生活指針」（令和3年：厚生労働省）に、「乳製品、緑黄色野菜、豆類、小魚などで（　①　）を十分に」と記されている。

☑☑☑

104 「妊娠前からはじめる妊産婦のための食生活指針」（令和3年：厚生労働省）に、「「主菜」を組み合わせて（　①　）を十分に」と記されている。

☑☑☑

105 「授乳・離乳の支援ガイド」（2019年改定版：厚生労働省）に、「特に（　①　）から退院までの間は母親と子どもが終日、一緒にいられるように支援する」と記されている。

☑☑☑

106 「授乳・離乳の支援ガイド」（2019年改定版：厚生労働省）に、「授乳を通して、母子・親子のスキンシップが図られるよう、しっかり（　①　）、優しく声かけを行う等暖かいふれあいを重視した支援を行う」と記されている。

☑☑☑

107 「授乳・離乳の支援ガイド」（2019年改定版：厚生労働省）に、「（　①　）等による授乳への支援が、母親に過度の負担を与えることのないよう、（　①　）等への情報提供を行う」と記されている。

☑☑☑

108 乳児用調製粉乳とは、母乳の代替品である。

☑☑☑

101 ✕ イワシには水銀は多くは含まれないので問題ないといえる。キンメダイ、クロマグロなどに注意が必要である。

102 → ①副菜。不足しがちなビタミン・ミネラルとしては葉酸と鉄があげられている。

103 → ①カルシウム。妊娠中や出産後は、胎児のからだをつくったり、授乳したりすることにより、母体からカルシウムが失われるため、妊娠前からの積極的なカルシウム摂取が大切である。

104 → ①たんぱく質。その他、「穀類もしっかり摂る必要がある」と示されている。

105 → ①出産後。「授乳の開始から授乳のリズムの確立」までの区分では、その他に「子どもが欲しがるとき、母親が飲ませたいときには、いつでも授乳できるように支援する」とされている。

106 → ①抱いて。その他に「子どもの欲しがるサインや、授乳時の抱き方、哺乳瓶の乳首の含ませ方等について伝え、適切に授乳できるよう支援する」とされている。

107 → ①父親や家族。その他に「できるだけ静かな環境で、適切な子どもの抱き方で、目と目を合わせて、優しく声をかける等授乳時の関わりについて支援を行う」とされている。

108 ◯ 乳児用調製粉乳は生後0か月から使用可能である。

109
☑☑☑

フォローアップミルクは、生後9か月以降から使用する。

110
☑☑☑

低出生体重児用粉乳とは、消化吸収に負担の少ない中鎖脂肪（MCT）が用いられている。

111
☑☑☑

アミノ酸混合乳とは、牛乳たんぱく質を含まないアレルギー児用ミルクである。

109 ◯	フォローアップミルクは鉄やビタミンなどが添加されている。

110 ◯	低出生体重児用粉乳は出生体重が2500 g未満の場合に用いられる。

111 ◯	設問のとおり。

図表まとめ▶ 妊娠中の体重増加量指導の目安

非妊娠時のBMI	BMI判定	体重増加量指導の目安
18.5未満	低体重（やせ）	12〜15kg
18.5以上25.0未満	普通体重	10〜13kg
25.0以上30.0未満	肥満（1度）	7〜10kg
30.0以上	肥満（2度以上）	個別対応（上限5kgまでが目安）

図表まとめ▶ 付加量

	エネルギー（kcal/日）	たんぱく質（g/日）	カルシウム（mg/日）	鉄（mg/日）
妊娠初期	＋50	＋0	＋0	＋2.5
妊娠中期	＋250	＋5		＋9.5
妊娠後期	＋450	＋25		
授乳婦	＋350	＋20	＋0	＋2.5

※ たんぱく質、鉄の付加量は食事摂取基準2015年から一部変更されました。

112
☑☑☑
「授乳・離乳の支援ガイド」（2019年改定版：厚生労働省）では、母乳（育児）の利点の1つに、感染症の発症及び重症度の低下があげられるとされている。

113
☑☑☑
「授乳・離乳の支援ガイド」（2019年改定版：厚生労働省）では、母乳は利点も多いが、母乳栄養児のほうが、人工栄養児に比べ、肥満となるリスクが高いとされている。

114
☑☑☑
市販されている乳児用調製粉乳の標準調乳濃度は、約30%である。

115
☑☑☑
フォローアップミルクは、鉄が添加されていない。

116
☑☑☑
幼児期の肥満は、学童期以降の肥満につながる可能性をもっている。

117
☑☑☑
保育所における調乳について、乳児用調製粉乳は、50℃以上のお湯で調乳するとよい。

118
☑☑☑
保育所における調乳について、調乳後、2時間以内に使用しなかった乳児用調製粉乳は廃棄する。

119
☑☑☑
「授乳・離乳の支援ガイド」（2019年改定版：厚生労働省）では、「離乳を開始したら、母乳や育児用ミルクは与えない」とされている。

120
☑☑☑
「授乳・離乳の支援ガイド」（2019年改定版：厚生労働省）では、「生後7～8か月頃からは、舌でつぶせる固さのものを与える」とされている。

| 112 ○ | 母乳に含まれる感染防御因子は免疫グロブリンAや、ラクトフェリンなどである。 |

| 113 × | 母乳栄養児は、人工栄養児に比べ、肥満となるリスクが低い。 |

| 114 × | 約30%ではなく、約12〜14%である。 |

| 115 × | 鉄が添加されている。フォローアップミルクは、生後9か月以降に飲ませることができる。 |

| 116 ○ | 幼児期の肥満は、思春期や成人までつながる可能性もある。食事、運動不足等、食生活の見直しが必要である。 |

| 117 × | 乳児用調製粉乳は、一度沸騰させて70℃以上に保った湯を使用する。冷凍母乳を温める際は、母乳の成分が壊れないように40℃程度のぬるま湯を使用する。 |

| 118 ○ | 設問のとおり。 |

| 119 × | 離乳開始後も、母乳や育児用ミルクは飲みたいだけ与える。 |

| 120 ○ | 生後7〜8か月頃からは、舌でつぶせる固さのものを与える。 |

121 「授乳・離乳の支援ガイド」（2019年改定版：厚生労働省）では、「離乳完了期には、手づかみ食べにより、自分で食べる楽しみを増やしていく」とされている。

☑☑☑

122 「授乳・離乳の支援ガイド」（2019年改定版：厚生労働省）では、「離乳が進むにつれて、卵は卵白から全卵に進めていく」とされている。

☑☑☑

123 幼児期の間食は、食事とは別のものと考え、市販のお菓子や甘い飲み物を与える。

☑☑☑

124 幼児期の間食は、1日の摂取エネルギーの40％程度を、1日1回与える。

☑☑☑

125 幼児期の間食は、むし歯予防のためにも時間を決めて、規則的に与える。

☑☑☑

126 「平成27年度乳幼児栄養調査結果の概要」（厚生労働省）では、「授乳について困ったこと」がある者（回答者：0〜2歳児の保護者の総数）は、約5割であった。

☑☑☑

127 分娩後、数日間分泌される黄色みをおびた粘りのある母乳を初乳という。

☑☑☑

128 母乳育児の利点として、小児期の肥満やのちの2型糖尿病の発症リスクの低下が報告されている。

☑☑☑

129 乳児用液体ミルクは、液状の人工乳を容器に密封したものであり、常温での保存が可能なものである。

☑☑☑

121
○

離乳完了期には、手づかみ食べにより、自分で食べる楽しみを増やしていく。

122
×

離乳が進むにつれて、卵は卵黄から全卵に進めていく。卵白はアレルギーが強く出やすいため、加熱した卵黄から進めていく。

123
×

間食は食事の一部として考えるので、市販のお菓子や甘い飲み物は与えない。幼児期は1日3食の食事だけでは栄養素が足りないため、栄養素を補う目的で間食を与える。

124
×

1〜2歳児は1日の摂取エネルギーの10〜15%程度を1日2回、3〜5歳児は15〜20%程度を1日1回与える。

125
○

むし歯予防のためにも時間を決めて、規則的に与える。

126
×

「授乳について困ったこと」がある者（回答者：0〜2歳児の保護者の総数）は、約8割であった。

127
○

分娩後数日間分泌される母乳を初乳という。初乳には免疫グロブリンA（IgA）、ラクトフェリンなど免疫力を高める成分が多く含まれている。

128
○

母乳育児の利点として、小児期の肥満やのちの2型糖尿病の発症リスクの低下が報告されている。

129
○

乳児用液体ミルクは、希釈、殺菌、加熱等の必要がないので、災害時にも有効である。

130
☑☑☑

幼児期は、消化機能が十分に発達していないため、1回（食）に消化できる量などに配慮が必要である。

131
☑☑☑

幼児期は、骨格、筋肉、臓器など身体のあらゆる組織をつくるために十分な栄養素の供給が必要となるが、体重1kgあたりでは成人よりも必要とする栄養素は少ない。

132
☑☑☑

幼児期は、「偏食する」「むら食い」「遊び食べをする」などが起きやすい。

133
☑☑☑

「食品による子どもの窒息・誤嚥事故に注意！」（令和3年1月　消費者庁）によると、硬い豆やナッツ類を乳幼児に与える場合は、小さく砕いて与える。

134
☑☑☑

「食品による子どもの窒息・誤嚥事故に注意！」（令和3年1月　消費者庁）によると、食べているときは、姿勢をよくし、食べることに集中させる。

135
☑☑☑

「食品による子どもの窒息・誤嚥事故に注意！」（令和3年1月　消費者庁）によると、節分の豆まきは個包装されたものを使用するなど工夫して行い、子どもが拾って口に入れないように、後片付けを徹底する。

136
☑☑☑

「食品による子どもの窒息・誤嚥事故に注意！」（令和3年1月　消費者庁）によると、ミニトマトやブドウ等の球状の食品を乳幼児に与える場合は、4等分する、調理して軟らかくするなどして、よく噛んで食べさせる。

130 ○	消化機能が十分に発達していないため、1回（食）に消化できる量などに配慮が必要である。そのため、間食を与え、足りない栄養素を補う。
131 ✕	精神的・身体的に発達するので、体重1kgあたりのエネルギーやたんぱく質・鉄などは成人の2〜3倍必要である。
132 ○	幼児期では、他に「食べるのに時間がかかる」などもある。
133 ✕	硬い豆やナッツ類等は5歳以下の子どもには食べさせない。小さく砕いた場合でも、気管に入りこんでしまうと肺炎や気管支炎になるリスクがある。
134 ○	物を口に入れたままで、走ったり、笑ったり、泣いたり、声を出したりすると、誤って吸引し、窒息・誤嚥するリスクがある。
135 ○	個包装されたものは、豆がむき出しになっていないので、子どもが誤って口に入れにくい。
136 ○	ミニトマトやブドウ等の球状の食品を丸ごと食べさせると、窒息するリスクがある。

137

学校給食の目標として、「適切な栄養の摂取による健康の保持増進を図ること」がある。

138

学校給食の目標として、「食に関わる産業や、地域の人々との会食、行事食・郷土食などとの触れ合いを通して、地域の人々との交流を深めること」がある。

139

学校給食の目標として、「学校生活を豊かにし、明るい社交性及び協同の精神を養うこと」がある。

140

学校給食の目標として、「食料の生産、流通及び消費について、正しい理解に導くこと」がある。

141

第一発育急進期とは、主に乳児期を指す。

142

第二発育急進期とは、主に思春期を指す。

143

思春期には、男女ともに性腺が著しく発達し、第二次性徴が出現する。

144

摂食障害は、思春期の女子に初発することが多い。

145

思春期女子では月経による失血により、溶血性貧血を起こしやすい。

137 **○** 学校給食法第2条第1号に規定されている。

138 **×** 学校給食法に、そのような記述はない。

139 **○** 学校給食法第2条第3号に規定されている。

140 **○** 学校給食法第2条第7号に規定されている。

141 **○** 第一発育急進期は、生涯の中でも著しい発育がみられる。

142 **○** 第二発育急進期は、女性は10～16歳頃、男性は12～18歳頃である。

143 **○** 思春期は、体の成長と心の成長がアンバランスになりやすく、誰もが不安定な気分になりやすい。

144 **○** 摂食障害には、神経性無食欲症（拒食症）や神経性大食症（過食症）などがあり、心のケアが必要である。

145 **×** 溶血性貧血ではなく鉄欠乏性貧血である。鉄欠乏性貧血は、鉄が不足することで起きる欠乏症であり、溶血性貧血は赤血球が破壊されることで起こる貧血である。

146
☑☑☑
学童期後半からの身長・体重の急激な発育を、第一発育急進期という。

147
☑☑☑
「令和4年度学校保健統計」（文部科学省）によると、学童期後半（9〜11歳）の男児では、肥満傾向児（肥満度20%以上の者）が約3割である。

148
☑☑☑
永久歯は、8歳前後に生えそろう。

149
☑☑☑
「日本人の食事摂取基準（2020年版）」（厚生労働省）では、学童期の年齢区分は6〜8歳、9〜11歳の2区分となっている。

150
☑☑☑
「楽しく食べる子どもに〜食からはじまる健やかガイド〜」（平成16年：厚生労働省）では、学童期に育てたい「食べる力」として、「食事のバランスや適量がわかる」をあげている。

151
☑☑☑
「学校給食実施基準の一部改正について（通知）」（令和3年：文部科学省）では、「学校給食摂取基準」については、厚生労働省が策定した「学校保健統計調査」を参考とすることとされている。

152
☑☑☑
「学校給食実施基準の一部改正について（通知）」（令和3年：文部科学省）では、各地域の実情や家庭における食生活の実態把握の上、日本型食生活の実践、日本の伝統的な食文化の継承について十分配慮することとされている。

153
☑☑☑
「学校給食実施基準の一部改正について（通知）」（令和3年：文部科学省）では、「食事状況調査」の結果によれば、学校給食のない日はカルシウム不足が顕著であるとされている。

| 146 ✕ | 学童期後半からの身長・体重の急激な発育を、第二発育急進期という。男子より女子のほうが早く出現する。 |

| 147 ✕ | 「令和4年度学校保健統計」によると、学童期後半（9〜11歳）の男児では、肥満傾向児（肥満度20%以上の者）は約1割である。 |

| 148 ✕ | 永久歯は、12歳前後に生えそろう。 |

| 149 ✕ | 「日本人の食事摂取基準（2020年版）」では、学童期の年齢区分は6〜7歳、8〜9歳、10〜11歳の3区分となっている。 |

| 150 ◯ | 設問のとおり。 |

| 151 ✕ | 「学校保健統計調査」ではなく、「日本人の食事摂取基準（2020年版）」である。 |

| 152 ◯ | 学校給食法第2条第6号にも示されている。 |

| 153 ◯ | 家庭では、カルシウムの摂取量が不足しているので、学校給食摂取基準ではカルシウムは食事摂取基準の50%を基準値としている。 |

154
☑☑☑
「学校給食実施基準の一部改正について（通知）」（令和3年：文部科学省）では、献立作成にあたっては、常に食品の組み合わせ、調理方法等の改善を図るとともに、児童生徒のし好の偏りをなくすよう配慮することとされている。

155
☑☑☑
「学校給食実施基準の一部改正について（通知）」（令和3年：文部科学省）では、望ましい生活習慣を形成するため、適度な運動、調和のとれた食事、十分な休養・睡眠という生活習慣全体を視野に入れた指導に配慮することとされている。

156
☑☑☑
学校給食法第2条に定められた「学校給食の目標」は、5項目である。

157
☑☑☑
「令和5年度学校給食実施状況等調査」（文部科学省）によると、約99％の小学校で学校給食（完全給食・補食給食・ミルク給食）を実施している。

158
☑☑☑
「令和5年度学校給食実施状況等調査」（文部科学省）によると、完全給食を実施している国公私立学校での米飯給食の週当たりの平均実施回数は2回である。

159
☑☑☑
「第4次食育推進基本計画」（農林水産省）では、実施最終年度までに、学校給食における地場産物を活用した取組等を増やすことを目標として設定している。

154 ○ 設問のとおり。適切な栄養の摂取による健康増進を図ることが求められる。

155 ○ 学校給食法第 2 条第 2 号にも示されている。

156 × 「学校給食の目標」は 5 項目ではなく、7 項目である。

157 ○ 給食の種類には、完全給食（主食、おかず、牛乳）、補食給食（おかず、牛乳）、ミルク給食（牛乳のみ）がある。完全給食がほとんどだが、補食給食やミルク給食の学校もある。

158 × 完全給食を実施している国公私立学校での米飯給食の週当たりの平均実施回数は 3.6 回である。

159 ○ 第 4 次食育推進基本計画は令和 3 〜 7 年度までの計画であり、学校給食における地場産物を活用した取組等を増やすことを目標として設定している。

160 ☑☑☑
吐き気、嘔吐がある場合は、それが治まってから水分を少しずつ与える。

161 ☑☑☑
同じ材料でも、切り方によって消化をよくすることができる。

162 ☑☑☑
口内炎がある場合には、舌ざわりがなめらかで飲み込みやすいものがよい。

163 ☑☑☑
脱水症は、体内の水分が減ってしまう状態を指し、尿量が増える。

164 ☑☑☑
ノロウイルス感染症の嘔吐物の消毒には、次亜塩素酸ナトリウムや塩素系の漂白剤等を用いる。

165 ☑☑☑
食物アレルギーの有症率は、乳児期が最も低く加齢とともに増加する。

166 ☑☑☑
乳児の食物アレルギーの新規発症の主要原因物質は、鶏卵、牛乳、大豆である。

167 ☑☑☑
栄養食事指導のポイントの1つとして、必要最小限の食物除去（アレルゲン除去）がある。

168 ☑☑☑
日常生活で寝たきりが多い児は、誤嚥を防止するために、頸部を少し前屈させるようにする。

160
○

設問のとおり。

161
○

みじん切り、すりおろすなど、細かくするほど消化はよくなる。

162
○

酸味や香辛料などの刺激を避け、薄味にする。

163
✕

尿量が増えるのではなく、減る。

164
○

ノロウイルスの場合、アルコールなどは効きにくいといわれている。

165
✕

食物アレルギーの有症率は、乳児期が最も高く、加齢とともに低下する。

166
✕

乳児の食物アレルギーの新規発症の主要原因物質は、鶏卵、牛乳、小麦である。

167
○

自己判断で対応せずに必ず医師の診断に基づいて進めることが必要である。

168
○

片方に麻痺があり、寝たままで食事をする場合には、麻痺のない側を下、麻痺のある側を上にした半側臥位のほうがよいとされている。

169
☑☑☑
運動麻痺や不随意運動などのある障害児には、食事用自助具の利用や工夫が必要となる。

170
☑☑☑
体調不良の子どもの食事について、消化のよい豆腐や白身魚、かゆなどを与える。

171
☑☑☑
体調不良の子どもの食事について、水分補給には、白湯、ほうじ茶や、小児用電解質液等を用いる。

172
☑☑☑
体調不良の子どもの食事について、油を使った料理は控えるようにする。

173
☑☑☑
体調不良の子どもの食事について、味つけは薄味とする。

174
☑☑☑
嚥下が困難な子どもの食事について、誤嚥しやすい飲食物には、水、味噌汁などがある。

175
☑☑☑
嚥下が困難な子どもの食事について、酸味の強い食品は、むせやすく誤嚥しやすい。

176
☑☑☑
嚥下が困難な子どもの食事について、摂食機能に合わせて、食物の形態（硬さ、大きさなど）を配慮することが必要である。

177
☑☑☑
嚥下が困難な子どもの食事について、スプーンの幅は、口の幅より大きなものの方がよい。

169 ○ 食の自立への援助として、変形柄つきスプーン、ピンセット型箸、吸い口つきコップなど様々な自助具がある。

170 ○ 離乳食の場合は1つ前の段階の固さに戻したものを与える。

171 ○ 授乳中は母乳を水分補給として与える。

172 ○ 揚げ物などは控えるようにする。ごぼうやこんにゃくなど食物繊維の多い食物も胃腸に負担をかけるので控える。

173 ○ 身体に負担となる濃い味つけにはしない。

174 ○ 誤嚥しやすい飲食物には、とろみ等をつけて飲み込みやすくする。

175 ○ 酸味の強い食品は、むせやすく誤嚥しやすい。

176 ○ 誤嚥を防止するために一度に多量の食物を口に入れないようにする。

177 ✕ スプーンの幅は、口の幅より小さなものの方がよい。口の幅より大きいとこぼれてしまう。

178
☑☑☑ 「児童福祉施設における食事の提供ガイド」(平成22年：厚生労働省)によると、衛生管理については、調理前の手洗いのみを確認すればよいとされている。

179
☑☑☑ 「児童福祉施設における食事の提供ガイド」(平成22年：厚生労働省)によると、加熱をする場合には十分に行い、中心温度計で、計測、確認、記録を行うとされている。

180
☑☑☑ 「児童福祉施設における食事の提供ガイド」(平成22年：厚生労働省)によると、加熱調理後は、速やかに(2時間以内)喫食をすることを徹底するとされている。

181
☑☑☑ 保育所保育指針第3章「健康及び安全」の2「食育の推進」において、「体調不良、(①)、障害のある子どもなど、一人一人の子どもの(②)の状態等に応じ、嘱託医、(③)等の指示や協力の下に適切に対応すること。(④)が配置されている場合は、専門性を生かした対応を図ること」とされている。

182
☑☑☑ 「食育推進基本計画」は、食育基本法に基づき、食育の推進に関する基本的な方針や目標について定めている。

183
☑☑☑ 「第4次食育推進基本計画」(令和3年：農林水産省)は、4つの重点事項を柱に、SDGsの考え方を踏まえ、食育を総合的かつ計画的に推進する。

184
☑☑☑ 「第4次食育推進基本計画」(令和3年：農林水産省)は、令和3〜5年度までの計画である。

185
☑☑☑ 「第4次食育推進基本計画」(令和3年：農林水産省)の重点事項の中には、「新たな日常」やデジタル化に対応した食育の推進がある。

178
✕

調理前の手洗いだけでなく、身だしなみや調理器具、食材などあらゆるものに気をつけなければならない。

179
○

加熱が不十分の場合、食中毒になりやすいため、気をつける。

180
○

喫食するまで長時間になるほど食中毒のリスクも高まる。

181
→

①食物アレルギー、②心身、③かかりつけ医、④栄養士。保育所保育指針第3章「健康及び安全」の2「食育の推進」に記載されている。

182
○

設問のとおり。

183
✕

「第4次食育推進基本計画」(令和3年:農林水産省)は、3つの重点事項を柱に、SDGsの考え方を踏まえ、食育を総合的かつ計画的に推進する。

184
✕

「第4次食育推進基本計画」(令和3年:農林水産省)は、令和3〜7年度までの計画である。

185
○

生涯を通じた心身の健康を支える食育の推進、持続可能な食を支える食育の推進を合わせた3つの重点事項が第4次食育推進基本計画の柱となっている。

186

☑☑☑

食育基本法の前文には「子どもたちに対する食育は、心身の成長及び人格の形成に大きな影響を及ぼし、生涯にわたって（ ① ）を培い（ ② ）をはぐくんでいく基礎となるものである」と記載されている。

187

☑☑☑

保育所保育指針第3章「健康及び安全」の2「食育の推進」には、「子どもが自らの感覚や体験を通して、自然の恵みとしての食材や（ ① ）への意識、調理する人への感謝の気持ちが育つように、子どもと調理員等との関わりや、（ ② ）など食に関わる保育環境に配慮すること。（ ③ ）や地域の多様な関係者との連携及び協働の下で、食に関する取組が進められること。また、（ ④ ）の支援の下に、地域の関係機関等との日常的な連携を図り、必要な協力が得られるよう努めること」と記載されている。

186
→

①健全な心と身体、②豊かな人間性。食育基本法は2005（平成17）年に制定された。現在及び将来にわたる健康で文化的な国民の生活と豊かで活力のある社会の実現に寄与することを目的としている。

187
→

①食の循環・環境、②調理室、③保護者、④市町村。保育所保育指針第3章「健康及び安全」の2「食育の推進」(2)「食育の環境の整備等」に記載されている。

保育現場では、個々に合わせた離乳食の対応、食育・食物アレルギー対応なども行うので、この科目で学んだ知識は必ず役立つよ。

フレーフレー

図表まとめ▶ 主なビタミンの生理作用や欠乏症など

	種類	生理作用	欠乏症	供給源	その他重要ポイント
脂溶性ビタミン	ビタミンA	視覚作用に関わる 皮膚やのど等の粘膜を正常に保ち、免疫力を維持する	夜盲症	レバー うなぎ 緑黄色野菜	妊娠初期の過剰摂取は胎児の形態異常
脂溶性ビタミン	ビタミンD	カルシウムの吸収を促進させ、骨形成を促進する	小児…くる病、成人…骨粗しょう症	魚介類 きのこ類 卵	紫外線を浴びると皮膚でつくられる
脂溶性ビタミン	ビタミンE	過酸化防止作用に関わる	血行障害など	ナッツ類	
脂溶性ビタミン	ビタミンK	血液凝固に関わる	新生児頭蓋内出血症、新生児メレナ	納豆	母乳にあまり含まれていないため、経口摂取させる
水溶性ビタミン	ビタミンB$_1$	糖質の代謝に関わる	脚気	豚肉	
水溶性ビタミン	ビタミンB$_2$	成長促進、三大栄養素の代謝に関わる	成長障害 口内炎	レバー うなぎ	
水溶性ビタミン	葉酸	胎児の神経管閉鎖障害のリスク低減	神経管閉鎖障害	緑黄色野菜	妊娠前から初期に十分摂取すべき
水溶性ビタミン	ビタミンC	抗酸化作用 コラーゲンの生成に関わる	壊血病	新鮮な果物・野菜	鉄の吸収を助ける

第9章

保育実習理論

保育所・児童福祉施設における実習に必要な内容を学ぶ科目だよ。保育所保育等、音楽、造形、言語の4つの分野があるよ。

001 ☑☑☑
保育所保育指針において、「障害のある子どもの保育については、一人一人の子どもの発達過程や障害の状態を把握し、適切な環境の下で、障害のある子どもが他の子どもとの（　①　）を通して共に成長できるよう、指導計画の中に位置付けること」と記されている。

002 ☑☑☑
保育所保育指針において、「幼児期において自然のもつ意味は大きく、自然の大きさ、美しさ、不思議さなどに直接触れる（　①　）を通して、子どもの心が安らぎ、豊かな感情、好奇心、思考力、表現力の基礎が培われることを踏まえ、子どもが自然との関わりを深めることができるよう工夫すること」と記されている。

003 ☑☑☑
子どもの就学に際して、作成した保育所児童保育要録の抄本又は写しを地方自治体の長に送付する。

004 ☑☑☑
保育所児童保育要録の作成にあたっては、保護者との信頼関係を基盤として、保護者の思いを踏まえつつ記載する。

005 ☑☑☑
保育所児童保育要録は、最終年度の子どもについて作成する。

006 ☑☑☑
保育所保育指針第2章「保育の内容」の1「乳児保育に関わるねらい及び内容」の(2)「ねらい及び内容」には、「玩具などは、音質、形、色、大きさなど子どもの発達状態に応じて適切なものを選び、その時々の子どもの興味や関心を踏まえるなど、遊びを通して（　①　）の発達が促されるものとなるように工夫すること。なお、安全な環境の下で、子どもが（　②　）を満たして（　③　）遊べるよう、身の回りのものについては、常に十分な点検を行うこと」と記載されている。

001

①生活。保育所保育指針解説では、「障害や様々な発達上の課題など、状況に応じて適切に配慮する必要がある。（中略）将来的に障害の有無等によって分け隔てられることなく、相互に人格と個性を尊重し合いながら共生する社会の基盤になると考えられる」とされている。

002

①体験。保育所保育指針解説では、「自然との出会いを通して、（中略）落ち着いた気持ちの中から、自然に繰り返し直接関わることによって自然への不思議さや自然と交わる喜びの感情がわき上がるだろう」とされている。

003
×

保育所児童保育要録は、地方自治体の長ではなく、小学校に送付する。

004
○

設問のとおり。

005
○

最終年度の子どもについて作成するが、それまでの記録も参考にしながら、保育の内容（5領域）や、「幼児期の終わりまでに育ってほしい姿」についても記載する。

006

①感覚、②探索意欲、③自由に。個人差や月齢の違いによる発達差の大きいこの時期の子どもの探索意欲を満たすために、保育士等は一人一人の子どもが今どのようなものに興味をもっているのかを理解することが重要である。

007
☑☑☑

保育所保育指針第1章「総則」の3「保育の計画及び評価」の（3）「指導計画の展開」の留意事項として、「施設長、保育士など、全職員による適切な役割分担と協力体制を整えること」がある。

008
☑☑☑

保育所保育指針第1章「総則」の3「保育の計画及び評価」の（3）「指導計画の展開」の留意事項として、「子どもが行う具体的な活動は、生活の中で様々に変化することに留意して、子どもが望ましい方向に向かって自ら活動を展開できるよう必要な援助を行うこと」がある。

009
☑☑☑

保育所保育指針第1章「総則」の3「保育の計画及び評価」の（3）「指導計画の展開」の留意事項として、「子どもの主体的な活動を促すためには、保育士等が多様な関わりをもつことが重要であることを踏まえ、子どもの情緒の安定や発達に必要な豊かな体験が得られるよう援助すること」がある。

010
☑☑☑

保育所保育指針第1章「総則」の3「保育の計画及び評価」の（3）「指導計画の展開」の留意事項として、「保育士等は、子どもの実態や子どもを取り巻く状況の変化などに即して保育の過程を記録するとともに、これらを踏まえ、指導計画に基づく保育の内容の見直しを行い、改善を図ること」がある。

011
☑☑☑

保育所保育指針第1章「総則」の3「保育の計画及び評価」の（3）「指導計画の展開」の留意事項として、「保育課程に基づき、子どもの生活や発達を見通した短期的な指導計画と、それに関連しながら、より具体的な子どもの日々の生活に即した長期的な指導計画を作成して保育が適切に展開されるようにすること」がある。

007
○

第1章の3の（3）のアに記載されている。キーワードは、「適切な役割分担と協力体制」である。

008
○

第1章の3の（3）のイに記載されている。キーワードは、「自ら活動を展開できるよう」である。

009
○

第1章の3の（3）のウに記載されている。キーワードは、「豊かな体験が得られる」である。

010
○

第1章の3の（3）のエに記載されている。キーワードは、「保育の内容の見直しを行い、改善を図る」である。

011
×

第1章の3の（3）にこのような記載はない。なお、第1章の3の（2）「指導計画の作成」のアには、「保育所は、全体的な計画に基づき、具体的な保育が適切に展開されるよう、子どもの生活や発達を見通した長期的な指導計画と、それに関連しながら、より具体的な子どもの日々の生活に即した短期的な指導計画を作成しなければならない」と記載されている。

012
☑☑☑

保育所保育指針に、「身近な環境に（　①　）に関わり様々な活動を楽しむ中で、しなければならないことを自覚し、自分の力で行うために考えたり、工夫したりしながら、諦めずにやり遂げることで達成感を味わい、自信をもって行動するようになる」と記されている。

013
☑☑☑

保育所保育指針に、「友達と様々な体験を重ねる中で、してよいことや悪いことが分かり、自分の行動を振り返ったり、友達の気持ちに（　①　）したりし、相手の立場に立って行動するようになる」と記されている。

014
☑☑☑

保育所保育指針に、「保育士等や友達と（　①　）を通わせる中で、絵本や物語などに親しみながら、（　②　）言葉や表現を身に付け、（　③　）や考えたことなどを言葉で伝えたり、相手の話を注意して聞いたりし、言葉による伝え合いを楽しむようになる」と記されている。

015
☑☑☑

保育所保育指針第1章「総則」の4「幼児教育を行う施設として共有すべき事項」の（2）「幼児期の終わりまでに育ってほしい姿」には、「遊びや（　①　）の中で、数量や図形、標識や文字などに親しむ体験を重ねたり、標識や文字の（　②　）に気付いたりし、自らの（　③　）に基づきこれらを活用し、興味や関心、感覚をもつようになる」と記載されている。

①主体的。第1章の4の（2）「幼児期の終わりまでに育ってほしい姿」のイ「自立心」に記載されている。

①共感。第1章の4の（2）「幼児期の終わりまでに育ってほしい姿」のエ「道徳性・規範意識の芽生え」に記載されている。

①心、②豊かな、③経験したこと。第1章の4の（2）「幼児期の終わりまでに育ってほしい姿」のケ「言葉による伝え合い」に記載されている。

①生活、②役割、③必要感。保育所保育指針第1章「総則」の4「幼児教育を行う施設として共有すべき事項」の（2）「幼児期の終わりまでに育ってほしい姿」のク「数量や図形、標識や文字などへの関心・感覚」に記載されている。

016
☑☑☑

保育所保育指針には、「教育課程」という用語の記載はない。

017
☑☑☑

保育所保育指針には、「カリキュラム・マネジメント」という用語の記載はない。

018
☑☑☑

保育所保育指針には、「保育教諭」という用語の記載はない。

019
☑☑☑

保育所保育指針には、「この時期においては、運動機能の発達により、基本的な動作が一通りできるようになるとともに、基本的な生活習慣もほぼ自立できるようになる。理解する語彙数が急激に増加し、知的興味や関心も高まってくる。仲間と遊び、仲間の中の一人という自覚が生じ、（　①　）遊びや（　②　）活動も見られるようになる。これらの発達の特徴を踏まえて、この時期の保育においては、（　③　）と集団としての活動の充実が図られるようにしなければならない」と記載されている。

016 ◯ 保育所は児童福祉法に基づく児童福祉施設の1つであることから「教育課程」という概念はない。他方、幼稚園は学校教育法に基づく学校の1つであることから、幼稚園教育要領には「教育課程」という用語の記載がある。

017 ◯ 「カリキュラム・マネジメント」の用語は、幼稚園教育要領に記載されている。

018 ◯ 「保育教諭」は、認定こども園で使われる名称であり、認定こども園で働く、保育士資格と幼稚園教諭免許の2つの資格を持つ職員のことをいうため、幼保連携型認定こども園教育・保育要領に記載されている。

019 → ①集団的な、②協同的な、③個の成長。保育所保育指針第2章「保育の内容」の3「3歳以上児の保育に関するねらい及び内容」の（1）「基本的事項」に記載されている。

020
☑☑☑
「児童養護施設運営ハンドブック」（平成26年　厚生労働省）によると、施設実習は、子どもを養育した経験のない実習生にとって具体的な援助技術の学びの場であると同時に実践の場である。

021
☑☑☑
「児童養護施設運営ハンドブック」（平成26年　厚生労働省）によると、実習生にとって最も大切なことは、子どもたちがおかれている現実にどれだけ寄り添い、子どもたちの心の機微にどれだけ触れることができるかである。

022
☑☑☑
「児童養護施設運営ハンドブック」（平成26年　厚生労働省）によると、個人情報保護の観点から、実習生には子どもたちの生い立ちに関する情報は一切伝えてはならない。

023
☑☑☑
「児童養護施設運営ハンドブック」（平成26年　厚生労働省）によると、実習生の育成は、実習指導を通し将来の児童養護施設職員の育成につながり、そのことが人材確保に大きな役割を果たすことを意識して丁寧な指導をすることが必要である。

020
○

「児童養護施設運営ハンドブック」の第Ⅱ部「各論」の8「施設の運営」の（6）「実習生の受入れ」に記載されている。

021
○

「児童養護施設運営ハンドブック」の第Ⅱ部「各論」の8「施設の運営」の（6）「実習生の受入れ」に記載されている。

022
×

「児童養護施設運営ハンドブック」には、「日常業務や観察・記録・ケース検討等の援助技術を修得し、そこで培った学びや気付きを真摯に受けとめることが重要です。また、（中略）子ども達のプライバシーや個人情報保護に十分な配慮が必要です」と記載されており、施設の許可を得た範囲で情報を提供してもらうこともできる。

023
○

「児童養護施設運営ハンドブック」の第Ⅱ部「各論」の8「施設の運営」の（6）「実習生の受入れ」に記載されている。

024
☑☑☑
カンツォーネは、イタリアのポピュラー・ソングである。

025
☑☑☑
声明は「しょうみょう」と読み、日本の仏教音楽の1つである。

026
☑☑☑
ニ長調の階名「シ」は、音名「ハ」である。

027
☑☑☑
リトミックは、アメリカの作曲家ジャック=ダルクローズが考案した音楽教育法である。

028
☑☑☑
変ホ長調の階名「ソ」は、音名「変イ」である。

029
☑☑☑
コダーイシステムは、アメリカで生まれた教育法である。

030
☑☑☑
音楽用語のdecresc. と dim. は、同じ意味である。

031
☑☑☑
日本のわらべうたは、すべて2音でできている。

032
☑☑☑
ピアノの楽譜でイ長調の調号は、♯（シャープ）が3つである。

024
○

もともとのカンツォーネの意味は単に「歌」を示す単語である。日本では、主に19世紀末から20世紀初頭に書かれたイタリアの大衆歌曲（ポピュラー音楽）を指す。

025
○

声明（しょうみょう）とは、お経に節がついた仏教音楽である。

026
✕

ニ長調の階名「シ」は、音名「嬰ハ」となる。

027
✕

ジャック=ダルクローズはアメリカではなく、スイスの作曲家、音楽教育家である。リトミックの言葉は、運動に基礎づけた芸術的な教育という意味を表している。

028
✕

変ホ長調の階名「ソ」は、音名「変ロ」となる。

029
✕

コダーイシステム（コダーイメソッド）とは、ハンガリーの作曲家であるコダーイ・ゾルターンによって提唱された音楽教育法、幼児教育法を指す言葉である。

030
○

正式にはdecrescendoとdiminuendo。2つとも「だんだん弱く」という同じ意味の音楽用語である。

031
✕

わらべうたの多くは、長音階の4番目と7番目を抜いた5つの音階でできている。

032
○

イ長調はファ、ド、ソに♯（シャープ）がつく。

033

☑☑☑

音楽用語の sf は、「特に強く」という意味である。

034

☑☑☑

音楽用語の 8 va alta は、「8度高く」という意味である。

035

☑☑☑

音楽用語の accelerando は、「だんだん速く」という意味である。

036

☑☑☑

『赤い鳥』は、大正時代に鈴木三重吉が創刊した雑誌である。

037

☑☑☑

マザーグースとは、イギリスの伝承童謡である。

038

☑☑☑

大太鼓や小太鼓は、膜鳴楽器である。

039

☑☑☑

「むすんでひらいて」の旋律を作曲したのは、ルソー（Rousseau, J.-J.）である。

040

☑☑☑

移調とは、曲の途中で、調が変化することである。

033 **O**
sfは、スフォルツァンドの略語で、「その音を特に強く」
という意味である。

034 **O**
8 va altaは、オッターヴァ　アルタ。「1オクターヴ（8
度）高く」という意味である。反対語の1オクターヴ（8
度）低くは8 va bassa。

035 **O**
accelerandoは、アッチェレランド。「だんだん速く」と
いう意味である。

036 **O**
『赤い鳥』は、鈴木三重吉が創刊した童話と童謡の児童雑
誌である。1918（大正7）年7月1日創刊、1936（昭和
11）年8月廃刊。

037 **O**
マザーグースとは、イギリスの伝承童謡の総称である。
ロンドンの出版業者ジョン＝ニューベリーが1765年ご
ろ刊行した「マザー＝グースのメロディー」に由来する
名称である。

038 **O**
膜鳴楽器とは、強く張った膜状のものの振動を音源とす
る楽器である。膜鳴楽器の大半は、膜を叩くことで音を
出す太鼓類である。

039 **O**
「むすんでひらいて」は、童謡、文部省唱歌である。作詞
者は不詳。作曲者はフランスの思想家・著作家ジャン＝
ジャック・ルソー。

040 **X**
メロディーはそのままの状態で、ほかの調に移すことを
移調という。曲の途中で別の調へ変わることは転調とい
う。

041
☑☑☑

コードC₇にあてはまる鍵盤の位置は⑥⑩⑰である。

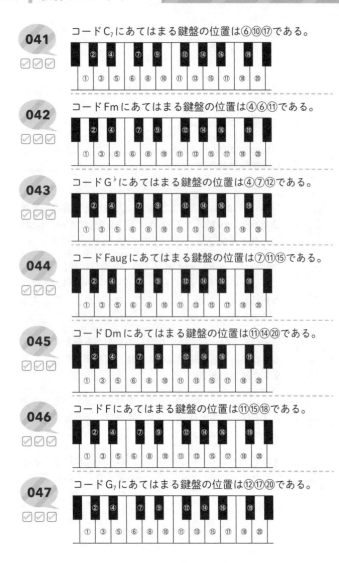

042
☑☑☑

コードFmにあてはまる鍵盤の位置は④⑥⑪である。

043
☑☑☑

コードG♭にあてはまる鍵盤の位置は④⑦⑫である。

044
☑☑☑

コードFaugにあてはまる鍵盤の位置は⑦⑪⑮である。

045
☑☑☑

コードDmにあてはまる鍵盤の位置は⑪⑭⑳である。

046
☑☑☑

コードFにあてはまる鍵盤の位置は⑪⑮⑱である。

047
☑☑☑

コードG₇にあてはまる鍵盤の位置は⑫⑰⑳である。

041 **×**　（属七の和音）ド、ミ、ソ、シ♭、セブンスは四和音なので、第五音（ソ）が省略される。鍵盤で探す音はド、ミ、シ♭となり、鍵盤⑥⑩⑯である。

---

042 **×**　（短三和音）ファ、ラ♭、ドなので、鍵盤⑥⑪⑭である。

---

043 **○**　（長三和音）ソ♭、シ♭、レ♭、Gに♭がついているので、根音はソ♭となる。

---

044 **○**　（増三和音）ファ、ラ、ド♯なので、鍵盤⑦⑪⑮である。

---

045 **×**　（短三和音）レ、ファ、ラなので、鍵盤③⑧⑪である。

---

046 **○**　（長三和音）ファ、ラ、ドなので、鍵盤⑪⑮⑱である。

---

047 **×**　（属七の和音）ソ、シ、レ、ファ、セブンスは四和音なので、第五音（レ）が省略される。鍵盤⑪⑬⑰である。

第
9
章

保育実習理論

048

☑☑☑

コード Am₇ にあてはまる鍵盤の位置は⑬⑮⑱である。

049

☑☑☑

コード Gm にあてはまる鍵盤の位置は①⑤⑧である。

050

☑☑☑

コード Caug にあてはまる鍵盤の位置は②⑥⑩である。

（短七の和音）ラ、ド、ミ、ソ、マイナーセブンスは、短三和音のさらに短三度上の音を入れた四和音なので、第五音（ミ）が省略される。鍵盤⑬⑮⑱である。

（短三和音）ソ、シ♭、レなので、鍵盤⑬⑯⑳である。

（増三和音）ド、ミ、ソ♯なので、鍵盤②⑥⑩である。

「音楽」では音の読み方や音程の数え方など基礎から積み上げていくことが大切だよ。

051
☑☑☑

子どもの絵によく見られる「太陽に顔が描かれている」表現は、（　①　）的表現と呼ばれる。「ものはすべて生きており、（　②　）がある」とする子どもの思考を（　③　）は（　①　）的と捉えた。

052
☑☑☑

「スクリブル」は、運動感覚的な楽しさに基づいて描かれることが多い。

053
☑☑☑

「頭足人」表現は、頭と足だけでなく、人物の全体的なイメージに基づいて描かれている。

054
☑☑☑

「マンダラ」図形は、アジア地域の子どもたちのみに出現する。

055
☑☑☑

「基底線」は、地面や空などの空間的な関係を表している。

056
☑☑☑

「展開図描法」は、見えている現実ではなく、知っている事実を表す知的リアリズムと呼ばれることもある。

057
☑☑☑

アニミズム的表現とは、すべてのものに命があり、感情や意志をもっているという考え方に基づいた絵で、動物以外のものにも目や口を描き、感情の表現を行う。

058
☑☑☑

レントゲン描法とは、家の中の様子やポケットの中身など、外からは見えないものまでを描いた絵のことである。

051 → ①アニミズム、②意志、③ピアジェ。アニミズムは、本来顔のない太陽や花などに顔が描かれたり、ぬいぐるみや四つ足の動物と手をつないだりする擬人化された表現になぞらえて、心理学者であるピアジェ（Piaget, J.）が提唱した。

052 ○ 「スクリブル」は描画の意志よりも、肩や肘、手首などの大きな運動による動作の楽しさを先行して描かれている。

053 ○ 「頭足人」は頭と胴体が統一されたもので、人の全身を描いた造形である。

054 ✕ 仏教の造形表現の1つである「曼荼羅」に、空間的な表現方法が似ている「マンダラ」図形は、アジア地域の子ども特有のものではなく、世界的に見られる表現である。

055 ○ 前図式期までの浮遊した全空間的描写に対し、日常的な天地の空間認識が現れ、「基底線」となる。

056 ○ 「展開図描法」は、図式期の特徴である知識による情報が、目の前の視覚による情報より強い形で表現される例の1つである。

057 ○ アニミズム的表現は、本来顔のない太陽や花などに顔が描かれたり、ぬいぐるみや四つ足の動物と手をつないだりする擬人化された表現である。

058 ○ レントゲン描法は、家やポケットのほか、乗り物の外と中が描かれるなど、透けて見えるような表現である。

059
☑☑☑

展開図描法とは、異なる時間の出来事や、連続して進行する話のそれぞれの場面を1枚の絵の中に描くことである。

060
☑☑☑

基底線とは、画面に横線を引き、この横線を地面としてその上に人や乗り物を描く、このような横線の呼び名である。

061
☑☑☑

テーブルを囲んで家族が食事している絵で、テーブルの四方に人が倒れているように描かれる表現は、多視点表現である。

062
☑☑☑

横から見た乗り物の絵の下に地面のような線が描かれる表現は、図式期の特徴の1つである。

063
☑☑☑

図式期の表現の特徴は、目で見た観察による視覚的な表現よりも、知識に基づく表現が強く現れる。

064
☑☑☑

しっかりとした丸い形を描いたあとにそれが何を意味するか命名するのは、スクリブル期の特徴である。

059 ✕	展開図描法は、上から見た道路の両側に建物や木などが倒れたように描かれる表現である。異なる時間の出来事や、連続して進行する話のそれぞれの場面を1枚の絵の中に描く表現はつぎたし表現と呼ばれる。
060 ◯	画面に横線として描かれる基底線は、地面と空を区別するという空間的な知的リアリズムの表現である。
061 ✕	展開図描法である。箱などの立体を平らに開いたときの表現に似ており、立っているものや座っているものなどが、上から見て倒れたように描かれる。
062 ◯	空間認識の特徴がよく現れた表現で、基底線と呼ばれる水平線の上に並ぶようにものが描かれる。
063 ◯	図式期は、知的リアリズム期とも呼ばれ、知識が表現に強く現れるため、描かれるものの大きさや配置、関係性などは実際と異なることが多い。
064 ✕	象徴期や意味づけ期、命名期と呼ばれる段階の特徴で、スクリブル期（なぐりがき期）の次の発達段階の表現である。

065
☑☑☑

色を選ぶときは、色相環で（ ① ）を並べて組み合わせると、調和しやすく穏やかな印象となる。

066
☑☑☑

色相環の反対側の色とはそれぞれ（ ① ）の関係である。

067
☑☑☑

それぞれの色に白を混ぜたパステルカラーも、色の（ ① ）は下がるが、優しくまとまった印象の色構成をすることができる。

068
☑☑☑

色彩理論では、「緑みの青」「赤紫」「黄」の3色を「光の三原色」という。

069
☑☑☑

「虹」は、空気中にある無数の水滴によって太陽光線が分光されてできる。

070
☑☑☑

「青」は、緑と黄の混色でできる色である。

071
☑☑☑

「黄」は、色の三原色の一つであるが光の三原色の一つではない。

①同系色。色彩論では色相環の隣り合った色相は「類似色」と呼び、「同系色」は白や黒、灰色が混色された色を指すが、一般的にはこの2語は混同されて使われることが多いため、試験問題でも色相環での近しい色相どうしを「同系色」としている。

①補色。色相を少しずつ変化させて円状に並べた色相環では、隣り合った色相では変化が少ないため馴染みやすく、調和のとれた配色となる。一方で反対の位置関係にある色相では補色関係となり、力強い配色となる。

①彩度。白の混色では明度は高く、黒の混色では明度は低くなるが、白、黒、灰色といった無彩色を混色した場合はいずれも彩度が低くなる。

「光」の三原色ではなく「色料」の三原色である。

069
○

太陽光線は、光の色が集まって白（透明）に見えている。光は異なる質を通過すると屈折する性質があるが、光の色によって屈折する大きさが異なるため、水滴によって光の色に分光され「虹」が見える。

「青」は色の三原色の一つで、他の色を混色して作ることはできない。

071
○

光の三原色は、「赤」「青」「緑」で、色の三原色の一つである「黄」は、光の三原色の一つではない。

072 バチックは、凹凸のあるものに紙をかぶせて上からこすり出しをする技法である。

073 マーブリングは、「竹ぐしや割り箸などを押し当てて描く」ことで、パスの黒が削られることが特徴である。

074 スクラッチとは、水の上に油性のインクや墨を浮かべて、紙に写し取る技法である。

075 デカルコマニーは二つ折りした紙を広げて片方に絵の具を置き、折り合わせて絵の具を写し取る技法である。

076 絵本『スイミー』では、絵の具を塗った面が乾かないうちに、紙などを押し当てて写し取る「転写」技法が背景に用いられている。紙を剥がしたときに現れる思いがけない模様が効果的に活かされている。

077 絵本『フレデリック』では、紙などを台紙にのりで貼り付ける「スタンピング」技法を用いて、様々な種類の紙の特性を活かしながら情景を豊かに表現している。

078 絵本『ひとあしひとあし』では、凸凹のある物の上に紙を置き、鉛筆などでこすって形や模様を浮き立たせる「フロッタージュ」技法が用いられている。

079 フィンガーペインティングの技法は、太古から洞窟壁画などに用いられてきた。

080 フィンガーペインティングを行った直後に、描かれた画面に紙をのせて版画のように写し取ることができる。

072 ✕	バチックは、クレヨンなどの油性の画材で線描きした上から、水性の絵の具などを塗る「はじき絵」技法で、「ろうけつ染め」のことである。
073 ✕	マーブリングは、水の上に油性のインクや墨を浮かべて、紙に写し取る技法で、マーブル（大理石）模様のようになることから名づけられた。
074 ✕	スクラッチは、「竹ぐしや割り箸などを押し当てて描く」ことで、パスの黒が削られることが特徴である。
075 ◯	デカルコマニーは、「転写法」の意味である。
076 ◯	この「転写」技法は版画の一種だが、同じものが複数できないため「モノタイプ」や「モノプリント」とも呼ばれる。
077 ✕	貼り付ける技法は「コラージュ」技法である。「スタンピング」技法はスタンプのことで、凸部にインクや絵の具をつけて紙に押し付ける技法である。
078 ◯	凸凹を紙に写し取る「フロッタージュ」技法は、鉛筆のほか、クレヨンなどの比較的硬質な描画材も用いられる。
079 ◯	フィンガーペインティングは太古から洞窟壁画などに見られる原始的な手法である。
080 ◯	すぐには乾かないので、版画のように写し取ることができる。この技法を「モノタイプ」という。

081 ☑☑☑ 新聞紙は紙目がないので、どこから引っ張ってもジグザグに破れる性質がある。

082 ☑☑☑ ドーサが引いてある和紙はにじみにくいので、絵の具を使ったにじみ遊びには適さない。

083 ☑☑☑ トレーシングペーパーとは、不透明な色紙のことである。

084 ☑☑☑ 段ボール紙は水に強く、濡れても丈夫なので屋外の制作活動に適している。

085 ☑☑☑ 保育で一般的に用いられる合成繊維製のテープ紐は、ポリエチレン（PE）製のものは屋外で使用しても、すぐに土の中で分解されるので放置しておいてもよい。

086 ☑☑☑ 保育で一般的に用いられる合成繊維製のテープ紐は、長手方向に簡単に裂くことができ、踊りや応援などで用いる「ポンポン」をつくることができる。

087 ☑☑☑ でんぷん糊は、主に、紙同士を接着する時に使われる。

088 ☑☑☑ でんぷん糊は、古来より、穀物などを用いて作られてきた。

089 ☑☑☑ でんぷん糊は、水と混ぜると硬化し固着する。

081 ✕ 新聞紙は紙目がはっきりしており、縦方向では、ほぼまっすぐに裂けやすい性質をもつ。

082 ◯ 和紙は、紙の繊維が長く洋紙に比べ水分を含みやすい紙であるが、膠（にかわ）と明礬（みょうばん）を混ぜたドーサ（礬水）を表面に塗るとにじみ止めの効果がある。

083 ✕ トレーシングペーパーは、トレースする（なぞる）ための紙で、薄く半透明である。

084 ✕ 段ボールは多少の水はじき剤が塗布されたものもあるが、水に強い紙ではないので、屋外制作活動には適していない。

085 ✕ ポリエチレン（PE）、ポリプロピレン（PP）、ペット（PET）など、身近なプラスチックやビニール製品は土の中や太陽の光（紫外線）では分解されない。

086 ◯ 細い繊維が長手方向に束ねられているので簡単に裂くことができる。

087 ◯ でんぷん糊は接着剤の中では接着力が弱いほうなので紙同士の接着に使われる。

088 ◯ 稲作が中心の日本では古来より穀物からでんぷん糊が作られてきた。

089 ✕ でんぷん糊は水溶性で水を混ぜると軟化し溶ける。

090
☑☑☑
『じゃあじゃあびりびり』まついのりこ（作・絵）は、オノマトペの面白さを描いた絵本である。

091
☑☑☑
『がたん　ごとん　がたん　ごとん』安西水丸（作）は、オノマトペの面白さを描いた絵本である。

092
☑☑☑
『きつねのよめいり』松谷みよ子（作）・瀬川康男（絵）は、オノマトペの面白さを描いた絵本である。

093
☑☑☑
『ちいさいおうち』バージニア・リー・バートン（Burton, V. L.）（作・絵）・石井桃子（訳）は、オノマトペの面白さを描いた絵本である。

094
☑☑☑
保育所保育指針第2章「保育の内容」の3「3歳以上児の保育に関するねらい及び内容」の(2)「ねらい及び内容」のエ「言葉」には、「経験したことや考えたことなどを（　①　）言葉で表現し、相手の話す言葉を（　②　）意欲や態度を育て、言葉に対する（　③　）や言葉で表現する力を養う」と記載されている。

095
☑☑☑
保育所保育指針第2章「保育の内容」の3「3歳以上児の保育に関するねらい及び内容」のエ「言葉」には、「言葉は、身近な人に親しみをもって接し、自分の（　①　）や意志などを伝え、それに相手が応答し、その言葉を（　②　）を通して次第に獲得されていくものであることを考慮して、子どもが保育士等や他の子どもと関わることにより（　③　）を動かされるような体験をし、言葉を交わす喜びを味わえるようにすること」と記載されている。

090 ○
この作品は、オノマトペを採用している。

091 ○
この作品は、繰り返しのオノマトペを採用している。

092 ✕
この作品は、おじいさんときつねの心の交流を描いた絵本で、特にオノマトペの面白さを描いているものではない。

093 ✕
この作品は、時の流れとともに移りゆく風景を、詩情ゆたかな文章で美しく描き出しており、特にオノマトペの面白さを描いているものではない。

094 →
①自分なりの、②聞こうとする、③感覚。「言葉」は、自分の思いを伝えるだけでなく、相手の言葉をよく聞こうという気持ちも促す。また、会話だけでなく、絵本を見たり、物語を聞いたりして言葉の楽しさや美しさに気付いたり、想像力や今まで知らなかったことにもふれることができる。

095 →
①感情、②聞くこと、③心。保育所保育指針第2章「保育の内容」の3「3歳以上児の保育に関するねらい及び内容」の(2)「ねらい及び内容」のエ「言葉」の(ウ)「内容の取扱い」の①に記載されている。

096 ☑☑☑

『ティッチ』パット・ハッチンス（作・画）・石井桃子（訳）は、きょうだい関係を描いた作品である。

097 ☑☑☑

『ぼちぼち いこか』マイク＝セイラー（作）・ロバート＝グロスマン（絵）・今江祥智（訳）は、きょうだい関係を描いた作品である。

098 ☑☑☑

『ちょっとだけ』瀧村有子（作）・鈴木永子（絵）は、きょうだい関係を描いた作品である。

099 ☑☑☑

『キャベツくん』長新太（作）は、きょうだい関係を描いた作品である。

100 ☑☑☑

『のはらうた』の作者は、工藤直子である。

101 ☑☑☑

「こだまでしょうか」の作者は、金子みすゞである。

102 ☑☑☑

『てのひらをたいように』の作者は、やなせたかしである。

103 ☑☑☑

『いろんなおとのあめ』の作者は、岸田衿子である。

104 ☑☑☑

クラスの子どもたちに絵本の読み聞かせをする際には、読み手の背景は、子どもが絵本に集中できるようにシンプルな背景がよい。

096 **○**	三人きょうだいの末っ子ティッチは、体格も、持ち物も、一番小さく、一番幼かったりするけれど、ティッチなりの役割があるというストーリーである。
097 **✕**	重量級の主人公のカバくんは、船乗り、飛行士、ピアニストと、次々に新しい仕事に挑戦しては失敗の繰り返し。おかしな結末をユーモラスな絵で語る作品である。
098 **○**	主人公のなっちゃんが、お姉さんになったことで感じる切なさや、それを乗り越えて成長する子どもの姿を母親の愛情とともに描いている。
099 **✕**	いろいろな動物のキャベツになった姿が面白く、キャベツくんとブタヤマさんのシンプルな会話の繰り返しなど、ユーモアあふれるお話である。
100 **○**	女性初のコピーライターとして活躍した後、詩人・童話作家となった。主な作品は『てつがくのライオン』『ともだちは海のにおい』『のはらうた』などがある。
101 **○**	代表作に「私と小鳥と鈴と」「大漁」「こだまでしょうか」がある。
102 **○**	漫画家であり、作詞家でもある。主な作品は『やさしいライオン』『アンパンマン』『チリンのすず』『そっくりのくりのき』『ガンバリルおじさん』などがある。
103 **○**	画家から作家に転身した。主な作品は『かばくん』『ジオジオのかんむり』『かえってきたきつね』『だれもいそがない村』『おにまるとももこうみへ』などがある。
104 **○**	子どもたちから見た際、絵本以外にいろいろなものが目に入ってしまうと、絵本に集中することができない。

105
☑☑☑
クラスの子どもたちに絵本の読み聞かせをする際には、絵本は、表紙や裏表紙にも物語が含まれることがあることを理解しておく。

106
☑☑☑
クラスの子どもたちに絵本の読み聞かせをする際には、子どもが絵本の世界を楽しめるように、保育士は絵本のストーリーや展開をよく理解しておく。

107
☑☑☑
クラスの子どもたちに絵本の読み聞かせをする際には、絵本を読み終えたら、子どもが絵本の内容を正確に記憶できているかが重要であるため、直ちに質問して確認する。

108
☑☑☑
保育場面で紙芝居を演じる際の留意点等として、場面に応じて、ぬき方のタイミングを工夫する。

109
☑☑☑
保育場面で紙芝居を演じる際の留意点等として、声の大きさ、強弱、トーンなどの演出はしない。

110
☑☑☑
保育場面で紙芝居を演じる際の留意点等として、演じ手は子どもの反応を受け止めずに進める。

111
☑☑☑
保育場面で紙芝居を演じる際の留意点等として、舞台や幕を使うことが効果的である。

105 ○
絵本の表紙、裏表紙は、物語の背景や続きを思わせる余韻を楽しめる部分である。表紙から裏表紙までで1冊となる。

106 ○
保育士がストーリー全体を把握しておくことで、より生き生きと内容が伝わる。また、読み方だけでなくページのめくり方にも気を配ることができ、子どももより集中して聞くことができる。

107 ×
読み聞かせには、本の内容の理解だけではなく子どもの感性を育てるという目的もある。読み終わってから、いろいろ質問をするのではなく、「おしまい」で終わりにするのもよい。もちろん子どもからの発話があれば、そのことについて話をしてもよい。

108 ○
ぬき方のタイミングを変えることで、より話の流れを感じられる。

109 ×
声の大きさやトーンなどを変えることで、登場人物の違いや大きさなどがイメージしやすくなる。

110 ×
子どもの反応を受け止めながら、楽しさや驚きなどをイメージして、話を楽しめるようにする。

111 ○
舞台や幕を使うことで話に対し期待感が増し、より楽しんで聞けるようになる。

著者紹介

● **編　集** ●

中央法規保育士受験対策研究会

● **執筆代表** ●

橋本圭介（はしもと けいすけ）

ヒューマンアカデミー通信講座・保育士講師（主任）、学校法人三幸学園大宮こども専門学校専任講師、豊岡短期大学こども学科非常勤講師、姫路大学教育学部非常勤講師、あさか保育人材養成学校主任講師、社会福祉法人友愛会川口アイ保育園理事長ほか

● **執筆者** ●　　五十音順

綾　牧子（あや まきこ）

学研アカデミー保育士養成コース専任講師、文教大学非常勤講師

大城玲子（おおしろ れいこ）

保育士、ヒューマンアカデミー通信講座・保育士講師

河合英子（かわい えいこ）

元 学校法人三幸学園大宮こども専門学校専任講師、元 小田原短期大学保育学科非常勤講師

喜多﨑薫（きたざき かおる）

総合学園ヒューマンアカデミーチャイルドケアカレッジ東京校非常勤講師、あさか保育人材養成学校講師

喜多野直子（きたの なおこ）

管理栄養士、保育士、学校法人三幸学園東京こども専門学校専任講師、東京医療秘書歯科衛生＆IT専門学校非常勤講師、小田原短期大学保育学科非常勤講師、栄養セントラル学院講師、あさか保育人材養成学校講師

児玉千佳（こだま ちか）

チェロ奏者、ヒューマンアカデミー通信講座・保育士講師、学校法人三幸学園大宮こども専門学校専任講師

佐藤賢一郎（さとう けんいちろう）

常磐大学人間科学部教育学科准教授

新川加奈子（しんかわ かなこ）

医学博士、精神保健福祉士、ヒューマンアカデミー通信講座・保育士講師

中山麻子（なかやま あさこ）

臨床心理士、公認心理師、小田原短期大学保育学科非常勤講師、あさか保育人材養成学校講師、学校法人三幸学園大宮こども専門学校・大宮医療秘書専門学校非常勤講師